Cómo se comenta un texto fílmico

RAMÓN CARMONA

Cómo se comenta un texto fílmico

SEXTA EDICIÓN

CATEDRA

👁 **Signo e Imagen**

Director de la colección: Jenaro Talens

1.ª edición, 1991
6.ª edición, 2005

Diseño de cubierta: aderal tres

Ilustración de cubierta: Fotograma de *El Padrino III* (1990), de Francis
Ford Coppola
© Paramount Pictures/Album

© Ramón Carmona
© Ediciones Cátedra (Grupo Anaya, S. A.), 1991, 2005
Juan Ignacio Luca de Tena, 15. 28027 Madrid
Depósito legal: M. 51.321-2005
ISBN: 84-376-0963-1
Printed in Spain
Impreso en Anzos, S. L.
Fuenlabrada (Madrid)

A Don Ramón G. M.,
que sugirió la idea de este libro cuando
discutíamos de *El Perseguidor.*
Y a Carmen R. (1911-1991), *In memoriam.*

Introducción

El presente libro tiene una finalidad práctica: ofrecer unas pautas que puedan servir de guía a la hora de comentar un film. Su destinatario no es, pues, el especialista en análisis textual ni el teórico o historiador del cine, ni siquiera el cinéfilo, sino todos aquellos lectores interesados en el fenómeno cinematográfico y, fundamentalmente, los estudiantes que se acercan por primera vez al terreno del cine con un bagaje analítico y cultural proveniente, en la mayoría de los casos, del campo de la historia o la literatura.

El creciente interés por el cine, que desde hace relativamente pocos años se manifiesta mediante la inclusión de materias relacionadas con él en los planes de estudio de Bachillerato y Universidad (bien como actividad complementaria, bien como asignatura específica), no ha solido ir acompañado de apoyos institucionales bajo forma de plazas de profesorado específicamente dedicado a este menester. Son por ello los profesores de literatura, de historia, de filosofía, o, en general, todos aquellos con interés por el cine, los encargados de asumir sus enseñanzas. Ello explica, quizá, la escasez de textos introductorios a la materia en el terreno editorial, frente a la abundancia que se manifiesta en otras disciplinas. Este libro busca insertarse en ese espacio todavía difuso, ofreciendo unas nociones básicas que puedan servir como punto de partida para trabajos posteriores más amplios.

Todo ello lo convierte en una suerte de manual introductorio, única ambición que asume como propia, lo que lo hace necesariamente esquemático en ocasiones y voluntariamente didáctico. No hay en ello, sin embargo, una falta de ambición teórica, sino todo lo contrario. Pocas veces, como en la actualidad, el ejercicio analítico del discurso en general, y del discurso fílmico en particular, ha tenido tanto éxito. No obstante, dicho ejercicio, por lo que respecta al campo del cine, se ha llevado a cabo entre los cada vez más numerosos especialistas, lo que ha producido un corte cada vez más grande entre aquéllos y los espectadores de a pie. La complejidad y multiplicidad de puntos de vista que articulan los debates sobre cine desde hace veinte años, han creado una especie de mitología esotérica en torno a las dificultades de acercamiento a la comprensión de un film. El propósito de este libro es mostrar cómo dicho esoterismo es una falacia y que es posible desmontar el aura de misterio que rodea la aproximación crítica al fenómeno cinematográfico.

El ejercicio analítico que acompaña todo comentario permite, en efecto, descomponer y recomponer un objeto, averiguando de esa manera su modo específico de funcionamiento y permitiendo entrar en la mecánica de los films concretos mediante la comprensión de sus dispositivos retóricos de composición, unos dispositivos que remiten a un lenguaje, no por diferente del natural, menos formalizado.

Todo ello, como se verá a lo largo de estas páginas, no implica eliminar, sino más bien apoyar el placer de la simple visión de una película, por cuanto, frente a quienes rehúsan el análisis con la excusa de que mata el goce, estamos convencidos de que sólo se disfruta con aquello que se conoce, y sólo se conoce aquello que es posible comprender, es decir, explicar. El efecto «mágico» que produce el paso de 24 imágenes por segundo sobre una pantalla en una sala oscura —o de 25 en el caso del televisor— es sólo eso, un efecto. No se trata, pues, de negarlo, sino de comprender qué lo produce, cómo se produce y desde dónde se produce.

Si ya resulta difícil creer en la existencia de productos artísticos «naturales», surgidos de la especial inspiración de los llamados «artistas», en el caso del cine, por su especial configuración tecnológico-industrial, es casi imposible. Que la precisión del trabajo artesanal de un grupo bastante numeroso de personas sea capaz de borrar los trucos del taller no significa que no haya un taller ni un trabajo artesanal. Se trata, por tanto, de estudiar sus leyes de funcionamiento y de ofrecer pautas para desacralizar los resultados que, enlatados y convenientemente publicitados, son ofrecidos luego para consumo y disfrute del público espectador.

Comentar un film es en el fondo una actividad bastante común. No se necesita para ello ninguna acreditación especial. Cualquier espectador, por poco crítico que sea, por muy distante que se sienta del tema o de la estructura de un film, puede practicarla en cualquier momento. La mirada puede disociar ciertos elementos para interesarse en una secuencia determinada, en un encuadre o en parte de un encuadre, en un personaje. Desde esta perspectiva el comentario es una práctica común al crítico, al teórico, al cineasta y a cualquier espectador normal y corriente. No se trata, sin embargo, de anular toda distinción entre comentarios más eruditos o mejor informados de otros que lo sean menos, pero tampoco de establecer una jerarquía de valores basada en la mayor relevancia social o profesional de los tres primeros sobre el último, sino de clarificar dentro de qué límites de pertinencia y respecto de qué sistema cualquier comentario, por muy arbitrario que parezca, puede ser válido y coherente aplicado a un film concreto.

Las formas de aproximación al fenómeno cinematográfico han sido y continúan siendo múltiples y contradictorias. Este libro no pretende, por ello, ofrecer un *modelo universal* que sirva para *todos y cada uno de los films en todo tiempo y lugar*. Busca, por el contrario, como se indicó al inicio de estas páginas, mostrar las pautas de un posible método de aproximación que permita saber cómo está hecho aquello que nos gusta para poder saber por qué nos gusta. No hay, en consecuencia, propuestas de valor sino de dispositivos analíticos. Cada lector deberá organizar con ellos sus propias conclusiones.

Por su mismo carácter introductorio, se ha preferido no recargar el texto con notas a pie de página ni con excesivas referencias bibliográficas. No obstante, al final de su desarrollo se recogen algunos títulos fundamentales que permitirán al interesado continuar su camino por sus propios medios.

Este libro es el resultado de un trabajo colectivo de cuatro personas. Tanto su organización como su desarrollo han sido discutidos en común y, aunque muchas de sus páginas fueron escritas originariamente por cada una de ellas de manera independiente, tanto el estilo como la redacción final responden a una reelaboración posterior del material en forma de capítulos. Coherentemente con las tesis que propone, la noción de autoría es más un punto de llegada que un punto de partida, un dispositivo impersonal resultante de la labor de montaje y articulación de discursos diversos. Su autor, pues, no *es*, sino *se llama* Ramón Carmona.

Libros como el que aquí se presenta no serían posibles sin la existencia de numerosos trabajos que en los últimos años han buscado con rigor y constancia comprender en qué consiste y cómo funciona un film. Nombres como Jacques Aumont, David Bordwell, Noël Burch, Francesco Casetti, Michel Chion, Tom

11

Conley, Teresa de Lauretis, Stephen Heath, Claire Johnston, François Jost, Jean-Louis Leutrat, Michel Marie, Silvestra Mariniello, Lino Miccichè, Laura Mulvey, Jean-Pierre Oudart, Constance Penley, Anne-Marie Picard, Kaja Silverman, Kristin Thompson, Marc Vernet o, en España, el colectivo de la revista *Contracampo* están, por ello, en la base de estas páginas.

Madrid, otoño de 1990.

CAPÍTULO PRIMERO

Imagen, realidad y sentido

La progresiva implantación de los medios tecnológicos en la sociedad de nuestro tiempo —vídeo, ordenador, fotocopiadoras, cintas de audio, telefax— ha alterado de modo radical tanto las formas de archivar y transmitir información como los mecanismos de percibir y pensar el mundo. Todos estos medios no asumen ni comparten necesariamente los valores que fueron propios de la denominada por Marshall McLuhan «galaxia Gutenberg». En ese contexto de pérdida continua de hegemonía por parte de los géneros discursivos tradicionales, resulta paradójica la relativa marginación de esta nueva «galaxia» en las instituciones específicamente dedicadas a la difusión y análisis de los saberes, como son las escuelas y universidades. La presencia curricular de materias dedicadas a su enseñanza son relativamente mínimas, si se las compara con otras disciplinas como la literatura o la filosofía. Sin embargo, el aumento constante de población que accede al conocimiento del mundo a través de un promedio de 6 u 8 horas diarias frente al televisor corre paralelo con la curva decreciente de la cultura letrada. Cada día se «ve» más y se «lee» menos. El desconocimiento, por ejemplo, de las más elementales normas de ortografía en gran parte de la juventud actual occidental no sería, desde esta perspectiva, sino un síntoma más del profundo cambio de valores que se ha operado en este último cuarto del siglo XX, donde incluso las letras de las canciones —si aceptamos que la música (rock, pop, tecno) ha sustituido en gran medida al libro como objeto de consumo masivo— ceden su puesto a la visualización que de ellas

13

parece realizarse mediante el videoclip. Por otra parte, el cierre sistemático de salas de cine y la expansión del soporte videográfico como forma de acceder a la visión de los films, pese a la aberración que supone el paso del formato de 35 o 70 milímetros a la pantalla reducida del televisor, indica que también el cine ha sido literalmente alcanzado por la onda expansiva del terremoto tecnológico. El cine, en efecto, funciona a caballo entre dos concepciones discursivas, dos «galaxias» en conflicto. Por una parte, participa de la fascinación y del instrumental tecnológicos; por otra, asume y hace suyos muchos de los valores que fundamentan los discursos tradicionales, tales como la pintura, el teatro o la literatura. Quizá, por ello, el cine constituye un lugar privilegiado para abordar el problema del análisis discursivo de lo visual como objeto hegemónico de nuestro tiempo.

1. IMAGEN DE LA REALIDAD/REALIDAD DE LA IMAGEN

Comencemos con una evidencia: más del 94 por ciento de las informaciones que reciben el hombre y la mujer contemporáneos, habitantes de las grandes urbes, entran en el cerebro a través de los sentidos de la vista y el oído; más del 80 por ciento, específicamente, a través del mecanismo de la percepción visual. Aunque el porcentaje no sea tan alto en zonas no urbanas o en los países del denominado Tercer Mundo, alcanza, sin embargo, cotas superiores al 50 por ciento. No es casual, pues, que se hable de «civilización de la imagen» para caracterizar el universo comunicativo contemporáneo.

Resulta, por ello, necesario proceder a un análisis que sitúe esta expansión de lo visual en lo que tiene de específico, incidiendo en una de las características que parecen definir la imagen: su carácter de inmediatez, su apariencia de reflejo especular y duplicación de la realidad. Esta inmediatez y confusión —fruto de una ideología asimilada a través de toda la cultura icónica occidental— tiende a eliminar la distinción entre la realidad de la imagen y la imagen de la realidad. Por ello resulta necesario detenerse, siquiera sea brevemente, en la discusión de un problema que es central en el caso del cine.

Las definiciones de la imagen han sido numerosas a lo largo de los tiempos. Ya Platón, en el capítulo sexto de la *República*, hablaba de imágenes como «sombras, y (...) fantasmas representados en las aguas y sobre la superficie de los cuerpos opacos, tersos y brillantes». Dos son los elementos de la definición platónica que nos interesan aquí: la idea de representación y la noción de reflejo especular.

Las mismas referencias aparecen cuando acudimos a las etimologías de las palabras imagen (del latín *imago*) o icono (del griego *eikon*). Una y otra remiten a *representación* y *reproducción*, por un lado, y a *semejanza* (a través del concepto de retrato), por otro. Como vemos, estas primeras definiciones se inscriben en un campo ideológico preciso. Por eso quizá resulte más útil recurrir, inicialmente, a definiciones que tengan la virtud de permitir una aproximación meramente descriptiva.

Así, podemos hablar de imagen, siguiendo a Abraham Moles (1981) como soporte de la comunicación visual en el que se materializa un fragmento del universo perceptivo, y que presenta la característica de prolongar su existencia en el curso del tiempo.

De esta definición podemos extraer dos características distintas de las anteriormente apuntadas: su *materialidad*, es decir, cualidad de *constructo* de la imagen y su *independencia* con relación a los temas u objetos representados. Asimismo podemos hablar: de *grado de figuración* de una imagen (idea de representación de objetos o seres conocidos); de *grado de iconicidad* (como opuesto al *grado de abstracción* y que hace referencia a la calidad de la identidad de la representación con el objeto representado); de *grado de complejidad* —prestando especial atención al hecho de que no basta una mera consideración de la complejidad de la imagen en función del número de elementos que la conforman, sino que es imprescindible incluir en este terreno las competencias del espectador—; de *tamaño* (grado de ocupación del campo visual); de los *los grosores de la trama y el grano;* de las *distintas cualidades técnicas* (contrastes, iluminación, nitidez, etc.); de la *presencia o ausencia del color;* de la *dimensión estética* —que introduce la imagen en el campo que Roland Barthes denominó de la dispersión del sentido—; y del *grado de normalización* (ligado a las prácticas de copiados múltiples y difusión masiva).

Este último aspecto nos introduce de lleno en una problemática que conviene esbozar desde un principio: el hecho de que, como recuerda Gilles Deleuze, nuestra autodenominada «civilización de la imagen» sea sobre todo una «civilización del cliché». Esto puede explicarse en un doble sentido. Por un lado, porque la inflación icónica se edifica sobre la redundancia. Por otro, en un sentido más complejo, porque el Poder constituido mantiene muchas veces un interés evidente en la ocultación, distorsión o manipulación de ciertas imágenes, de tal manera que éstas casi dejan de ser un medio de revelar la realidad para convertirse en

15

una forma de ocultarla. Redundancia y ocultación se convierten en caras de la misma moneda. Por si esto fuera poco —insistirá también Deleuze— existe un interés generalizado por «escondernos algo en la imagen». Ese algo, podríamos añadir nosotros, no es sino su aspecto de lenguaje, su carácter de instrumento de persuasión, ya que no existen espejos que no sean deformantes, pues todo acto de lenguaje icónico es fruto, como veremos más adelante, de una estrategia significativa y, por tanto, persuasiva.

En relación con las ideas anteriores se encuentra el hecho de que la densidad visual de imágenes ha crecido en progresión geométrica en las últimas décadas. Abraham Moles ha subrayado la necesidad de comenzar a analizar cómo el tamaño numérico de un flujo —en este caso de imágenes— es capaz de condicionar el comportamiento humano. De aquí que se comience a hablar de una ecología de la imagen que se ocupa de la presión visual a la que nos vemos sometidos en nuestra cotidianeidad. Cabría, llegados a este punto, señalar que la invasión icónica, combinada con su carácter predominantemente «realista» (derivado del peso de la tradición figurativa en nuestra tradición cultural), es la que ha provocado el equívoco que sostiene que las imágenes comunican de «forma directa», pasando por alto la necesidad de analizar cómo comunican y funcionan los discursos visuales, para evitar la proliferación de esa especie tan usual del ciego vidente.

Una distinción importante y primordial es la que se establece entre imágenes figurativas e imágenes abstractas o, si se prefiere, representativas y no representativas. Después de una reflexión inicial puede decirse que las primeras serán aquellas que contienen información acerca de otros objetos (situaciones, temas, etc.) distintos de su propia materialidad, a través de una operación de subrogación. Por ello puede afirmarse que las imágenes denominadas abstractas —aun siendo muy concretas— son aquellas que proporcionan *percepción*, pero no *percepción de* una cosa u objeto.

Por último, conviene señalar que la «imagen mental» puede también ser tomada en consideración desde el punto de vista de la *representación en el conocimiento*. Desde esta perspectiva no es ocioso, a la luz de la moderna psicología cognitiva, preguntarnos en qué sentido podemos decir que tenemos imágenes de las cosas en nuestro cerebro. La admisión de la existencia del formato «imagen mental» implica conocer cuál es el papel específico que éste desempeña en la vida cognitiva.

Así puede contemplarse la polémica abierta entre partidarios y detractores del formato imaginístico sobre si la imagen mental supone una forma de codificación previa a la proposicional, que no lleva consigo una interpretación, con lo que vuelve a plantearse en este nivel una distinción que fue durante algún tiempo fundamental en los análisis de la percepción.

En resumen, se trata de dilucidar si la imagen es una forma estructuralmente diferenciada de representación interna, si posee un formato diferente de otras representaciones y si constituye o no una forma funcionalmente distinta de representación mental.

En otro orden de cosas puede subrayarse que, para autores como Jean-Paul Sartre, las imágenes mentales presentan un contenido de naturaleza psíquica y no requieren para su aparición de una estímulo físico, aunque continúen manteniendo buena parte de las características de las imágenes que podríamos denominar «materiales» (pues aunque carezcan de exterioridad, poseen un contenido sensorial, suponen modelos de la realidad, etc.).

2. Características físicas de la visión

En el camino emprendido, un primer objetivo razonable puede ser el tomar contacto con unas nociones básicas, y por tanto mínimamente especializadas, de los mecanismos de la percepción visual en el terreno biológico-psicológico.

En la medida en que la información visual se obtiene por medio de ciertas aptitudes y procesos físicos, biológicos y neuropsicológicos, es necesario familiarizarse con las formas en que los diversos mecanismos perceptivos se relacionan con la realidad ambiente.

En un primer momento, es necesario recordar que a lo largo de la historia de la humanidad se han ido formulando explicaciones muy diferentes del fenómeno de *la visión*.

Desde los neoplatónicos (que hablaban de la simpatía entre el objeto y el ojo), pasando por Aristóteles, Euclides (para quien existía una radiación desde el ojo hacia el objeto), Empédocles o el mismo Platón, hasta llegar a Al-Hazan (según el cual la radiación de la luz va hacia el ojo en lugar de ser proyectada hacia él) y a los físicos modernos, como Newton, Maxwell, Hertz o Max Planck (que descubre el fenómeno de la discontinuidad de la energía), se han ido elaborando múltiples *teorías sobre la visión* que en no pocos casos han guardado una estrecha relación con los distintos *mitos de la visión* que se han ido construyendo a lo largo de los siglos de forma paralela.

Una noción, siquiera esquemática de la secuencia de *los acon-*

tecimientos de la visión, es importante para la comprensión ulterior de los fenómenos perceptivos que se asientan sobre dicha base. Las modernas investigaciones sobre neurobiología y formación óptica (Imbert, 1983; Henry, 1983) nos permiten analizar la interacción entre la agrupación de las superficies físicas y su comportamiento en la absorción o reemisión de la energía luminosa y la captación, por parte del ojo humano, de la luz que proviene de los objetos que se encuentran en su campo visual. Dicha interacción ha sido denominada *proceso de la visión.*

Profundizando en esta dirección, se hace necesario considerar el ojo humano como *canal fisiológico,* en el que destaca su funcionamiento como medio *natural* de paso entre el mensaje emitido y la sensación resultante. Este canal, por tanto, puede caracterizarse por disponer de un *umbral de sensibilidad,* uno de *saturación,* y estar sujeto a las leyes que ligan el nivel de excitación con la sensación resultante.

El conocimiento de las partes básicas del ojo (córnea, cristalino, iris y pupila, humor acuoso y vítreo, retina) debe contemplar no tanto su aspecto fisiológico, como la importancia que los mecanismos de la visión tienen como *punto de partida* para la formación de imágenes en la retina. Desde esta perspectiva resulta necesario subrayar dos aspectos complementarios:

1) Sólo una parte de la retina (fóvea) ofrece una imagen enfocada y nítida de la realidad, lo que dota de relevancia especial a la distinción entre *visión estructuradora, visión media* y *visión periférica,* con las repercusiones que se derivan desde el punto de vista de la exploración visual de la realidad.

2) La *imagen retínica no es una réplica sino una proyección del mundo,* lo que la aproxima más a una representación cartográfica que a un reflejo especular. En consecuencia, sólo a partir de esos «dos mapas planos», uno en cada ojo, la percepción será capaz de producir una representación tridimensional única del mundo. Es, pues, partiendo de la imagen retínica, como se desencadena la actividad cerebral que conocemos con el nombre de *visión,* buena parte de cuyos mecanismos siguen siendo desconocidos.

Ello implica que los sentidos que realizan la extracción de la información ambiente no son entes pasivos sino *mecanismos activos.* Por ello la idea de *canal* debe insertarse en la formulación más compleja de *sistema perceptivo.*

Aceptar esta posición implica: abandonar la idea de «órgano receptor» (sentido físico) para sustituirla por la de «órgano estructurador», cambiar la pasividad por la obtención activa de la información, tener en cuenta que un sistema es susceptible de ser sometido a *aprendizaje y maduración*, subrayar la existencia de una serie de «propiedades funcionales» de los objetos que afectan a las metas y beneficios de un organismo, y destacar que la atención es algo que afecta a la *globalidad* del sistema.

Más allá de los mecanismos neurofisiológicos que la preceden, la *visión* se construye como una fase de organización. Los mensajes recibidos por el órgano de la vista —de los que la imagen retínica supone una especie de *acta*— no son sino el comienzo de una compleja cadena operativa destinada a elaborarlos, organizarlos y transformarlos. Dicho con otras palabras: la percepción se propone responder a cómo, cuando miramos el mundo o una fotografía o una pintura o un film, etc., la imagen recibida por el ojo se convierte en *esa imagen* que caracteriza nuestra percepción espontánea. El paso de esa «imagen distorsionada y variable», que es la retínica, a la captación del mundo es lo que se conoce con el nombre de «proceso perceptivo». En otras palabras, ver es mirar y saber lo que está ahí, dónde y para qué.

Por tanto, tras señalar que la imagen retínica es el punto de partida para complejas operaciones neurofisiológicas que tienen lugar en los lóbulos occipitales del cerebro y más en concreto en su córtex estriado, estaremos en condiciones de señalar que la *percepción* se produce *cuando* procesos estrictamente fisiológicos se convierten en *construcciones mentales* —que no pueden confundirse con meros registros directos de la realidad— originadas a través de un proceso de recogida de sensaciones externas.

3. IMAGEN, CULTURA Y PERCEPCIÓN

Uno de los hechos que se impone de inmediato a nuestra consideración es que, pese al cambio permanente —de tamaño, de forma, de intensidad— a que se ven sometidas las imágenes retínicas, el mundo en que nos movemos presenta unas características básicas de *estabilidad* que hacen que los objetos que lo conforman no sólo permanezcan iguales a través del discurrir del tiempo, sino que en buen número de ocasiones no se vea alterada la percepción de su tamaño, color o forma.

Un primer problema, directamente relacionado con el esbozado en el párrafo anterior, debe ser planteado y resuelto prioritariamente: la existencia de objetos constantes, permanentes en el tiempo y, por tanto, susceptibles de ser portadores de las cualidades que dan lugar a la existencia de las *constantes perceptivas*, si bien, como estudios recientes han demostrado con toda claridad, sobre la base de múltiples experimentos, la permanencia fenoménica no depende de la «realidad física externa» sino que se debe a leyes propias del sistema perceptivo. Cualquiera tiene en su vida diaria la experiencia permanente de que el espacio visual posee una estructura tridimensional. Pero basta pensar en el carácter *plano* de la imagen retínica para entender que el paso que media entre ésta y la captación perceptiva de la realidad implica la existencia de una serie de operaciones, cuyo carácter es justamente lo que nos interesa poner de manifiesto.

La tradición empirista y sus prolongaciones cognitivistas y computacionales plantean la percepción del espacio como una *representación mental*, construida a partir de una combinación de indicios actuales y del recurso a la experiencia anterior. Esos indicios serían facilitados por los mecanismos de enfoque, acomodación del ojo y separación binocular.

Por su parte, los partidarios de la teoría de la *Gestalt* prefieren limitar el alcance del juego de los indicios y la experiencia pasada para plantear la profundidad como un hecho que proviene de la experiencia inmediata.

A partir de aquí el problema se traslada a la aparición de los objetos delimitados por superficies compactas y situados en el espacio. En la tradición gestáltica —basada en criterios relacionales y de integración—, este hecho se apoya en la existencia de las discontinuidades provocadas por la falta de homogeneidad en la estimulación global (aparición de los contornos).

Partiendo de esta idea, Gibson (1966; 1974) ha aportado la idea del *gradiente de textura* que permite distinguir superficies frontales de superficies longitudinales, precisamente por la variación de la densidad microestructural (hecho bien conocido por los pintores cuando aplican a sus realizaciones las leyes de la perspectiva). También la experiencia pictórica nos ayuda a entender el papel que tiene la distribución de la iluminación sobre la superficie de un cuerpo produciendo un gradiente de textura. Otro tanto ocurre con la «perspectiva aérea» (falta de nitidez en la proyección retínica de objetos distantes a causa de las variaciones en la refracción y absorción de los estratos de aire interpuestos).

Un tema debatido hasta la saciedad es el papel de *lo innato* y *lo adquirido* en la percepción. Sin perjuicio de lo que se expondrá a continuación, podemos acercarnos a esta problemática analizando sus implicaciones en lo referente a los problemas de la constancia y la profundidad.

La constancia ¿es algo innato o se va aprendiendo a captarla?

Admitir esto último, dirán los innatistas, equivale a decir que la constancia se refiere al conocimiento de las cosas y no a cómo éstas aparecen ante el observador. Pero la constancia, insisten, es un problema de *percepción*, no de *conocimiento*.

Por su parte, los empiristas contraatacan señalando que la separación entre percepción y conocimiento es arbitraria: percibir no es sino realizar una actividad cognoscitiva y, aunque sea cierto que resulta difícil probar el papel de la experiencia en los fenómenos de la constancia de la forma o el tamaño, este hecho no invalida su posición.

¿Qué sucede con la percepción en profundidad? Pruebas como las del «despeñadero visual» parecen inclinar la balanza hacia el lado que afirma que la captación de la profundidad existe desde el inicio mismo de la vida autónoma de un organismo, pero asumiendo que el *aprendizaje* —y esto nos interesa particularmente aquí— *desempeña un papel importante en la contemplación de las imágenes*, ante las cuales el observador desarrolla una doble conciencia: la de estar ante una «representación realista», es decir, tridimensional; y la de estar ante una mera agrupación de líneas y colores, es decir, ante una superficie plana. De hecho, todo pintor a la hora de representar algo puede elegir entre dos estrategias:

a) representar en perspectiva, basándose en la información retiniana,

b) hacerlo en función de lo percibido, asentado en la idea de la constancia (baste recordar la pintura infantil).

Con todo, nadie niega que el desarrollo supone a la vez un enriquecimiento cuantitativo y una profunda reestructuración cualitativa de los fenómenos perceptivos. Baste pensar en la importancia que tiene la «represión de las distorsiones» para lograr una percepción útil, o el juego que da la introducción de la palabra, con la radical alteración que esto supone en el terreno perceptivo al introducir una designación y categorización de los objetos. En último término, donde el animal se limita a cumplir con estructuras que no tiene que plantear, inventar o encontrar, el ser humano debe elaborar respuestas a estímulos; respuestas que incidirán sobre estos estímulos modificándolos. Paralelamente, la experiencia permite el almacenamiento de respuestas prefijadas —o de elementos que permitirán responder a situaciones nuevas— que se conocen con el nombre de hábitos. La permanente dialéctica entre lo viejo y lo nuevo es precisamente lo que autoriza al ser humano a hacerse nuevas preguntas y a encontrar respuestas satisfactorias.

A la pregunta de ¿cómo llegamos a saber algo del mundo y

hasta qué punto es válido o no fiarse de este conocimiento? han existido dos respuestas básicas en nuestro ámbito científico-cultural:

a) La empirista (Hobbes, Hume, Locke), que destaca el papel de la experiencia y la asociación de ideas, y considera la mente una «tabula rasa» sobre la que la experiencia escribe. Para esta teoría el perceptor nunca está determinado completamente por el estímulo físico. El ojo no se comporta como en un espejo, y las sensaciones no son sino indicios que deben ser interpretados adecuadamente.

b) La innatista (Descartes, Kant, por ejemplo), para la cual la mente humana posee *ideas innatas* acerca de la forma, el tamaño y otras propiedades de los objetos, pues, de no ser así, ¿cómo se podría aprovechar la experiencia sensible?

La teoría de la inferencia entronca directamente con las posiciones empiristas, ampliadas por el concepto de *«inferencia inconsciente»*, según el cual las percepciones se planteaban como condiciones *más o menos ciertas* (por tanto, se trata de un asunto de probabilidad), en función de los datos sensoriales obtenibles y de la dificultad de resolución del problema perceptivo concreto planteado.

Así, la percepción se basará en un *proceso inferencial* en el que, mediante la experiencia anterior, se deduce, a partir de sensaciones habidas en un momento dado, la naturaleza de los sucesos/objetos que aquella *probablemente* representa.

En este marco teórico, nuestra experiencia visual sólo está *parcialmente* determinada por el *input* sensorial que entra en combinación y contraste con la experiencia pasada, las expectativas, intereses y actitud mental del sujeto, etc.

La percepción se concibe como una dialéctica entre sujeto y realidad, entre las propiedades de los objetos y la naturaleza e intenciones del observador. Por eso se habla de percepción como «modificación de una anticipación» y de un proceso activo/selectivo que depende de las *estrategias cognoscitivas* (atención del observador, intenciones perceptivas) puestas en juego ante la realidad.

De aquí que esta teoría se enfrente al fenómeno de las *ilusiones visuales* a partir de su explicación como una *disfunción de las estrategias*. Descartados los fallos fisiológicos, la ilusión visual no puede ser sino un error cognitivo, una *hipótesis fallida*, como en el relato de la disputa entre Zeuxis y Parrasio, puesto que la distorsión o ambigüedad no radica en los hechos sino en su descripción.

Si, como hemos dicho, el proceso de mirar es un proceso activo y selectivo, la operación de extracción de la información ambiente se configurará como una *actividad de tipo exploratorio* que, a través de ojeadas sucesivas no aleatorias —dirigidas hacia la parte *más informativa* de la escena o imagen— permite componer un *esquema integrado* que contenga la globalidad de dicha escena o imagen.

La distinción entre fóvea y retina periférica desempeña un papel importante, pues no toda la gama informativa es utilizada simultáneamente por el cerebro, ya que sólo logramos ver nítidamente lo que queda dentro del limitado espacio de la fóvea. Sólo a través de miradas sucesivas se irá ofreciendo una visión clara del resto de la escena. De esta manera, el sujeto observador estará en condiciones de trazar un «*mapa cognitivo de la escena*» en función de dos fuentes de expectativas:

a) Lo que ha aprendido sobre las formas que puede esperar en el mundo y su regularidad.

b) Las *sugerencias* facilitadas por la periferia de la retina y que sirven de orientación a las distintas posiciones de la fóvea.

Así se explica que puedan pasar desapercibidas incoherencias espaciales en determinadas imágenes, como ocurre con las obras de M. C. Escher o René Magritte, pues sus zonas incoherentes no acostumbran a compararse entre sí.

Para esta teoría, por tanto, el modo en que una persona mira el mundo depende tanto de su conocimiento del mismo, como de sus objetivos, es decir, de la *información que busca.* Es precisamente esa *búsqueda* la causa de que cada movimiento ocular verifique una expectativa y que lo que percibimos de una escena sea el *mapa* que hemos ido recomponiendo *activamente* mediante el ensamblaje de fragmentos más pequeños. Si no fuésemos capaces de producir ese *mapa mental,* apenas tendríamos otra cosa que imágenes momentáneas desorganizadas y discontinuas.

Es evidente que para esta teoría *la percepción se concibe como una actividad del pensamiento.* Desde este punto de vista la percepción no es sino el *output* final de un procesamiento de información, en el que se transforma una serie de impresiones recogidas por los sentidos, a través de un conjunto de operaciones de carácter formal que tienen que ver con las representaciones simbólicas.

Este procesamiento de la información —que parece establecer un paralelismo entre el funcionamiento del cerebro humano y el de las computadoras— debe entenderse en una doble dimensión:

cómo extraemos, a partir de las imágenes, los diferentes aspectos del mundo útiles para nosotros y la necesaria exploración de la naturaleza de las representaciones internas mediante las que somos capaces de captar esa información.

La actividad computacional distingue tres fases:

a) La aparición del denominado «esbozo primitivo», representación bidimensional en su organización geométrica, basado exclusivamente en cambios de la intensidad luminosa (distribución de los valores de intensidad de la imagen detectados por los fotorreceptores retínicos). Los materiales apreciados en este nivel se caracterizan con manchas, terminaciones y discontinuidades, segmentos de bordes, líneas virtuales, grupos, la organización curvilínea y los límites de los objetos.

b) El «esbozo 2 1/2-D», tridimensional, pero basado de manera exclusiva en la perspectiva del sujeto receptor, y cuyos *elementos primitivos* hacen referencia a la orientación local de la superficie, a la distancia del observador a las discontinuidades en la profundidad y a las discontinuidades en la orientación de la superficie.

c) Por último, la fase final del proceso consistiría en la aparición del «modelo 3-D», que proporciona una visión generalizada del objeto en el espacio y permite al cerebro confrontarlo con el conocimiento almacenado y catalogado.

Una posición crítica ante la identificación entre percepción y pensamiento se encuentra en los trabajos de Gaetano Kanizsa (1980; 1986). El ejemplo que aduce en torno a las denominadas *figuras imposibles* pretende mostrar que, aunque se trate de figuras *impensables*, esta imposibilidad de pensamiento no se extiende a su visión. A la inversa, existen ejemplos de cosas que se pueden pensar, pero no ver. Para Kanizsa, el ojo razona a su modo, si bien matiza que las leyes que rigen la percepción no son de distinta naturaleza que las que rigen el pensamiento. Sencillamente, se trata de *otras* leyes.

Para los partidarios de la teoría de la *Gestalt,* el hecho de señalar que la organización perceptiva puede ser descrita como el paso de un caos originario a un progresivo aprendizaje organizativo no responde a la realidad porque *el mundo ya se presenta organizado, de entrada, en virtud de leyes innatas que contribuyen a estructurar el campo visual.*

Su tesis central se resume en la idea de que la percepción visual no es un proceso de asociación de elementos sueltos, sino un *proceso integral estructuralmente organizado,* a través del cual las cosas se organizan como unidades o *formas* por motivos profundos, en concreto, por la existencia de un isomorfismo entre el campo cerebral y la organización de los estímulos. De aquí que la *Gestalt* (forma) sea algo que se «reconoce» al captar una estructura.

El que la idea de *forma* se asocie inmediatamente con la de *contorno* nos sitúa ante el hecho de que la estructuración del campo visual en unidades independientes se basa en una jerarquización básica: *figura* frente a *fondo*, que permite distinguir el objeto que sobresale del que queda detrás, y explica que tendamos a percibir como «figura» las zonas silueteadas o más pequeñas, simétricas y verticales u horizontales.

Junto a esta idea central encontramos las *leyes de agrupación*, que son: la ley de *proximidad* (las partes que constituyen un estímulo se reúnen, en igualdad de condiciones, en virtud de la mínima distancia), de *igualdad* (entre elementos activos de diferente clase, los de idéntica clase tienden a agruparse), de *cerramiento* (las líneas que circundan superficies se captan fácilmente como unidades), del *destino común*, del *movimiento común*, de la *experiencia* (que introduce en el corazón de las posiciones gestálticas el papel de la experiencia, en oposición a los factores autóctonos de la organización perceptiva), y de la *pregnancia*, o tendencia a la organización más sencilla en términos psicológicos.

De acuerdo con esta teoría, una forma se caracteriza por ser *aislable, destacable, cerrada* y *estructurada*, predominando la calidad total como fenómeno sobre las calidades de los miembros (lo que se ha denominado *intimidad* de la forma).

Conviene precisar que el fenómeno anteriormente analizado de las *ilusiones visuales* recibe una diferente explicación desde estas posiciones. Köhler avanzó la *teoría de la saciedad* o de la fatiga. Teniendo en cuenta que cada organización perceptiva es determinada en el cerebro por un proceso neuronal distinto, si éste llega a saciarse, eso supondría que el cerebro se resistiría a su manifestación posterior, bloqueándose el proceso neuronal y abriéndose las puertas a la aparición de otra organización perceptiva a la que el estímulo pueda conducir igualmente (caso de las figuras reversibles). La crítica más adecuada que se puede hacer a esta explicación pone de relieve que con cierta frecuencia, si el sujeto no cae en la cuenta de la ambigüedad de la figura, la inversión no llega a producirse, con lo que pierde validez la teoría de la fatiga.

La teoría de la extracción de la información de James J. Gibson —denominada por algunos del «realismo ingenuo»— parte de un intento de explicar la percepción del entorno de manera alternativa a cualquier teoría basada en indicios, en el procesamiento cognitivo, o en el juego doble de la memoria y el innatismo.

Para Gibson (1979) la captación del entorno se realiza de *forma directa*, sin ningún tipo de mediación (sea representativa o computacional) por parte del organismo. La percepción es un *acto psicosomático* que implica a un observador vivo. Es además —en oposición a la idea de los preceptos discretos— un acto *ininterrumpido*. A diferencia de las teorías tradicionales que hablan de que se perciben formas, colores o situaciones, Gibson afirma que lo que se percibe son *lugares, objetos, sustancias* y *acontecimientos* (cambios), de aquí su «realismo».

También reformula el concepto de información. Ésta no se transmite, sino que *está ahí*. Es inagotable y no específica con relación a la energía. La información puede ser la misma, pese a un cambio radical en la estimulación obtenida. Por tanto, las ilusiones visuales no se deben a una *mala información*, sino al hecho de que no se ha extraído *toda* la información disponible, dado que un mismo estímulo puede contener dos o más valores de estímulo-información.

El sistema visual organizado como un sistema perceptivo detecta tanto la persistencia como el cambio, extrayendo las *invariantes* de estructuras del flujo de la estimulación, aun sin dejar de caer en la cuenta de dicho flujo. La comparación y juicio de la teoría de la inferencia —lo que había entonces y lo que hay ahora— se sustituye por la simple detección de las invariantes. Como dice Gibson, cuando un niño observa cómo juega un gato desde distintos puntos de vista, lo que percibe es el gato como invariante y no sus diferentes aspectos ligados al punto de vista de observación. Por último, Gibson reformula la dicotomía entre experiencia presente y pasada al afirmar que el curso de la experiencia no consiste en un presente instantáneo y un pasado lineal que se aleja. No existe, dice, línea divisoria entre presente y pasado, percibir y recordar, añadiendo que quizá la distinción nos venga dada por el lenguaje y su categorización.

Cualquiera que sea la opinión que se tenga sobre la óptica ecológica de Gibson, es difícil negar el interés que presenta un par de conceptos definidos por él: *campo* y *mundo visual*. Tanto uno como otro son fruto de nuestra actividad visual, pero mientras el *mundo visual* responde al ámbito de la vida cotidiana, al mundo de nuestra experiencia consciente, el *campo visual* requiere para su visualización una actitud más analítica e introspectiva: tratar de ver el mundo como si se tratara de un cuadro, formado por superficies coloreadas y separadas por contornos. En este sentido la experiencia del *campo visual* es un *correlato razonablemente fiel de la imagen retiniana*.

Las diferencias entre uno y otro se establecen en múltiples niveles: mientras que el *mundo visual* es ilimitado, continuo, sin centro, estable, amueblado por objetos constantes en su tamaño y forma y dotado de formas en profundidad, el *campo visual* es limitado, orientado en relación a sus márgenes, su dirección-des-de-aquí es susceptible de cambio, presenta una escena en perspectiva, las formas carecen de profundidad y se deforman con la locomoción.

Se suele decir que el *campo* se siente y el *mundo* se percibe o que el primero es *visto* y el segundo *conocido*. De la misma manera suele subrayarse la vinculación del *campo visual* con determinadas técnicas perspectivas de representación gráfica. En cualquier caso, baste hacer notar que, si una teoría de la percepción se elabora sobre los análisis del campo visual, es para desembocar en una explicación de la percepción del mundo visual.

Si bien es cierto que las dos concepciones dominantes hasta nuestros días en el terreno de la psicología de la percepción han sido la teoría de la inferencia y la de la *Gestalt* —con un reducto pequeño y resistente para las formulaciones comentadas de James J. Gibson—, es un hecho que, en los últimos años, de la mano sobre todo de los investigadores americanos, comienza a extenderse una posición que podríamos calificar, sin ambigüedades, de ecléctica o integradora.

Un buen ejemplo lo ofrece la obra de Irvin Rock (1985) que, aun manteniendo una clara relación con las posiciones derivadas del desarrollo de la inferencia, no vacila en hacer suyas determinadas posiciones más o menos relacionadas con la escuela de la *Gestalt* o con la teoría del estímulo.

Para Rock, las cosas parecen lo que parecen a causa de las operaciones cognitivas que se efectúan sobre la información contenida en el estímulo. Esto se lleva a cabo a través de una proceso complejo que se desarrolla en varias fases. La primera fase parte de la organización retínica de la «vista», cuyo aspecto ambiguo revela, sin embargo, una cierta organización primaria (figura/fondo; agrupamientos) de carácter «gestáltico». Estos *perceptos fugaces* son rápidamente sustituidos, en una segunda fase, por otras percepciones capaces de representar más verídicamente el mundo (aparición de fenómenos de constancia), que llevan a la aparición de «representaciones» mundo-realistas que son preferidas a las que no lo son. Una tercera fase permitiría integrar el papel de la memoria que, al hacer emerger unidades figurativas, representaría un papel muy importante en el enriquecimiento. Una última fase, percibida ya la forma organizada, permitiría la integración de otra información relevante. Para Rock, los procesos mentales de la percepción (descripción, inferencia y resolución de problemas) son parecidos a los del pensamiento. Pero donde mejor se percibe su carácter ecléctico es a la hora de pronunciarse sobre si fenómenos como el de la constancia o la captación de la tridimensionalidad son innatos o adquiridos. Así, admite que tanto la constancia de la forma, como la de la luminosidad parecen estar determinadas congénitamente, de la misma manera que afirma que nacemos dotados del supuesto axiomático de estar en un mundo tridimensional, pero sin negar que aprendemos a usar ciertos indicios y a interpretar con mayor precisión esas pautas congénitas. En este sentido es útil la distinción que propone entre capacidad de razonar y uso de dicha capacidad. Sin duda, la primera no depende de la experiencia, pero su puesta en juego, sí.

Desde el momento en que la percepción se concibe como un proceso activo en el que se implica la globalidad de la persona, no puede dejarse de lado la relación existente entre las estructuras cognoscitivas planteadas por el sujeto y el marco en que éstas se ejercen, ya que en todo acto perceptivo se involucra el sujeto perceptor en tanto animal histórico y cultural. Presente y pasado, futuro como proyecto, deseos e intenciones inconscientes, todo viene a configurar el «plan perceptivo». Esas proyecciones y expectativas, sin embargo, esa herencia con la que se trabaja, se generan en un entorno cultural que plantea una serie de problemas que han de ser resueltos. La teoría de la percepción se enfrenta así al problema de los condicionamientos culturales.

Como puntos de partida pueden escogerse razonablemente los siguientes: un abandono de las tesis del absolutismo fenomenológico («el mundo es como aparece, y aparece para todos igual») y de su variante sofisticada del etnocentrismo, una capacidad para tratar de ver cada cultura en función de su particular sistema de valores y una distinción inicial entre percepción y representación del espacio. De hecho, la búsqueda de explicaciones para las diferencias existentes entre distintas culturas a la hora de percibir el espacio ha solido oscilar entre basar aquéllas en las diferencias raciales o atribuirlas a causas estrictamente culturales.

La expedición de la Universidad de Cambridge al Estrecho de Torres, efectuada a fines del siglo pasado, trató de realizar toda una serie de pruebas sobre la agudeza visual de los indígenas y compararla con la de los europeos. Resumiendo las complejas pruebas realizadas por Rivers (1901), se puede sacar en consecuenca que en éstas se puso de manifiesto una notable superioridad de los nativos en el terreno de la agudeza visual (capacidad de observar como distintos dos puntos muy próximos uno de otro). Comprobada la identidad de la estructura anatómica de la retina entre ambos pueblos, la explicación sólo podría ser que *las diferencias perceptivas se debían al hecho de realizarse la identificación de objetos sobre la base de configuraciones distintas.* Como ha señalado Carmen Viqueira (1977): «Estas configuraciones, que permiten una acción más eficaz en un medio dado y en actividades culturalmente importantes, son el producto de reestructuraciones obtenidas bajo un intenso vector situacional.» O expresado con otras palabras, la mayor facilidad para la identificación de buques en el mar abierto, mostrada por los nativos en relación con los ingleses, parecía relacionarse con el hecho de tratarse de una actividad culturalmente importante para estos pueblos. Esta hipótesis parece corroborarse por el hecho de que si a los ingleses se les indicaba la presencia de los buques, terminaban viéndolos tras un cierto periodo de aclimatación.

Parece, pues, evidente que la identificación de objetos —al menos cuando esta identificación tiene un papel primordial en la organización vital— se realiza sobre la base de configuraciones diversas en función de las diferentes situaciones.

En 1966, Segal, Campbell y Hertskovits realizaron un complejo estudio intercultural, en un intento de *relacionar las alteraciones ecológicas con las diferencias en las agudezas visuales:* descartando los aspectos raciales, concluyeron que en cualquier mente humana el proceso de percepción básico es idéntico. Sólo difiere el contenido, debido a que éste refleja hábitos inferenciales perceptuales distintos.

A idénticas conclusiones permiten llegar las constataciones de Ranke (1897) cuando señalaba la especial habilidad de los indígenas amazónicos para describir configuraciones que para un observador europeo permanecían ocultas en el maremágnum de la selva virgen. Ranke, además, indicaba cómo, inmerso en la misma situación de los indios, llegó a aprender a ver como ellos, confirmando —en un momento temporal casi idéntico— las afirmaciones de Rivers.

4. IMAGEN Y SENTIDO

Veamos ahora, con unos ejemplos concretos, cómo funciona este mecanismo de percepción de la imagen en un espectador medio de nuestro hábitat cultural occidental.

Una imagen, cualquiera que sea ésta, ofrecida a la contemplación del espectador en diferentes soportes —valla publicitaria, papel fotográfico, diapositiva...— lleva adheridos determinados índices de *iconicidad* muy semejantes, frecuentemente, al objeto real que se trata de representar. La imagen, de esta forma, semeja ser aprehendida por el observador de forma inmediata, sin necesidad del previo conocimiento de un código que se disfraza con los ropajes de lo natural y espontáneo. Sin embargo, sabemos que una imagen publicitaria certera se basa en la eficacia de una *operación de sentido,* mediante la cual los atributos reales del objeto son desplazados por el *valor* que a éste, convencionalmente, se le adjudica en el entorno sociocultural donde dicha imagen debe circular y ser consumida. No se compra una determinada marca de cigarrillos, sino el carisma aventurero que imprime el hecho de fumarlos; no adquirimos un perfume por su aroma, sino por la viril sensualidad que, nos dicen, emana... Todo ello habla del *carácter plurisignificacional de la imagen,* de su complejidad. La imagen, tal y como es percibida, no sólo transmite, *como efecto de sentido,* representaciones más o menos logradas de los objetos, sino que hace *resonar* el deseo inconsciente del espectador. La imagen ofrece, mediante elaborados sistemas de composición, un tejido múltiple de relaciones diferenciales que debe ser convenientemente leído, es decir, construido por el espectador, si éste quiere apurar todas sus posibilidades de sentido.

Examinemos ahora cuatro fotografías que Richard Avedon concibió como homenaje a Marilyn Monroe tras su muerte (1962). En todas ellas hay elementos fijos, reiterados y elementos que varían. La angulación de la cámara fotográfica será siempre la misma. Existe una evidente progresión en las imágenes de la pantalla televisiva, desde los elementos sensuales del cuerpo de la actriz (pechos en la foto 1, labios entreabiertos en la 2, trasero en la 3), hasta llegar al rostro (foto 4), que personaliza el conjunto: *soy yo, Marilyn.*

En una primera lectura de estas imágenes, el espectador podría exteriorizar su parecer con una frase del tipo: *Marilyn Monroe, actriz sensual de la pantalla.* ¿Eso es todo? Observemos las fotografías con mayor detenimiento.

30

La angulación de la cámara fotográfica está un poco por encima del televisor, en un ligero picado. Así descubrimos la conexión de los cables del aparato y se realza ese espacio vacío que lo rodea. La imagen sensual queda, pues, connotada por:

a) Cables conectados: la imagen es *artificial*. Sin esa conexión, desaparecería de la pantalla.

b) Habitación vacía: la imagen se produce en total *soledad*. No hay ningún espectador que la contemple (si entendemos que el único espectador presente —el fotógrafo— lo está en cuanto dispositivo tecnológico ausente —el objetivo de la cámara—).

Un tercer elemento completa nuestra lectura: la imagen surge a contraluz de la ventana, *intercepta* una visión directa de la misma. Artificial superficie de registro, impide que nos asomemos al exterior.

Comprendemos ahora, en todas sus dimensiones, el emocionado homenaje de Avedon a esa belleza solitaria de trágico destino. Si *sólo* nos hubiese querido transmitir su rotunda sensualidad, no establecería distancia alguna entre las imágenes del televisor y nuestra mirada. Al insistir, redundantemente, en las ideas de artificialidad y soledad, la serie fotográfica nos está hablando de la dualidad existente entre Marilyn y Norma Jean (su verdadero nombre); entre los vacuos fastos imaginarios del *star-system* hollywoodense y la triste, sórdida realidad de una gris habitación donde el televisor, aislado del mundo, emite en el vacío. Belleza para nadie; sensualidad sin destinatario real. Dos factores que contribuyeron al suicidio de la actriz en agosto de 1962.

En el ejemplo anterior analizábamos la copresencia de dos elementos significantes (sensualidad artificiosa/soledad) en el interior de una misma imagen. Veamos ahora cómo se ubica la imagen dentro de una *cadena* o serie significante. Aquí la imagen no se valora por sí misma, dependiendo muy estrechamente de su antecesora y predecesora: un *eslabón,* pues, dentro de la cadena antes mencionada.

Nuestro primer ejemplo consta de cuatro imágenes (de cuatro eslabones indisolubles):

1. Un niño llora ante un plato vacío (foto 5).
2. El niño es rescatado (¿por su madre?) entre las patas de un caballo (foto 6).
3. Un montón de cadáveres (foto 7).
4. Un grupo de hombres en actitud de protesta (foto 8).

La serie ofrece, combinándolos, dos aspectos fundamentales:

a) La progresión lineal. De lo individual (hambre del niño-represión del niño) pasamos a lo colectivo (represión generalizada-rebelión del grupo).

b) La relación causa-efecto. En el binomio estímulo-respuesta, la foto 6 se opondría a la 5 y la 8 a la 7.

Buscando una analogía lingüística, podemos decir que las relaciones establecidas por las imágenes entre sí son de carácter *sintagmático*, de acuerdo con el valor dado a este término por Saussure:

> En el discurso, las palabras contraen entre sí, en virtud de su encadenamiento, relaciones fundadas en el carácter lineal de la lengua, que excluye la posibilidad de pronunciar dos elementos a la vez. Los elementos se alinean uno tras otro en la cadena del habla. Estas combinaciones que se apoyan en la extensión se pueden llamar *sintagmas.* El sintagma se compone siempre, pues, de dos o más unidades consecutivas. Colocado en un sintagma, un término sólo adquiere su valor porque se opone al que le precede o al que le sigue o a ambos... La conexión sintagmática es *in praesentia* y se apoya en dos o más términos igualmente presentes en una serie efectiva.

Nuestro segundo ejemplo, procede del film *Octubre* (1928) de S. M. Eisenstein. Para que el espectador perciba, expresivamente, todas las connotaciones del poder político y personal de Kerenski, Eisenstein hace subir al personaje por las suntuosas escalinatas del Palacio de Invierno (foto 9), montando directamente esta imagen con la figura de un pavo real (foto 10), uno de los muchos objetos lujosos encerrados en las vitrinas del edificio. En rápida progresión de imágenes, vemos cómo Kerenski es comparado a diferentes ídolos orientales y diosecillos oceánicos, hasta llegar a oponerlo, especularmente, con un Napoleón de porcelana. Cuando Kerenski sea desplazado por Lenin y los bolcheviques, la estatuilla napoleónica caerá al suelo, destrozándose (foto 11).

Es evidente la intención metafórica de la serie. Eisenstein selecciona aquellas imágenes que mejor pueden traducir fatuidad (pavo real) y poder egocéntrico (Napoleón) para que el espectador las asocie desde su butaca con los atributos del personaje. Buscando, nuevamente, la analogía lingüística, diremos que estas relaciones son de carácter *paradigmático* o asociativo, de acuerdo, de nuevo, con Saussure:

> Fuera del discurso, las palabras que ofrecen algo de común se asocian en la memoria, y así se forman grupos en el seno de los cuales reinan relaciones muy diversas. Estas coordinaciones... ya no se basan en la extensión; su sede

está en el cerebro, y forman parte de ese tesoro interior que constituye la lengua de cada individuo. Las llamaremos *relaciones asociativas...* La conexión asociativa une términos *in absentia* en una serie mnemónica virtual.

Roman Jakobson vincula las relaciones sintagmáticas a los valores narrativos, y las paradigmáticas a los poéticos. Proyectando el eje de la selección (paradigma) sobre el de la combinación (sintagma), obtendremos una mayor dominancia de los elementos propios del lenguaje poético. Es importante retener esta matización en tanto es aplicable a ejemplos cinematográficos, que desarrollaremos más adelante en capítulos posteriores.

5. IMAGEN Y SERIALIDAD: LA IMAGEN CINEMATOGRÁFICA

McLuhan (1968) habló de que el cine nos permite enrollar el mundo real en un carrete para poder desenvolverlo luego como si fuese una alfombra mágica de fantasía. De esta manera, aparentemente poética, llamaba la atención sobre los aspectos más materiales del espectáculo cinematográfico, subrayando que la película cinematográfica no es sino un rollo de material transparente y flexible sobre el que se fija una serie de fotos que son tomadas por la cámara filmadora y que, al ser proyectadas sobre una pantalla blanca, dan lugar a la aparición de una escritura visual que parece realizarse con la materia prima proporcionada por los propios objetos del mundo real.

Siguiendo este razonamiento, puede hablarse con Gubern (1987) de que el cine produjo unos *cronopictogramas* cuya movilidad intrínseca dio lugar a la aparición de una *iconización del flujo temporal.*

De esta manera, el cinematógrafo supuso un paso adelante, tanto con respecto a la fotografía (inmóvil) como al cómic (en el que la duración de los acontecimientos era *simulada),* dando lugar al surgimiento de un nuevo espectáculo en el que se fusionaban dos trayectorias históricas diversas: la fotografía instantánea de Marey y Muybridge y el principio de la proyección de imágenes, tal y como se ejemplificaba en la linterna mágica.

Precisamente esa *iconización del flujo temporal* se hacía posible gracias a la existencia de la ilusión óptica conocida con el nombre de *efecto phi.* Gracias a este efecto —que no debe confundirse con la persistencia retiniana—, la imagen fílmica era capaz de reconstruir ante los ojos del espectador el desenvolvimiento del mundo.

Si sus lazos con la fotografía —su alto grado de iconicidad— iban a ligar al cine directamente con toda una tradición artística orientada hacia la mímesis, su dimensión temporal iba a orientarlo hacia las áreas de la *narratividad*. Nacido en pleno auge y expansión del capitalismo, el cine se iba a imponer como relevo de todo un conjunto de prácticas de diversión, primero populares y luego burguesas, de comienzos del siglo XIX.

Si no se pierde de vista que, en el capitalismo, espectáculo e industria se funden a partir de la instrumentalización económica del primero, y se considera que el cine se convierte en un medio de comunicación de masas a través de la multiplicación de las copias de cada film mediante procedimientos fotosensibles, podrá caerse en la cuenta de que el cine, en tanto lenguaje, aparece fuertemente contextualizado por una serie de condicionantes industriales que incluso afectan a la situación de *visualización socializada* —heredada del teatro— a través de la que el espectador se relaciona con el film.

Tanto si se habla del cine como *inscripción del movimiento* (Lumière) o *visión de la vida* (Edison), es pertinente subrayar con McLuhan (1968) que aquél no se limita a producir un mero salto cuantitativo en tanto acto comunicativo —como fue el caso de la imprenta—, sino que puede hablarse de que su dimensión espectacular produce un *salto cualitativo* al introducir un nivel participativo entre la obra y el espectador, inédito hasta entonces.

Ya hemos señalado el carácter fundamental que juega la *ilusión del movimiento* (aparente) producida por el *efecto phi*. Si en el cine la percepción que tenemos al desfilar las imágenes en su proyección sobre la pantalla es de carácter real, ¿sucede lo mismo con la percepción del movimiento?

Deleuze (1983), retomando los análisis de Henri Bergson, caracteriza el movimiento cinematográfico como *falso movimiento*. Falso movimiento que, producido a partir de cortes inmóviles —los fotogramas—, lleva implícita su propia posibilidad de corrección. Porque si en la percepción natural las condiciones para una captación correcta del movimiento se encuentran en el cerebro, en el cine la corrección de la ilusión —constituir un falso movimiento en un movimiento real— tiene lugar al mismo tiempo que la imagen se proyecta sobre la pantalla, y para cualquier espectador.

Ello es posible porque el cine se edifica sobre un *corte móvil* capaz de reproducir el movimiento *en función del momento cualquiera*, instantes equidistantes escogidos de forma que den impresión de continuidad. El cine, nacido de la revolución científi-

34

ca moderna, se aleja del *momento único* —pose— para recomponer el movimiento sobre la base de elementos materiales inmanentes, presentándose como *cortes móviles* de la duración, gracias al movimiento que se establece entre esos cortes y que relaciona los objetos o partes con la duración de un todo que cambia. La *imagen-movimiento* se identifica como un bloque espacio-temporal al que pertenece el tiempo del movimiento que se opera en ella.

Esto se debe al hecho, subrayado por Jean-Louis Baudry (1970), de que la operación de producción de todo film puede descomponerse en dos fases. En la primera, la cámara filmadora lleva a cabo una operación de *muestreo espacio-temporal*, una *inscripción de las equidistancias*, que permite la extracción de muestras significativas de las apariencias de la realidad (los fotogramas) cuyas *diferencias* quedan incorporadas a la imagen cinematográfica, una imagen que, como la fotografía, se presentará como caracterizada por su analogía con las proyecciones perspectivas que constituyen el grueso de la tradición icónica occidental desde el Renacimiento. A esto habría que añadir que el cine libera la unicidad del punto de vista al que estaban condenadas tanto la pintura como la fotografía, corrigiendo —o redoblándolo— el efecto «unificador» que produce la perspectiva.

Centrándonos en la relación que se crea entre la sucesión de fotogramas inscritos por la cámara, cabe afirmar que la *proyección* —y ésta sería la segunda fase de la operación— restablece sobre la pantalla, a partir de *imágenes fijas y sucesivas*, la continuidad del movimiento y la sucesión del tiempo.

Este restablecimiento está basado en una serie de *elipsis* que oculta la discontinuidad de la filmación, borrando los procedimientos que la han producido. Con ello el espectador *no verá nunca el significante cinematográfico*, siendo esta invisibilidad la que permitirá la producción posterior del *efecto de sentido* de todo film. De aquí que la relación con la imagen cinematográfica se articule para el sujeto espectador bajo dos aspectos: como *continuidad formal* (a partir de la negación de las diferencias que existen entre los fotogramas) y como *continuidad narrativa del espacio fílmico*.

El cinematógrafo desencadena en el espectador la sensación, mucho más marcada que en el caso de otros espectáculos, de estar asistiendo al mero desenvolvimiento de la realidad ante sus ojos. Metz (1972) subrayó el hecho de la riqueza perceptiva de los materiales cinematográficos, tanto visuales como sonoros. Si nos atenemos a los primeros, bastará tener en cuenta que el cine reto-

35

ma de las artes representativas los códigos de la figuración y, de manera aun más básica, los códigos de la analogía visual fuertemente reforzados por el alto grado de definición de la resolución fotoquímica, a la que se incorpora el movimiento y la duración. Justamente ese movimiento implica incluso un mayor grado de realismo a través del efecto «esteocinético» (el movimiento convertido en sensación de profundidad). El cine sonoro reforzará definitivamente la *impresión de realidad* sobre la base de una restitución todavía más completa de la organización perceptiva del mundo.

Tampoco es ajena a esta *impresión de realidad* la situación del espectador ante la proyección de un film. Baudry (1975) ha trazado los puntos de conexión que ligan la situación de los cautivos platónicos en la caverna y los modernos espectadores de las salas oscuras. Baudry no deja de subrayar que la *ilusión se crea por el dispositivo, no por su mayor o menor grado de imitación a la realidad.* De tal manera que, aun existiendo la *impresión de realidad* —y todos los perfeccionamientos técnicos contribuyen a hacerla más efectiva—, lo que cuenta, en el fondo, es la *repetición de un cierto estado,* la producción de un *efecto de sujeto,* materialización de un deseo inherente a la estructuración del psiquismo humano de la que la *impresión de realidad* parece ser la clave.

Junto a los *efectos de realidad* —efectos de sentido destinados a producir la impresión de realidad— cabe hablar de los *efectos de real* (Oudart, 1972), *como efectos de producción,* mecanismos tendentes a inscribir en el interior de lo representado huellas del proceso de representación, generalmente a través de la inserción de simulacros del espectador en el interior de la imagen.

Puede trazarse un recorrido somero de las maneras en que las artes figurativas occidentales han llevado a cabo esta inscripción. De la manera latente de la pintura renacentista —a través del punto ideal de observación, simétrico del punto de fuga— pasando por los redoblamientos escénicos propios del Barroco —véase *Las Meninas*— para llegar a la producción de los efectos ópticos o meras marcas de maestría —pintura del siglo XIX— o al caso de la pintura surrealista, en la que la impresión de realidad se construye, paradójicamente, gracias a la perfección de sus *efectos de real.*

El cine, sobre todo en la década de los años setenta, vio florecer una serie de prácticas dirigidas a combatir esa *impresión de realidad* propia de la imagen fílmica. Básicamente se utilizaron dos sistemas: renunciar a las estructuras narrativo-representativas, multiplicando los efectos destinados a mostrar el carácter «artificial» de todo film, de un lado, y aquellas prácticas que, sin renunciar al dispositivo de la impresión de realidad, se basaban en los efectos producidos por la inscripción de los *efectos de real* como marcas enunciativas articuladas *sobre* la narrativa clásica (Godard, hermanos Taviani, etc.), de otro.

En cualquier caso, ambas tendencias atacaban frontalmente la *vocación realista del cine*, tal y como había sido definida por algunos autores. De esta manera, se llegaba a un concepto de realismo directamente relacionado con las opciones previas, con los modelos de partida. El mensaje fílmico se desvincula, pues, de la existencia de una *teoría de la realidad* que explicaría la presencia especular de los objetos del mundo en la representación fílmica, para entroncarse con una *teoría de la expresión cinematográfica* que concibe el cine como un fenómeno autónomo —pero no independiente—, regulado por normas sociales que *no necesariamente* tienen que coincidir con las que rigen la experiencia cognoscitiva de la realidad.

Uno de los lugares comunes sobre los que se ha asentado el discurso sobre el cine ha sido la identificación de dos territorios de extensión desigual: el de la ficción y el del documental. Para obtener una aproximación fructífera a este par de conceptos hay que señalar que el desarrollo del cine puede verse como partiendo de una inicial inmediatez de corte documental, para pasar luego a una progresiva inclinación del lado de la ficción. Esta distinción reposa sobre un malentendido, pues todo film de ficción *documenta* su propio relato —a través del acto analógico de la filmación— o, cuando menos, las bases materiales que lo hacen posible —actores, decorados, etc.— y todo film documental *ficcionaliza* una realidad preexistente, por la elección del punto de vista (Zunzunegui, 1984).

¿Basta, pues, afirmar que todo es ficción? No, en la medida en que hacerlo de manera muy radical puede llegar a ocultar que *documental* y *ficción* pueden distinguirse, no en relación con sus referentes, sino en tanto *estrategias diferenciadas de producción de sentido.*

Si todo film puede considerarse como un acto de *hacer parecer verdad*, que solicita que el espectador *crea verdad* a partir de un *contrato de veridicción* que se establece de manera implícita entre autor y espectador sobre la base de la *verosimilitud* de la propuesta, *documental* y *ficción* se presentan como *estrategias* alternativas, como prácticas diversas dirigidas a *persuadir.* Como acto comunicativo, todo film puede verse como una *estrategia persuasiva* y es precisamente la especificidad de su propuesta concreta la que debe ser interrogada en cada caso.

Jean-Louis Baudry (1975) ha relacionado la posición del espectador cinematográfico con la situación del niño en ese *estadio del espejo*, formador de la función del yo, puesto de relieve por Lacan (1971).

Repasemos las condiciones en que se ejerce la contemplación de los films: pasividad relativa del sujeto, inmovilidad forzosa, superposición sensorial (vista/oído), vigilancia crítica. Si pensamos que entre los 6 y los 18 meses el niño, que se desenvuelve en una relativa incapacidad de movimientos, descubre su imagen y la de los demás (la madre que le lleva en brazos), *identificándose con una imagen como forma de unidad corporal*, como *formación imaginaria*, se podrá tender un puente entre la metapsicología y el dispositivo cinematográfico.

Metz (1979) recuerda que, aun siendo el film como el espejo —susceptible de provocar una identificación imaginaria, opuesta a la simbólica/semiótica que se produce gracias a la conciencia del lenguaje—, existe una diferencia esencial: el film nunca refleja el cuerpo del espectador, y que lo que posibilita la ausencia de éste en la pantalla es el hecho de que todo espectador ha tenido con anterioridad la experiencia del *estadio del espejo*, pudiendo constituir un mundo de objetos sin que le sea necesario empezar por reconocerse a sí mismo.

Partiendo de estas ideas, determinados autores (Baudry, 1975; Metz, 1979) han planteado la existencia en el espectador cinematográfico de una *doble identificación*, trasponiendo la terminología freudiana al terreno fílmico.

Metz (1979) habla de *identificación cinematográfica primaria* en el caso de la que lleva a cabo el espectador con la cámara cinematográfica, a través de la que el sujeto se identifica a sí mismo *en tanto mirada*. Mirada que pertenece a una cámara que *ya ha mirado* antes lo que él está mirando ahora y que coloca al sujeto-espectador en una posición omnipotente (la del propio Dios).

Esta identificación puede verse dificultada porque el espectador nunca pierde la conciencia de hallarse ante un *espectáculo artificial*, porque en el cine nuestro *saber como sujetos* es doble: nunca dejamos de saber que asistimos a un espectáculo imaginario y, por otro lado, nuestra posición es pasiva y externa. Pero este segundo saber es el que acaba desdoblándose en hecho de percepción real —el espectador se identifica a sí mismo como puro acto de percepción, como sujeto trascendental— y en un acto por el cual el imaginario-percibido se reconstituye como continuidad en el interior del sujeto (Metz, 1979, 50).

Junto a la anterior, existe una *identificación secundaria*, que corresponde a la identificación con tal o cual personaje de la ficción cinematográfica. Esta identificación tiene menos que ver con un efecto de la relación psicológica que se crea con los personajes de la ficción que con un *efecto estructural*. La identificación secundaria se relaciona con el hecho de que el espectador encuentre, en cada momento del relato, su lugar adecuado: «soy aquel que ocupa el mismo lugar que yo» (Barthes). Por tanto, la identificación secundaria es susceptible de circular de un personaje a otro a lo largo de un film, interviniendo en su rotación las diversas técnicas de *découpage* —selección progresiva de puntos de vista—, el juego de la escala de los planos, las angulaciones y, sobre todo, las miradas de los actores, que desempeñan un papel fundamental. Porque nada hay más fascinante en un film que *ver mirar* y, como corolario, seguir el vector de esa mirada como designación de un recorrido perceptivo que condiciona nuestro acceso a la textualidad de los objetos.

Algunos autores (Aumont *et al.*, 1983) han destacado, como previa a la identificación secundaria antes explicitada, la existencia de lo que denominan una *identificación primordial con el relato*, que el cine compartiría con las restantes artes narrativas. Su asiento se encuentra en la analogía existente entre las estructuras fundamentales de todo relato y la estructura edípica tal y como fue expuesta por Freud. (Suele decirse que todo relato ejemplifica el conflicto básico entre el deseo y la ley.)

De la misma manera que la identificación primaria, la *identificación con el relato* parece revelarse como *condición indispensable* para que el film pueda elaborarse, lo que nos remite a los trabajos de Greimas cuando coloca la narratividad como base estructural del sentido.

Si todo relato se estructura como el trayecto que lleva de una situación de equilibrio a otra, a través de un proceso de *distanciamiento* primero, y de *reencuentro* posteriormente, la identificación del espectador encuentra su base en esa búsqueda de colmar la ausencia constitutiva que articula toda narración.

No es absurdo trazar un lazo entre el sueño y el cine más allá de las expresiones metafóricas («la fábrica de sueños»), porque si el sueño no es sino una psicosis alucinatoria del deseo que a través de su capacidad de figuración produce un *más-que-real*, la maquinaria cinematográfica parece reproducir algunas de sus características centrales.

Las condiciones en las que funciona el dispositivo cinematográfico (oscuridad de la sala, pasividad relativa, inmovilidad forzosa, sujeción a los efectos producidos por la proyección de imágenes en movimiento) no se separan en lo fundamental (labilidad de los sistemas, imposibilidad de recurrir a la prueba de realidad) de aquéllas capaces de producir un retorno a un narcisismo —siquiera relativo— susceptible de desembocar en el deseo del sujeto de encontrar una forma de relación envolvente con la realidad en la que los límites del propio cuerpo y del exterior no se encuentren definidos con precisión.

El sueño es, de hecho, una *proyección*, a través de la cual funciona un mecanismo de defensa que reenvía al exterior las representaciones y efectos que rehúsa reconocer como propios y que aparecen ante el sujeto como un real percibido del exterior. Algunos psicoanalistas también han hablado de la *pantalla del sueño (dream screen)*, superficie sobre la que el sueño *parece* proyectado.

No conviene, sin embargo, llevar demasiado lejos la identificación, pues el sueño es una representación mental (imagen onírica) mientras que los films producen imágenes cinematográficas reales (imágenes fílmicas).

El cine, en concreto, parece comportarse como una *máquina de simulación* capaz de proponer al espectador percepciones de una realidad cuyo *status* se aproxima al de las representaciones oníricas (que se presentan como percepciones). El cine vendría a proponer una especie de psicosis artificial con posibilidad de control (salida de la sala).

A diferencia de lo que sucede en el sueño o la alucinación, en donde las representaciones se dan como realidad, en ausencia de percepción, en el cine las imágenes se presentan como realidad *a través* de la percepción. Por tanto, el cine no es el sueño, aunque pueda señalarse que reproduce una impresión de realidad, un efecto-cine que es comparable a la producida por aquél. Por eso puede decirse que la simulación cinematográfica tiene menos que ver con la realidad que con un dispositivo que implica al sujeto (el sujeto del inconsciente).

Baudry (1975) irá aún más lejos al afirmar que el cine es una máquina que simula el inconsciente, pues así como el sueño se abre sobre la *otra escena* y el inconsciente no deja nunca de exigir al sujeto (a través, por ejemplo, de la praxis artística) la producción de representaciones de *esa escena,* el cine puede ser visto como un aparato que muestra, en su propia existencia, una representación en la que el sujeto ignora que se representa a sí mismo la propia escena del inconsciente sobre el que él mismo se constituye (Baudry, 1975, 72).

Si toda imagen cinematográfica instituye, por tanto, una *relación* con un sujeto, queda por saber cuál es la forma precisa que toma la articulación que hace posible el surgimiento del sentido, cuál es el lazo que une al film con el espectador.

Jean-Pierre Oudart (1969) ha definido este mecanismo con el nombre de *sutura*, y se refiere al hecho de que a todo campo fílmico (a toda imagen cinematográfica) le hace eco *otro campo* (la cuarta pared, según la clásica definición diderotiana) y una *ausencia* que emana de él. De tal manera que toda imagen es a la vez el lugar de los objetos icónicamente presentes en el campo fílmico, donde producen el efecto que les corresponde en el orden de la sintagmática cinematográfica, y al mismo tiempo se presenta, en su conjunto, como el *significante de una ausencia*.

Ese momento, lógicamente *anterior* al sintagmático, en el que la imagen presente se comporta como ausencia de lo que la constituye en relato, es el momento clave a través del cual la imagen accede al orden del discurso instituyendo un *intercambio semántico* entre un *campo presente* y un *campo imaginario*. El espectador es, así, entre dos imágenes, el gozne capaz de articular el sentido al *reconocer en la presencia, la ausencia que la funda*, suturando con su intervención la relación entre dos planos consecutivos (Dayan, 1974; Rothman, 1975; Heath, 1977-78).

De este modo se explica, definitivamente, la sustancial operación de descentramiento del espectador ante el film (y de la que es un eco la oblicuidad de filmación propia del Modo de Representación Institucional o «cine clásico» [Burch, 1984; 1987]). En primer lugar, porque el discurso del film no es *su* discurso (no es el de *nadie,* en sentido estricto) y, en segundo lugar, porque la relación entre espectador y film es del tipo de *eclipse alternativo*.

El espacio de la pantalla se constituye, alternativamente, como campo y signo. Cada plano, cada campo se presenta como una suma significante que es respondida por el eco de la ausencia que la ha hecho nacer, por *la fuerza de la enunciación que la constituye en enunciado*.

La sutura es, por tanto, la relación del sujeto con la cadena de su discurso. Esta relación se *representa* bajo la apariencia de esa «suma significante» afectada por una carencia, y de un Ausente que desaparece siempre que un plano es sustituido por otro, para que alguien, que representa el eslabón de la cadena significante, pueda ocupar su lugar.

Capítulo II

Comentar, analizar, interpretar

Las páginas que siguen están dedicadas a la presentación y examen de un cierto tipo de discurso sobre el cine: el comentario de textos fílmicos. Esto no quiere decir que dejen fuera de sus objetivos los aspectos relacionados con el hecho social «cinematográfico». Los films son productos elaborados por una industria determinada, con intereses económicos e ideológicos concretos, y se venden en un mercado específico; en consecuencia, sus condiciones materiales de presentación, distribución y consumo son las que son en tanto en cuanto surgen *de* y circulan *en* el interior de una institución, socialmente aceptada, que incluye un canon historiográfico, una teoría y una crítica. Ni siquiera el lugar de la sala oscura que le fue propio desde sus orígenes determina, hoy día, su recepción y existencia. El aumento creciente del medio videográfico como lugar de acceso ha cambiado sustancialmente su estatuto discursivo, así como el papel y lugar espectatorial. Lo importante, con todo, es comprobar hasta qué punto todas estas condiciones consideradas externas no lo son en absoluto, sino que están inscritas en el corpus de cada objeto fílmico concreto.

Por ello, aunque el tipo de discurso que vamos a estudiar aquí parezca ocuparse ante todo de los films en tanto obras independientes y singulares, no podremos dejar de lado su carácter de eslabones de una cadena históricamente determinada por tipologías genéricas, actores, directores, casas productoras, etc. Tampoco podemos olvidar su carácter de mercancías elaboradas de acuerdo con normas específicas, que circulan en el interior de un mercado, tanto económico como cultural. Esta circunstancia no sólo explica por qué y cómo se hacen ciertos films, sino, fundamentalmente, cómo son recibidos y consumidos, es decir, que no sólo atañe al objeto fílmico en cuanto tal, sino a la constitución misma de un lugar que llamaremos espectatorial; un lugar que, aunque sea ocupado por personas concretas, no es reductible a ellas. La existencia de unos discursos jurídicos, sociológicos e incluso psicológicos sobre el film, que puede proceder tanto del enfoque empleado para llevar a cabo el comentario, como del uso explícito de temas que son objeto de estudio para dichos discursos, como soporte anecdótico del film, no será, por ello, objeto de este libro, pero estará presente en tanto en cuanto dichos discursos existen y forman parte del imaginario colectivo desde donde un film es leído y valorado.

El comentario del film, en la acepción que vamos a otorgarle a lo largo de todo este libro, no es extraño a una problemática de orden político, ideológico, estético o linguístico. El objetivo del comentario es, pues, múltiple. Por una parte, se trata de aprender a sentir un mayor placer ante los films concretos a través de una mejor comprensión de su estructura y funcionamiento. Por otra, se busca también mostrar cómo la no coincidencia interpretativa o valorativa con el punto de vista de la crítica o la teoría oficialmente reconocidas como tales, no tiene por qué representar un error o una incapacidad por parte del espectador. Siempre que el comentario se base en unos presupuestos correctos —luego aclararemos qué entendemos por «presupuestos correctos»—, la única diferencia entre la mirada de un especialista y la de un espectador de a pie sólo estriba en el aura que acompaña al primero como poseedor de la verdad. Es, en suma, un mito socialmente aceptado, pero no necesariamente real. Finalmente, el comentario puede ayudar a entender la lógica histórica, es decir, construida, del lenguaje cinematográfico, en cuanto dispositivo retórico que nunca tiene como objetivo la dilucidación de la verdad, sino la práctica de la persuasión.

Los métodos de comentario que estudiaremos más adelante pertenecen a este conglomerado de posiciones. En consecuencia, consideraremos el film como un aparato textual que es posible deconstruir por medio del análisis; un aparato que basa su propuesta de significación sobre estructuras narrativas o no narrativas, de género o de tipología dentro del género, sobre bases visuales y sonoras, produciendo así un efecto particular sobre el espectador; un espectador que deja de ser entendido como un mero punto de llegada, una especie de explorador a la busca del significado oculto tras la maleza de las formas, para convertirse en uno de los elementos esenciales del proceso. No hay film sin espectador. Ello nos obligará a insertarnos en la historia de las formas y estilos y de su evolución.

1. LA NOCIÓN DE COMENTARIO

Podemos definir la actividad denominada «comentario textual fílmico» como el conjunto de operaciones realizadas sobre un objeto «film» con el fin de describir su modo de funcionamiento estructural y el significado que sirve de base para su articulación como tal objeto, y, por otro lado, para proponer una dirección determinada de sentido, capaz de justificar la lectura producida de forma individual cuando el film es abordado desde el punto de vista de un espectador o espectadora concretos en una situación concreta. Con ello queremos decir que un comentario se separa de la glosa en tanto no busca traducir a un lenguaje diferente lo que un film dice o parece decir; tampoco pretende encontrar ninguna supuesta verdad oculta bajo la superficie aparente de su materialidad. La llamada arbitrariedad espectatorial, eso que hace que un mismo film represente cosas distintas y a veces contradictorias para personas distintas o incluso para una misma persona en momentos diferentes de aproximación, no queda por tanto fuera del comentario, condenada al terreno de los pecados que no se deben cometer. El comentario valora, no se limita a describir. Por ello, aunque el film sea considerado como un objeto cerrado, una especie de mecano compuesto de piezas cuya organización formal está fijada por el montaje sobre el soporte fotoquímico o electromagnético, según un cierto orden de composición, tanto en la banda de imagen (planificación, encuadre, posiciones y movimientos de cámara, iluminación, color, etc.), como en la banda de sonido (diálogos, música, ruidos diversos, etc.), no lo considera «cerrado» desde la perspectiva del sentido. Este orden de composición, ya fijado y estructurado, supone una cierta lógica organizativa, de acuerdo con unas leyes sintácticas y semánticas histórica y culturalmente determinadas, que hacen «legible», es decir, «comprensible» el conjunto, imponiendo una manera de mirar y, en consecuencia, de entender. El espectador, sin embargo, puede impostar sobre esa estructura ya fijada un nuevo sistema relacional entre las piezas, poniendo en contacto elementos presentes en el objeto, pero sólo secundariamente relacionados desde el punto de vista del significado explícito. Así, un film que narra una historia familiar determinada puede ser leído como metáfora de una situación social más amplia, o un film de guerra reconvertido, a efectos de sentido, en una plataforma para estudiar una relación amorosa o un problema tecnológico. Que esta segunda lectura no sea prioritaria para nadie más, no la convierte automáticamente en arbitraria ni en necesariamente falsa. No se trata, en definitiva, de descubrir qué quiso o no quiso decir alguien detrás de la cámara (lo que nos llevaría a enfrentarnos con otro problema, el de la «autoría», sobre el que luego volveremos), sino de entablar un diálogo con un texto y hacerlo hablar como resultado de nuestra interpelación. El sentido no está inscrito en el texto, sino que ha de ser producido como resultado.

El comentario, en consecuencia, implica el análisis como camino previo, pero no se confunde con él. También implica un trabajo interpretativo pero no se reduce a la interpretación, por cuanto construye algo que antes no existía. En gran medida, toda valoración de un film por parte de un espectador individualizado, sea éste especialista o no, se funda, explícita o implícitamente, sobre un análisis y una interpretación de los resultados de dicho análisis, pero también incorpora ese otro componente intransferible que remite a las resonancias que el objeto fílmico despierta en el mundo privado, sensorial, sentimental o de cualquier otro tipo, de la persona que lo ve.

Nuestra propuesta, pues, no distingue entre el llamado comentario «intrínseco» de un film y el comentario que necesita una confrontación de la obra estudiada con otro tipo de manifestaciones sociales. Pensamos que el componente socio-histórico siempre está presente: como elemento anecdótico de lo narrado; como universo referencial desde el que comprender la lógica de las acciones, los comportamientos de los personajes en el caso de que los haya, y la función de los diversos procedimientos técnicos usados para su elaboración; y como institución social de «ver cine», bien a través del ritual colectivo de la sala oscura, bien a través de la mirada desatenta y fluctuante de la sala amueblada con un televisor. Para poner un ejemplo, el comentario llamado «histórico» de un film, según la hipótesis avanzada por Pierre Sorlin (1977), busca descomponer los elementos de la representación socio-histórica que puedan observarse en su seno. Esta concepción del comentario histórico nos parece en alguna medida restrictiva. Saber cómo, desde qué presupuestos y con qué fines han sido vistos los films, incluso los no históricos argumentalmente hablando, es decir, cómo y desde qué lugar la noción de espectador y la noción misma de film han sido construidos, también es hacer una aproximación «histórica». Como lo es el estudio de aquellos elementos que no desempeñan ningún papel en el mecanismo de la representación histórica en cuanto tal: por ejemplo, el hecho de que el film sea en color o en blanco y negro, en 16 milímetros o en cinemascope, que use grúas o no.

Pierre Sorlin, por ejemplo, al abordar el problema en su libro *Sociologie du cinéma*, a través del análisis de *Ossessione* (Luchino Visconti, 1942), estudia todos aquellos elementos que se refieren a la representación de la mujer, la imagen del campo y su oposición a la ciudad, tal como las construye el film. Según su análisis, la ciudad tiene un marco, mientras que el campo carece de él: «Los cineastas no ven el campo, no es perceptible para ellos, sólo lo aprehenden por medio de características periféricas o transitivas (lo que pasa a través de él). Es esta ceguera la que interesa al historiador de las sociedades, puesto que le informa acerca de cómo era el medio productivo cinematográfico en la Italia de 1942.» Esta conclusión no resulta, desde nuestro punto de vista, exterior al comentario del film, ni es en consecuencia competencia sólo del historiador o del sociólogo. Antes bien, construyen un modo de ver y delimitan un espacio desde donde enfrentarse a él.

2. COMENTARIO Y ANÁLISIS. DESCRIPCIÓN E INTERPRETACIÓN

Decíamos que el comentario no se confundía ni con el análisis ni con la interpretación, pero que implicaba de una forma u otra ambos movimientos previos. En efecto, si un comentario quiere evitar el defecto de la ligereza o la frivolidad, debe basarse, cuanto menos, en la capacidad de analizar cómo está hecho y cómo funciona aquello que comenta. El análisis implica dos movimientos que, aunque se den de modo simultáneo en la práctica, conviene abordar por separado: reconocimiento y comprensión. Todo análisis, en efecto, requiere la capacidad de reconocimiento de los elementos que componen el objeto. Resultaría más que difícil, imposible, analizar qué dice una frase escrita en una lengua de la que desconociéramos la sintaxis y el vocabulario. Lo mismo ocurre en el caso de un film. Este reconocimiento está ligado a la capacidad de distinguir y ubicar los distintos elementos individuales que aparecen en el desarrollo temporal de la proyección sobre la pantalla: personajes, luces y sombras, colores, sonidos, frases, tonos de voz, etc. La comprensión implica, a su vez, la capacidad para relacionar estos elementos individuales entre sí como partes de un todo más amplio: el encuadre, el plano, la secuencia, el conjunto del film, etc. Este doble movimiento no es natural, sino cultural, y necesita aprendizaje. El hecho de la imposibilidad de detener el fluir de las imágenes —salvo en la moviola, o en el vídeo, ahora que existe ese recurso tecnológico— constituye una de las características fundamentales del texto fílmico: la imposibilidad de volver atrás para comprobar si tal o cual visión, tal o cual elemento sonoro fueron ciertos o sólo una ilusión producida por el fluir temporal en el espacio de unas imágenes y unos sonidos. La magia y fascinación del fenómeno cinematográfico se basaron, desde un principio, en esta imposibilidad técnica de congelar el tiempo, es decir, de hacer presente y simultáneo lo que sólo existía como sucesividad. El reconocimiento y la comprensión, pues, van asociadas a la posibilidad de múltiples visiones del mismo objeto. Lo contrario implica hablar no del objeto, sino de la memoria auditiva y visual de su desarrollo irreversible en el tiempo. Esta particularidad, que el cine heredó del teatro, puede ser superada en el caso del primero, porque *la irrepetibilidad de la percepción en el tiempo no conlleva la irreproductibilidad del objeto.* A diferencia de una representación escénica, el texto fílmico está fijado en el soporte fotoquímico o electromagnético y puede, en consecuencia, ser revisado. El soporte permite la vuelta atrás. Del mismo modo, la visión continuada de muchos films permite interiorizar mecanismos de funcionamiento textual que en un film individual pasarían desapercibidos. Uno de los principios básicos de lo que Noël Burch (1981; 1987) ha llamado el Modo de Representación Institucional, propio del cine clásico de Hollywood, consistía, de hecho, en el establecimiento de unas normas técnicas que, por el mismo carácter del film como proyección en el tiempo, impidieran reconocer en el objeto su carácter de artefacto, haciendo que el fluir de las imágenes resultase «natural», borrando así su estatuto de construcción retórica. Se trata, en último término, de establecer la inteligibilidad del objeto, lo que implica no sólo comprenderlo, sino comprender de qué manera y desde qué presupuestos se le comprende, una comprensión de la comprensión (Metz, 1971; Heath, 1975; Odin, 1977; Bellour, 1979).

La doble capacidad anotada del proceso analítico —reconocimiento y comprensión— conlleva, como corolario, la capacidad de describir la organización global de los elementos (ya reconocidos y comprendidos como partes de un todo) en forma de estructura, y, paralelamente, la interpretación de su significado.

El proceso de descripción es, de hecho, la base de la interpretación. En efecto, las distintas aproximaciones y valoraciones de un film radican no sólo en el diferente punto de vista adoptado para enfrentarse a él, sino *en que dichos puntos de vista constru-yen diferentes objetos fílmicos como resultado de su operación.* Tomemos el ejemplo del discurso del cinéfilo. Dicho discurso se basa en una cierta relación amorosa con el objeto y es de dos tipos. En primer lugar, existe la variante «fetichista», la de las publicaciones y revistas basadas en el culto al actor o a las actrices, o incluso a films concretos, los denominados *Cult Movies* —un ejemplo clásico es el de *The Rocky Horror Picture Show,* proyectado en algunas salas americanas desde hace más de una década la medianoche de todos los sábados del año para un público que corea todas y cada una de las frases de la banda sonora y acude al ritual disfrazado de alguno de los personajes del film—; en el otro extremo, está la variante «artística» en la que se basan las aproximaciones a los films como «obra de arte». Esta última variante no sólo permite mezclar nombres y épocas de manera indiscriminada, sino que elimina en algunos casos la radicalidad de muchos films, al presentarlos bajo la pátina de la sacralización. Es el caso de las publicaciones y revistas basadas en la denominada «política de autor» y de conceptos tan etéreos como «el toque Lubitsch», «la maestría de Visconti», etc. No es necesario decir que ambas variantes asumen que el deseo de conocimiento implícito en el análisis es un obstáculo con relación al goce, que se supone intuitivo y autojustificado.

Ello no implica, sin embargo, que la cinefilia evite la descripción de los films, sino que ésta es elaborada de una determinada manera, subrayando unos aspectos en detrimento de otros, valorando «el aura» en lugar del objeto que parece desprenderla. ¿Quiere eso decir que la actitud del cinéfilo es entonces una variante de la del analista? Responder a esta pregunta nos obliga a clarificar qué entendemos por descripción.

Hemos dicho que describir un objeto implica un movimiento doble: descomposición y recomposición. El problema ahora es aclarar en qué consiste y de qué pasos depende ese doble movimiento. Hay dos posibilidades de partida: que lo que entendemos como «objeto» exista como presencia no sólo física sino, fundamentalmente, significativa, ya definida y fijada, y de lo que se trate sea de descubrir las reglas que rigen su estructura, y que lo que entendemos por «objeto» físico —el film— sea abordado como una propuesta relacional susceptible de alteración y manipulación.

Detengámonos un momento para ello en la consideración de cuatro conceptos fundamentales para nuestra argumentación: *información, comunicación, significación y sentido.*

Umberto Eco exponía en su *Tratado de semiótica general* (1975) las siguientes consideraciones: todos los procesos culturales son abordables, desde el punto de vista semiótico, como procesos de comunicación; cada uno de estos procesos es sólo posible por la existencia previa de un sistema de significación. Un proceso de comunicación vendría definido por el paso de una señal (no necesariamente un signo) desde una fuente a un destinatario. En una transmisión de máquina a máquina (fax, modem, vídeos o computadores conectados entre sí), las señales no tendrían el poder de significar, en la medida en que no determina ninguna acción por parte del destinatario, al que sólo le haría llegar una serie de estímulos. En este caso no habría significación, aunque sí pase de cierta información. Cuando el destinatario es humano, y aunque no lo sea la fuente, siempre que emita siguiendo un sistema de reglas conocidas por el destinatario humano, estamos ante un proceso de significación, por cuanto la señal no es sólo un estímulo, ya que provoca una respuesta en el destinatario. Este proceso es posible por la existencia de códigos.

Un código, así, puede ser definido como un sistema de significación en tanto en cuanto articula entidades presentes con elementos ausentes. Cuando algo ofrecido a la percepción de un destinatario humano representa otra cosa, existe significación. Desde esa perspectiva lo importante no es la presencia de un destinatario humano sino el que un código establezca una correspondencia entre representante y representado, válida para todo destinatario, incluso aunque no exista ni llegue a existir ningún destinatario.

La distinción expuesta por Eco resulta metodológicamente importante, aunque deja algunos cabos sueltos. Por una parte, resulta difícil creer en la existencia de un código que se construya a sí mismo; por otra, fuente y destinatario no son necesariamente *entidades distintas,* sino *funciones que coexisten en el interior de una misma entidad en dos momentos diferenciados del proceso.* Quien emite un mensaje (en el caso de que sea humano) es su primer destinatario, el que primero recibe y decodifica lo que acaba de emitir y eso es lo que le permite establecer una coherencia en su emisión, a menos que se acepte la falacia surrealista de la escritura automática (de otra forma no se entendería que pudiésemos corregir un escrito o reorganizar una frase que acabamos de pronunciar). La existencia, por otra parte, del discurso paranoico puede implicar una absoluta falta de control de lo que emite por parte del emitente, pero ello no significa que el código desde el que es posible descifrarlo haya nacido *ex nihilo,* por generación espontánea. En una palabra, el que un mensaje signifique, al margen de que exista cualquier destinatario real, no implica más que lo que la frase dice: que un mensaje significa al margen de que exista cualquier destinatario real. El código no entra en la propuesta. Un código siempre es el resultado de una convención surgida desde alguien y para alguien, es decir, sólo existe sobre la base de una relación dialógica entre dos polos. Por lo demás, la existencia de un mensaje emitido por una máquina inteligente que jamás llegase a ningún destinatario humano (por ejemplo, un computador programado para reaccionar de manera determinada ante situaciones determinadas, el HAL que coprotagoniza *2001, una odisea del espacio* [Stanley Kubrick, 1968] hablándole a una nave que estuviese ya vacía de presencia humana) siempre sería entendido, y en cierta medida *recibido*, por la propia máquina, que de otra forma no lo habría podido articular.

Lo importante, sin embargo, para nuestro propósito es otra cosa. Eco establece la distinción entre información, comunicación y significación sobre la base de tres posibles parejas de emisión-recepción: de máquina a máquina (información); de humano a humano (comunicación) y de máquina a humano (significación). La información era definida, en oposición a la comunicación, por el hecho de no implicar paralelamente una significación, por cuanto los estímulos no provocaban una respuesta. Eso quiere decir que no hay proceso comunicativo posible sin la previa existencia de un sistema de significación. ¿Qué sucede entonces con las señales emitidas desde un humano o un texto (un film, por ejemplo), cuando éstas no están fundamentadas en ningún sistema de significación establecido, como en el caso del llamado discurso estético definido en términos de emisión de «mensajes sin código»? El estímulo que provoca una determinada textura de la imagen, o las asociaciones sensoriales o sentimentales provocadas en un espectador por la música de una película no serían estrictamente *información*, puesto que sí provocan una respuesta, pero tampoco significación, por cuanto no hay un código previo compartible hasta ese momento con otros espectadores. Es ese tipo de mensaje lo que definimos como *sentido*.

David Borwell y Kristin Thompson (1986) proponen distinguir entre *emociones representadas* en un film y *emociones experimentadas* por un espectador. Si un actor o actriz gesticulan mostrando síntomas de agonía, esa emoción es una *emoción representada*. Si un espectador o espectadora ríe al ver dicha gesticulación, se trataría de una e*moción experimentada*. La primera es una inscripción textual; la segunda, no. Ambas, sin embargo, implican la existencia de lo que ellos definen como *forma de objeto*. Un objeto apela a nuestra experiencia vivida de las convenciones discursivas e interactúa con ellas. De la misma manera que determinadas convenciones formales nos permiten suspender la incredibilidad respecto a acciones o ideas que no aceptaríamos fuera de dichas convenciones, también pueden hacernos superar nuestras respuestas emocionales cotidianas. En efecto, todos nos hemos encontrado alguna vez en situaciones parecidas: una tipología de persona que nos repele en la vida real puede llegar a ser atractiva cuando es enfrentada como personaje en un film o una novela. Desde esa perspectiva, la emoción experimentada proviene de las relaciones formales, tal y como son percibidas, aunque dicha percepción no sea compartida por nadie más. El sentido, pues, por oposición a la significación, no surge de un desciframiento, sino que es producto de una elaboración individualizada.

Volviendo ahora al problema del comentario, podríamos decir que una lectura *significativa* de un film consistiría en la aplicación, por parte de un espectador, de una serie de códigos y subcódigos que le permitiesen decodificarlo, de modo que la información de llegada fuese equivalente a la información de salida. Este planteamiento, parafraseado aquí de manera simple, conlleva, por tanto, la idea de lectura como traslado o trasvase de un determinado contenido previo, ya existente, desde un lugar a otro, del lugar desde el que se emite al lugar desde donde se recibe. La «descripción» del objeto, en este caso, se basaría en el descubrimiento de un sistema objetivo de relaciones, al que la lectura se debe someter. En gran medida, todos los comentarios basados en la noción de autor o en consideración de los films como textos autónomos y autosuficientes —comentario cinefílico incluido— parten de estas premisas de un modo u otro.

Desde la perspectiva del sentido, cualquier objeto puede ser significativo, siempre y cuando sea abordado o se reciba como tal. El contenido o mensaje, aquí, no depende de una existencia previa ya codificada, sino que surgiría, a posteriori, como resultado de una determinada forma de recepción y apropiación. En el caso de un film, el espectador no sería un punto de llegada, sino una especie de coautor, es decir, un elemento activo en el proceso de construcción de ese nuevo tipo de significado que hemos denominado *sentido*. La descripción, desde esta otra perspectiva, es una actividad diferente de la anterior, por cuanto también lo son la forma de descomponer y la forma de recomponer las piezas de un todo no previamente constituido como tal. Posteriormente, dicho sentido puede ser aceptado como tal por otros

52

espectadores y pasar a formar parte del horizonte general de convenciones espectatoriales. Esa codificación a posteriori convierte el *sentido* en *significado*. Ello explica por qué la influencia de las diversas lecturas de un film previamente realizadas condicionan nuestra recepción. No hay lecturas originarias ni en estado puro. Siempre se parte de un objeto que lleva adherido el proceso histórico de sus sucesivas lecturas como parte integrante de su sistema de significación. Volveremos sobre este punto más adelante.

3. DESCOMPONER, RECOMPONER

El doble movimiento mencionado parece tener cierta semejanza con el juego infantil del rompecabezas. Se trataría de saber qué elementos deben separarse, formando qué tipo de conjuntos y con qué lógica interna, para más tarde ser capaces de volver a articular las piezas. Pongamos que desmontamos el mecanismo de un reloj. Recomponerlo puede tener dos finalidades: hacer que tras el trabajo de reorganización, el reloj funcione como antes de la operación de desmontaje, sabiendo qué lugar ocupan todas y cada una de las piezas, sin preocuparnos de por qué; o conocer las razones que expliquen el porqué, puestas las piezas de esa forma y no de otra, el reloj da puntualmente la hora. El primer tipo de aproximación consiste en una reduplicación de la estructura. El segundo sería una descripción del significado lógico de la estructura. En ambos casos, sin embargo, se acepta que el significado del objeto (dar la hora) es objetivo e igual para todos. A menudo, el comentario de textos en general, y el de textos fílmicos en particular, está basado en una concepción de la lectura similar a la aquí anotada. Se trataría, en suma, de saber por qué un texto significa lo que significa, dando por supuesto un significado fijo y estable. Un film, sin embargo, no es un reloj, y no da la misma hora para todos, y es ahí donde empiezan los problemas. En efecto, uno de los errores que, en nuestra opinión, suele acompañar a la noción de comentario radica en la creencia de que la descomposición-recomposición no sólo «descubre» sino que «agota» las «leyes» de funcionamiento del objeto.

La primera etapa de la descomposición consiste en *segmentar* un objeto en sus diferentes partes, o lo que es lo mismo, en individualizar fragmentos que permitan ser entendidos como partes orgánicas de un todo. Este trabajo se realiza sobre la linealidad de la cadena temporal del film y es del orden de lo sintagmático.

Una segunda etapa consiste en *estratificar* tanto los segmentos

53

independientes como los grupos de segmentos, estableciendo una cierta jerarquía relacional entre ellos. Se trata de saber cuáles son centrales y cuáles secundarios respecto a los anteriores, cuáles forman el armazón o esqueleto y cuáles se incorporan a dicha armazón para formar el cuerpo definitivo. El trabajo, en este caso, no se realiza sobre la linealidad, sino sobre la transversalidad, y es del orden de lo paradigmático

La recomposición parte de estos dos movimientos para volver a montar los pedazos separados. Este segundo momento busca encontrar una lógica interna al sistema que relaciona las piezas y constituir con ello una totalidad estructurada.

Dicho de este modo simple, parecería que dicha lógica existe de antemano y que el trabajo del comentarista es el de encontrarla mediante sucesivos tanteos y pruebas. En nuestra opinión, dicho presupuesto es equívoco por cuanto olvida que *la división en partes se establece ya sobre la base de una hipótesis previa de recomposición.*

Tomemos el ejemplo de un film de género. Da lo mismo de qué género se trate, un *western*, un musical o un *thriller*. La elaboración histórica de cualquiera de ellos se basa en la repetición de unos determinados esquemas compositivos, de unas tipologías temáticas y de personajes o, incluso, de unas determinadas características técnicas —por ejemplo, el blanco y negro, la presencia más o menos constante de ambientes claustrofóbicos y los fuertes contrastes en la iluminación en el cine negro, así como los espacios abiertos, el saloon como marco escenográfico o el duelo a revólver en el *western*. Cuando nos acercamos a un film que se nos presenta ya encuadrado o que decidimos encuadrar dentro de una de dichas categorías de género, es posible seguir los pasos que descubran una lógica inscrita de antemano en el film. Si el comentario tuviese por objeto sólo ese descubrimiento, el film sería como el reloj del ejemplo citado antes. Con diferente formato, y un color y aspecto también diferentes, cada film no haría otra cosa que ofrecernos una misma cosa, infinitamente repetida y recurrente. El comentario no sería otra cosa que el redundante reenvío a la obviedad de un modelo omnipresente. Sin embargo, todo espectador sabe que un film, no sólo es diferente a otro, sino que visto en lugares y momentos distintos, aparece siempre también como diferente. Claro está que dicha capacidad de renovación continua difiere de unos films a otros. Es posible, por ello, establecer unas ciertas jerarquías que distingan films significativamente más ricos que otros. La pregunta que hay que hacerse, llegados a este punto, es si esa riqueza radica en el propio film o en su capacidad de establecer diálogos diversos con espectadores concretos. La visión de un *western* desde una manera de entender el desarrollo de la historia del mundo occidental difiere de la visión de ese mismo *western* para un espectador que se sitúe en una perspectiva histórica diferente. Los polos de positividad/ negatividad, bondad/maldad cambian de lugar, dependiendo desde dónde se habla y desde dónde se escucha. En el *western*, desde el punto de vista del colonizador, el indio es el enemigo de quien defenderse; desde el punto de vista del indio, es el colonizador el enemigo a quien resulta justo y necesario destruir. Para una cultura basada en las leyes de mercado libre y competitivo, una familia rica, por ejemplo, denotaría un grupo de personas que han sabido recoger el fruto de su esfuerzo, y una familia pobre otro grupo de personas que no habría sabido hacerlo. Para una cultura basada en la conciencia de que la riqueza de unos es el resultado del trabajo de otros, los primeros serían explotadores y los segundos, explotados. Por el contrario, para un punto de vista típico de las culturas teocéntricas, unos y otros sólo ocuparían el lugar previamente designado para ellos por la voluntad divina y el orden natural de las cosas. El enfrentamiento de pobres contra ricos sería visto, en consecuencia: en el primer caso, como una cuestión de revancha y envidia, en el segundo caso, como un acto de justicia, y, en el tercer caso, como algo equivalente a una blasfemia. Sea cual sea el punto de vista hegemónico en la lógica narrativa de género a la hora de estructurar un film concreto, es posible leer la historia desde el otro lugar. Ese otro lugar, espectatorial, no se reduce, pues, a descubrir lo que existe en un film sino que puede, sin cambiar nada de lo que hay en él, conectar significativamente las piezas según una lógica distinta, de modo simultáneo a como aparecen físicamente engarzadas, cambiando por completo la dirección del sentido del film. Puede, por ello, *construir* otro orden diferente del que corresponde a la lógica del género, un orden que, pese a todo, sea también operativo y sirva para explicar la forma de organización del material fílmico desde otro ángulo, incluso aunque la nueva organización resultante sea contradictoria con la que aparentemente sirve de fundamento al film. Podemos hablar, por tanto, de dos paradigmas organizativos distintos, uno que proviene de la inscripción del film en una tradición discursiva determinada, imponiendo unas reglas morfológicas y sintácticas y, en consecuencia, un modo de ver y leer, y otro que proviene de la proyección sobre el film de la mirada de un espectador concreto. Al primero lo llamaremos *principio ordenador*, y al segundo *gesto semántico*.

Entre estos dos conceptos, y el trabajo que implican, se establece una relación y una independencia simultánea. El *principio ordenador* puede ser definido como objetivo y objetivable. Por objetivo no entendemos una «presencia metafísica» en sentido derrideano, sino la existencia de unas reglas aceptadas de manera convencional por una comunidad, e inscritas de manera explícita o implícita en el film. Es decir, lo que hace, por ejemplo, que un film respete unas normas determinadas de montaje, unas reglas de sincronización entre la banda imagen y la banda sonora tendentes a producir un determinado efecto de realidad, etc.

Lo que hemos denominado *gesto semántico*, por el contrario, tiene su origen en el «exterior» del objeto «film», pertenece al ámbito de lo espectatorial, y sus límites de pertinencia ni siquiera tienen que venir marcados por su asunción de aquellas reglas establecidas, cuyo carácter de constructo, sin embargo, pueden ayudar a desvelar. El comentario, por ejemplo, de films como los de Frank Capra, Dorothy Arzner o Douglas Sirk, varias décadas después de su realización, permite realizar lecturas que, de modo indirecto —caso de Capra—, o de modo explícito —caso de Arzner o Sirk—, invierten el aparente mensaje articulador de su filmografía. Un film como *The invasion of the Body Snatchers (La invasión de los ladrones de cuerpos*, Don Siegel, 1955) puede dejar de ser un ejemplo de género de terror para engrosar las filas del cine político mccarthista, y así sucesivamente.

4. COMENTARIO, CRÍTICA Y TEORÍA

La actividad del comentario, tal y como aquí ha sido definida, se distingue asimismo de la crítica y de la teoría. La crítica, como dispositivo, *realiza* en la práctica los mismos pasos que el comentario; sin embargo, su función social le otorga un valor pragmático que el simple comentario no tiene por qué asumir.

En efecto, la crítica busca informar de las características del film, evaluar sus resultados de acuerdo con un cierto criterio de valoración, y de ese modo, promover o bien desaconsejar su difusión y consumo. Su papel es, en consecuencia, del orden de lo práctico y posee una finalidad también práctica. No es casual si su desarrollo se vincula al de plataformas y cauces institucionalmente dedicados a crear y difundir opinión: periodismo diario o semanal y revistas especializadas. Su lugar está directamente ligado a la cercanía de la aparición del film en el mercado. Se hace crítica de los films recientes, coincidiendo con su salida a las pantallas de los cines o de su reciclaje dentro de un proyecto de nuevo lanzamiento comercial o de su pase por televisión.

El aspecto evaluativo tiene una presencia mayor en el ejercicio de la crítica especializada, la de las revistas de periodicidad mensual o superior; el aspecto informativo, por el contrario, predomina en la crítica relacionada con la actualidad más inmediata: la prensa diaria escrita, la radio y la televisión.

En ninguno de ambos casos se exige a la crítica un análisis pormenorizado del objeto ni, en consecuencia, un comentario exhaustivo de sus implicaciones. Existen, sin embargo, ejemplos de crítica cuyo rigor le ha permitido sobrevivir más allá de los límites temporales de la actualidad. El caso de André Bazin en Francia o de James Agee en Estados Unidos son ejemplos paradigmáticos. Su trabajo diario o semanal, realizado al filo de la noticia, ha podido así ser posteriormente recogido en volumen con valor de comentario. Esto quiere decir que, en última instancia, lo que distingue un comentario de una crítica no es una cuestión estructural, sino pragmática: un comentario es una crítica no sometida ni al criterio de actualidad ni a las funciones institucionales de evaluar y/o promover.

Jacques Aumont y Michel Marie (1988) han definido el perfil del crítico en términos de «militancia cultural». El crítico sería «la mayor parte de las veces profesional de la enseñanza» o estaría «implicado en alguno de los sectores de la distribución y exhibición de films». El crítico especializado desempeñaría «la ingrata y siempre renovada tarea de multiplicar las informaciones sobre las cinematografías más desconocidas y abordar los films más minoritarios y difíciles, de los cuales raramente habla la crítica diaria. La parte reservada al análisis más profundo de una obra», que también sería «una de sus vocaciones, se reduce la mayoría de las veces a su más mínima expresión. La reciente evolución tanto de la prensa especializada como de la distribución cinematográfica de investigación y de "arte y ensayo" acentúa estas dificultades: a menudo es más urgente dedicar varias páginas a un film que puede desaparecer rápidamente de la cartelera, que desarrollar un estudio detallado de uno de esos grandes films de autor del año que todo el mundo ha reconocido como tal y que, por tanto, ya habrá encontrado su público». De acuerdo con este criterio, el crítico tendría, además, una función publicitaria y canonizadora, que el comentario, no sometido a sus limitaciones institucionales, puede obviar o contrarrestar. En la medida en que la crítica, como actividad que se realiza paralelamente a la aparición de los films en el mercado, no suele trabajar de cara al pasado, difícilmente puede revisar juicios, clasificaciones o lecturas realizadas desde un sistema de valores que, en su momento, hizo pasar inadvertidas determinadas propuestas textuales. Desde esa perspectiva, el comentario puede facilitar la recuperación y recanonización tanto de films concretos como de modelos genéricos así como a la rehistorización y periodización de su desarrollo evolutivo.

El comentario se diferencia también de la teoría, aunque la implique de un modo u otro. En efecto, siempre se habla desde una determinada concepción del mundo y del discurso. Detrás de cada elección, tanto de un objeto como del punto de vista con el que se busca abordarlo, hay siempre una toma de postura previa, sea ésta consciente o no. Sin embargo, a diferencia del comentario, la teoría pretende elaborar una reflexión amplia sobre el fenómeno cinematográfico en general o sobre el discurso fílmico en particular, es decir, parte, como el comentario, de los films concretos, pero no se reduce a ellos, y puede elegir determinados aspectos comunes a diferentes films o grupos de films con el fin de ofrecer unos principios rectores de índole general.

5. QUÉ ES UN FILM

Todo film puede dar origen a infinidad de comentarios. La pertinencia o no de éstos depende, decíamos páginas atrás, de la aplicación de «presupuestos correctos» por parte del comentarista. Se trataría, en efecto, de asumir la multiplicidad de resultados sin incluir lo que podríamos definir como «lectura delirante». Roger Odin (1983) propone el propio film como garante de la validez del comentario: *«No solamente un film no produce sentido alguno en sí mismo, sino que todo lo que puede hacer es* bloquear *un cierto número de apuestas significantes.»* Estamos de acuerdo con esta formulación, siempre que se hagan algunas aclaraciones. Basar la pertinencia de la lectura en la necesidad de no «salirse» del propio film puede resultar, así formulado, una propuesta ambigua. ¿Qué significa no «salirse» del film? Por una parte, puede implicar definir el film como «presencia» estable, es decir, como objeto cerrado que impone de una manera u otra el significado resultante. La lectura sería, en este caso, un simple trabajo detectivesco en busca de las claves que ayuden a descubrir quién es el asesino (en este caso, el significado); por otra, puede definir el film como «lugar» donde la exterioridad (el espectador) y la interioridad (el sujeto enunciativo que habla en el film en forma de reglas de correspondencia) se encuentran para dialogar.

El problema no es en absoluto baladí, ni tampoco nuevo. De hecho, forma parte de la historia de la teoría de la interpretación desde, al menos, los sofistas, Aristóteles y el mismo San Agustín, para quien los signos se caracterizaban por el hecho de producir un idea en la mente de sus receptores. A lo largo de los siglos el debate sobre la interpretación ha seguido tres líneas diferentes: la búsqueda de la *intentio auctoris*, la búsqueda de la *intentio operis* o la imposición de la *intentio lectoris* (Eco, 1990). Dado que, en el caso del film, la noción misma de «autor» resulta problemática, como veremos enseguida, se trataría de analizar la relación existente entre las otras dos alternativas, o lo que es lo mismo, preguntarnos si lo que encontramos es lo que el texto dice en virtud de su coherencia textual y el sistema significante que le sirve de base, o lo que el espectador es capaz de ver en virtud de su propio sistema de expectativas. Esto nos obliga a preguntarnos en qué consiste lo que llamamos «film».

Dos son los tipos de problemas que debemos abordar para dar una definición: el primeros es de orden tecnológico, el segundo, de orden socioeconómico.

Por lo que atañe al primero, un film se diferencia de un cuadro o una diapositiva por el hecho de que nos presenta imágenes en movimiento, y de una representación teatral, por el hecho de que dicho movimiento, en el film, es producido como efecto, es decir, consiste en una ilusión. Para que exista un film es necesario que una serie de imágenes estáticas se sucedan en serie ante los ojos de un espectador, mediante un mecanismo que las mantenga en el campo de visión durante un pequeño periodo de tiempo insertando entre ellas intervalos de oscuridad. Cuando esto ocurre, diferentes imágenes de un mismo objeto, tomado en posiciones distintas y en momentos distintos, producen la ilusión de movimiento. Ello implica que un film es un artefacto construido, donde la realidad no funciona como presupuesto, sino como resultado. Este efecto retórico, a su vez, depende de unos ciertos factores de orden tecnológico. En primer lugar, las imágenes deben estar distribuidas en series sobre un determinado soporte (una fila de cuadros en el Mutoscope, tiras de papel en el Zoetrope, película de celuloide en el cine, cinta magnética en el vídeo). En el caso del cine, se necesitan además tres tipos de maquinaria para producir dichas imágenes y desplegarlas sobre una pantalla. Estas tres máquinas son: la cámara, la máquina de revelado y el proyector. Las tres controlan el paso intermitente de la luz sobre el film, pero mientras la cámara recibe la luz desde el exterior y, a través del objetivo, la dirige hacia la película, el proyector actúa en sentido inverso, produciendo una luz que atraviesa la película y expone sus imágenes sobre una superficie plana exterior. La máquina de revelado combina ambos procedimientos. Al igual que el proyector controla el paso de la luz sobre la película expuesta (el negativo o positivo original, según se trate de una máquina de revelado óptico o por contacto, respectivamente); como la cámara, usa la luz para formar una imagen. Esto quiere decir que, normalmente, un film utiliza como medio una tecnología derivada del campo fotográfico: hay una base transparente que sirve de soporte para una emulsión sensible a la luz. La luz actúa sobre los componentes de la emulsión e imprime en ella imágenes latentes. Un proceso químico convierte las imágenes latentes en visibles, bajo la forma de granos negros sobre fondo blanco. Con éstas (generalmente el negativo) pueden hacerse luego copias impresas fotográficamente. Un film también puede estar formado por imágenes no fotográficas. Esto sucede cuando se manipula la película con otros medios, rayando, coloreando, agujereando, etc. Es el caso de los primeros films coloreados de Georges Meilès o Segundo de Chomón, o de los experimentos fílmicos en determinados momentos de la vanguardia de la década de los años veinte.

Para que la película, ya revelada, pueda pasar sin problemas por el proyector, debe cumplir ciertos requisitos. La película lleva unas perforaciones, a uno o a ambos lados, y de ese modo puede adaptarse a una rueda dentada en el proyector, que le hace avanzar según una velocidad y un ritmo uniformes (en casi toda la etapa del cine mudo, esta velocidad era de 18 imágenes por segundo; en el cine posterior al establecimiento del sonoro, de 24 imágenes por segundo).

Las dimensiones físicas del film pueden asimismo ser variables, aunque las medidas estándar aceptadas internacionalmente sean, por lo general, 8mm, s/8mm, 16mm, 35mm y 70mm. La cualidad de la imagen difiere de una medida a otra. Cuanto mayor es el milimetraje, mayor será la definición de la imagen. El paso de una medida a otra puede cambiar el espesor del granulado, alterando la nitidez, así como la globalidad de la imagen en cuanto tal. Dado que el campo de visión varía de un tamaño a otro, el paso de una película de 16mm a 35mm, por ejemplo, altera la disposición de los elementos en el encuadre, o bien debe eliminar aquello que no quepa o sobre en el trasvase. (El problema es muy evidente cuando se trata del pase de un film hecho para cine al soporte televisión: las imágenes forzosamente mutilan el encuadre por uno o ambos lados o bien deforman la composición para hacerlos entrar en el campo de visión de la pequeña pantalla.) La película suele ir acompañada de una banda óptica o magnética de sonido que emite, de modo normalmente sincronizado con las imágenes, el contenido sonoro del film (voces, ruidos, música, etc.). Dado que las condiciones sociales de recepción imponen casi sin excepción la necesidad de comprender los diálogos, desde el punto de vista lingüístico, en la lengua del espectador, existe lo que se denomina *doblaje*, operación que funciona bien sustituyendo las voces originales por otras, usando la nueva lengua, o bien manteniendo las voces originales y añadiendo por sobreimpresión una traducción escrita, por lo general, muy resumida, del contenido de los diálogos. Esta segunda forma se llama *subtitulado*. El doblaje, sin embargo, no se limita a traducir y adaptar (a menudo también a mutilar y normalizar) el componente verbal, sino que, en multitud de ocasiones, altera la jerarquía sonora, cambia los tonos, elimina acentos o formas de habla y redistribuye o elimina parte de la música, cuando la hay, o la añade cuando no la hay (costumbre, por cierto, muy común en España en el caso de RTVE).

Si el acceso a un film por parte del comentarista se hace a través de copias que no se corresponden con el formato en que aquél fue realizado (y es lo que ocurre la mayoría de las veces), ¿cómo entender que el film es el garante de la pertinencia del comentario, tal y como propone Roger Odin? ¿De qué film estamos hablando? Cada mínima alteración en los elementos de una estructura cambia la estructura en cuanto tal. Sólo podemos actuar, en consecuencia, por aproximaciones. No es una cuestión de pérdida de «aura», a través de lo que Walter Benjamin llamó la «reproductibilidad técnica», sino de que el film es accesible en un modo que asume como norma un enorme grado de inestabilidad del significante mismo. Decir que siempre puede uno acudir a la fuente primigenia no soluciona el problema, entre otras cosas porque no es verdad que uno pueda siempre acudir a las fuentes primigenias. La forma que adopta la distribución y acceso a un film es, por tanto, parte integrante del concepto de film.

Los problemas tecnológicos no agotan, sin embargo, la cuestión. Los films no se hacen solos. La producción de un film no implica únicamente la existencia de maquinarias altamente sofisticadas, sino, paralelamente, un trabajo humano de grupo, sea éste artesanal o industrial. Esta circunstancia conlleva que en la base (y en el resultado como objeto) de todo film está también actuando toda una serie de factores de necesaria consideración: quién y cómo se financia la realización, qué decisiones se toman y por quiénes respecto al guión, a los técnicos, al reparto, etc.

Cualquier persona puede hacer un film con tal que se procure el acceso al equipo que se precisa para llevarlo a cabo. No es lo mismo, sin embargo, abordar un proyecto contando con todos los medios, y con el control absoluto del proceso, que trabajar en cooperativa, donde todos los miembros implicados tienen derecho a opinar, o trabajar a sueldo para un productor o un estudio de producción.

La producción de un film puede, por ello, dar como resultado tres tipologías diferenciadas: el film individual, el film colectivo y el film de productora (no entramos ahora en el problema de quién firma. La autoría es un problema sobre el que volveremos luego). El primero implica un trabajo artesanal, y aunque pueda haber otras personas implicadas (actores, técnicos, etc.), tanto la financiación como las decisiones finales son responsabilidad de una sola persona. Es el caso de *Un chien andalou* (Luis Buñuel, 1929) o de los llamados films independientes españoles de la década de los años sesenta y setenta *(Sega cega,* de Casimir Gandía, por ejemplo). El segundo introduce una variante de importancia. Tanto el trabajo como la financiación son asumidos colectivamente por las personas implicadas en el proyecto *(Contactos,* de Paulino Viota, o el grupo americano *Newsreels).*

El film de productora (sea ésta un estudio como los que fundamentaron el cine americano de la década de los años veinte y treinta: Warner Brothers, Paramount, Columbia, Radio Pictures/ RKO, etc., o una empresa unipersonal, como Elías Querejeta en España) difiere sustancialmente de las dos tipologías anteriores. Los trabajadores a sueldo de quien produce no son dueños en ningún momento de los medios ni de las decisiones que determinan el proceso final de articulación del film. El desarrollo se establece sobre la base de una serie de etapas (pre-producción, rodaje, montaje y post-producción) cuyo control, en último término, es asumido por un aparato que, aunque posea un nombre individual, no puede reducirse a un individuo. La necesidad de incluir a un actor o una actriz en el reparto puede obligar a inventar sobre la marcha un personaje que justifique su presencia; la necesidad de suavizar una visión en exceso corrosiva puede llevar a añadir, cortar o cambiar secuencias o finales para adecuar el producto a las expectativas de un público masivo (caso de *El cuarto mandamiento,* [Orson Welles, 1942] o de *Siempre hay un mañana,* [Douglas Sirk, 1956], por citar sólo dos ejemplos conocidos) o incluso a interrumpir un rodaje a mitad del guión, por considerar que ya existe material suficiente para hacer un film de metraje normalizado (caso de *El sur* [Víctor Erice, 1982]).

El proceso de producción de un film se compone de varios estadios: preparación o pre-producción, rodaje y post-producción (montaje, sonorización, revelado y copiado del producto final). La primera, a su vez, consta de tres fases, una de tipo financiero (que incluye presupuesto, financiación y organización económica de todo el proceso), otra de tipo «literario» (que incluye tanto el guión literario como el guión técnico) y una tercera que atañe a la elaboración del reparto y la distribución de papeles, tanto técnicos (cámaras, iluminadores, montadores, equipos de sonorización, etc.) como artísticos (diseñadores, vestuario, maquillaje, compositor o recompilador para la banda sonora, etc.).

Durante la segunda fase, en la que materialmente se lleva a cabo el rodaje, imágenes y sonidos son grabados en el film. El trabajo de coordinación corre a cargo, normalmente, de quien o quienes asumen, con su firma, la función de dirección. Por problemas de costes (aprovechamiento de actores que aparecen en varias secuencias, decorados o exteriores utilizables en momentos diferentes del desarrollo etc.), un film raramente es rodado en continuidad, de modo que la estructura, tal y como es recibida por la audiencia, es el resultado de un trabajo posterior de rearticulación. Puede darse el caso de que un film se ruede en orden inverso al que ofrece la lógica narrativa, o incluso que, caso de rodarse en continuidad, se haga cuando aún no está totalmente claro, ni siquiera en el estadio del guión, cuál será el desarrollo posterior de la historia. Es famoso el caso de *Casablanca* (Michael Curtiz, 1942). Durante el rodaje, no se sabía si el personaje de Ingrid Bergman acabaría marchándose con su marido (Paul Henreid) o permaneciendo al lado de su antiguo amante (Humphrey Bogart). Las escenas de Bergman con cada uno de ellos por separado fueron filmadas, en consecuencia, como si el oponente masculino de turno fuese el elegido. Ello confiere al film esa extraña ambigüedad erótica, que no proviene de la historia narrada ni de la capacidad interpretativa de la protagonista, sino de un condicionamiento de producción: no interrumpir el rodaje y cumplir con los plazos presupuestados bajo contrato, a la espera de que guionista, director y productor decidiesen qué rumbo darle al desarrollo del relato para cerrarlo de modo convincente.

La tercera fase, dedicada a la puesta en orden y organización del material rodado, dan paso a dos funciones centrales en el proceso de acabado del objeto: montaje y sonorización. En la fase de montaje se lleva a cabo un primer esbozo de organización, lo que se conoce como *rough cut* o *copión*, normalmente sin sonido, sobre el que el montador o la montadora construyen una maqueta definitiva, reordenando los planos, cortando o reduciendo en duración algunos de ellos, añadiendo otros provenientes del mismo film o de imágenes de archivo, etc. En este estadio es cuando se suelen incorporar lo que se conoce como efectos especiales. Paralelamente, los responsables del sonido hacen otro tanto con la banda sonora. Los sonidos son grabados normalmente en bandas distintas —voces, ruidos, música— y pueden incorporar, como en el caso anterior, elementos provenientes de material de archivo o manipular los existentes por medios técnicos. Cuando ambos procesos están terminados, se procede a la fusión de ambas bandas de manera que exista entre ellas una perfecta correspondencia que se denomina sincronización. Una vez terminado este último ensamblaje, normalmente en negativo, el film está listo para ser positivado, copiado y distribuido.

No termina aquí el proceso sin embargo. Quedan dos últimos pasos imprescindibles para que el objeto fílmico llegue a la audiencia espectatorial: la distribución y exhibición. La forma en que el film ya acabado y montado es percibido y consumido depende también de cuándo, dónde y en qué condiciones alcanza a ser visto. Son numerosos los casos de films nunca estrenados en salas comerciales y sólo accesibles en el circuito del vídeo (con lo que ello implica de alteración del ritmo y encuadre), o que sólo lo han sido en programas dobles o triples en locales de reestreno, etc.

Todo ello, tanto en el nivel estrictamente tecnológico, como en lo que se refiere a los aspectos de producción y realización, no sólo incide sino que se inscribe en la materialidad del film y obliga a definirlo no sólo como «presencia» terminada, sino como «lugar» donde articular contradicciones, un lugar en el que lo que existe y lo que falta cumplen a menudo una idéntica función organizativa significante.

Pensemos, por ejemplo, en determinados recursos retóricos. Un movimiento de grúa puede tener un significado preciso en la puesta en escena. Sin embargo, lo primero que significa es «producción industrial». Difícilmente encontraremos un movimiento de grúa en un film «independiente». El escaso presupuesto no suele dar para esos excesos. El uso de la cámara en mano, siguiendo con los ejemplos, suele ir asociado con la cámara subjetiva, pero también puede implicar la inscripción de una práctica independiente propia del cine militante y documental. En un conocido plano de *Novecento* (Bernardo Bertolucci, 1976) hay una curiosa relación de los dos ejemplos citados. Los habitantes de un pequeño pueblo italiano en plena Segunda Guerra Mundial están abandonando sus casas ante la llegada inminente de las tropas fascistas y caminan en varias filas a lo largo de un sendero. La cámara los recoge en plano general y en picado. Un movimiento de grúa la hace descender lentamente y, al llegar a la altura de los personajes, avanza paralela a ellos en dirección opuesta. La imagen entonces asume ese temblor del pulso del cameraman que camina con su máquina al hombro. Al margen de su posible valor estético, este doble movimiento inscribe en la secuencia la ambigua y contradictoria relación existente entre un film que se quería militantemente de izquierdas y el hecho de haber aceptado financiación por parte de una productora —Paramount— cuyos intereses nunca estuvieron del lado de propuestas semejantes. Cómo reconvertir una producción, realizada con todos los apoyos industriales posible, en un cine contrario a lo que significa ideológicamente esa misma industria es algo que no necesitaba ser explicitado argumentalmente. Más que una presencia, el recurso retórico es aquí la huella de una ausencia, de una exterioridad del objeto que, sin embargo, acaba formando también parte de él, en tanto «añadido» de una mirada espectatorial, que nunca ve desde el vacío y la inocencia, sino desde un lugar político e ideológico concreto y definido.

Todo lo dicho significa que definir qué cosa sea un film resulta algo más complejo y contradictorio de lo que en principio parece. Por una parte, film remite al objeto en cuanto tal; por otra, también remite a la propuesta textual que dicho objeto expone ante los ojos de un público; finalmente, film es también el resultado de una apropiación e interpretación. Por ello quizá no será ocioso intentar delimitar un campo operativo que implique definir el concepto de texto fílmico, de manera que éste no se reduzca a la mera presencia de unos elementos visuales y sonoros fijados sobre un soporte.

6. OBJETO, TEXTO Y ESPACIO TEXTUAL FÍLMICOS

Al enfrentarse con el problema del análisis textual, Roland Barthes (1977) establecía una distinción entre *obra* (una entidad material) y *texto* (una construcción surgida como resultado de un análisis). Sin embargo, como han anotado, entre otros, Tierry Kuntzel (1975) y Lea Jacobs (1990), resulta difícil especificar qué *texto* es el que construye el análisis, es decir, en qué sentido las estructuras que indica y/o elabora el análisis determinan la com-

65

prensión de un film por parte de un espectador en condiciones normales de consumo. Al analizar la secuencia del naufragio de *The Most Dangereous Game* (Ernst Shoedsack, 1932), Kuntzel escribe: «el analista ve con fascinación la regresión formal presente en la secuencia (...) la transformación de un enunciado verbal en elementos no verbales. La fascinación deriva del hecho que la escena muda aquí representada está *en el límite* del significado: dado que la escena repite enunciados verbales (o que es repetida por ellos), en teoría no debería escapar a la atención del espectador; debería entrar en el territorio del significado; sin embargo, paradójicamente, permanece en alguna medida fuera del significado, al menos en las condiciones normales de visión de un film (...) El límite alcanzado por esta escena constituye también los límites del análisis. ¿De qué texto estamos hablando? ¿Es un texto que precede al acto de detener, describir y leer la imagen? —pero ¿hay algo que sea un *texto* ingenuo? La lectura sólo empieza con la re-lectura. ¿O es un texto que yo mismo estoy (re)creando en *este* texto, y cuya relación con el film está siendo desplazada constantemente?».

La pregunta de Kuntzel no es, en absoluto, retórica. Desde la perspectiva antes apuntada de una semiótica de la significación, donde todos los usos y comportamientos se convierten en significantes por el hecho de ocurrir en un contexto socializado, lo importante no es tanto la comunicación o las estructuras de la comunicación, sino *los discursos implicados en el acto comunicativo*. El problema radica menos en el estudio de los significados que en el análisis de la operación de significar. En dicha operación se articulan dos posiciones diferentes e irreductibles: *desde dónde se habla* y *desde dónde se escucha*, o en el caso del film, *desde dónde se mira*. Ambas están implicadas en el proceso, y su enfrentamiento dialéctico produce la transformación del *significado* (codificado, e histórica y socialmente objetivable) en *sentido* (no codificado, y, por tanto, sólo existente como resultado de una operación de lectura).

La posición del espectador no es, en consecuencia, ajena al texto, en tanto en cuanto, en gran medida, lo construye como tal. Ello nos obliga a asumir que, bajo la misma noción tradicional de «texto», han venido funcionando, de modo ambiguamente simultáneo, dos conceptos diferentes que remiten a realidades y posiciones distintas: el primero lo hace al resultado de la transformación de un objeto dado en estructura coherente, esto es, en un sistema de relaciones articuladas según una cierta lógica; el segundo, al resultado del trabajo que el espectador opera sobre dicho objeto, ya estructurado, en un esfuerzo por apropiárselo. Llamaremos al primero *espacio textual,* reservando el término *texto* para el segundo.

Lo que se define como espacio textual (Company/Talens,1984), puede adoptar diversas modalidades: que esté organizado y fijado estructuralmente entre unos límites precisos de principio y fin; que sea una mera propuesta, abierta a varias posibilidades de organización y fijación; o que no posea ningún tipo de organización ni fijación, si bien permita ser transformado en cualquiera de los otros dos. En el primer caso tendremos, por ejemplo, los espacios textuales «film», «novela», «cuadro», etc. En el segundo caso, los espacios textuales «obra dramática», «partitura musical», etc. En el tercer caso, los espacios textuales «naturaleza» (legible como paisaje mediante su transformación en «cuadro»), «conversación» (legible como diálogo mediante su transformación en parte de una representación dramática), «relación amorosa» (legible como actualización de un rito), etc. El *espacio textual,* en tanto concepto, puede, por tanto, dar cuenta de cualquier actividad o situación en términos de textualidad. De hecho, todo acto, sensación física o fenómeno natural, es comprensible en tanto en cuanto construimos sobre su presencia una lógica que lo explique, es decir, en tanto en cuanto se convierte en espacio textual. *Texto* sería, desde esta perspectiva, el resultado de convertir las propuestas, significantes o no, de un espacio textual dado, en *sentido* concreto, para un lector concreto en una situación concreta. Queda claro, pues, que hay tantos *textos* como *lecturas.*

La distinción apuntada permite, por una parte, separar, desde el punto de vista metodológico, dos posiciones diferentes; por otra, describe su diferencia como articulada, lo que permite abordar la noción de lectura, no como *acto de decodificación,* sino como *proceso ininterrumpido de producción/transformación.* Los problemas que se derivan de la existencia de jerarquías valorativas de interpretación no remite, en consecuencia, al terreno de lo real, sino al terreno discursivo de la ideología. Parafraseando al Humpty Dumpty carrolliano, podríamos afirmar que la cuestión del significado —objetivo de las prácticas basadas en el acto de decodificación— no se resuelve en la oposición posible/no posible, sino en el lugar de quien tiene el poder. Por el contrario, el sentido, por su mismo carácter azaroso y gratuito, escapa a ese esquema. El riesgo de la arbitrariedad a que puede conducir el comentario puede salvarse si aceptamos que el espacio donde dicho comentario se desarrolla está, si no fijado, sí, cuando menos, acotado. Los límites de la producción del *texto* vienen impuestos por el *espacio textual*. Es en ese sentido en el que podemos hacer nuestra la afirmación antes citada de Roger Odin. Si resulta difícil que un objeto imponga los significados, sí que resulta coherente que indique qué tipo de significados y, en consecuencia, qué soportes de sentido no pueden ser producidos sin caer en lo que Eco llamó la «decodificación aberrante».

Veámoslo con algunos ejemplos concretos. *¡Qué bello es vivir!* (*It's a Wonderful Life*, Frank Capra, 1946) sería, en tanto objeto, un conjunto de imágenes de 129 minutos de duración global. Nuestra consideración de dicho conjunto como relato es lo que le otorga carácter unitario. En primer lugar aceptamos una lógica relacional entre los fragmentos, según la cual un rostro mirando hacia la izquierda de la pantalla está enfrente de otro que mira hacia la derecha en el plano siguiente (es lo que se conoce como *raccord* de mirada); que la imagen de un brazo aislado no significa mutilación o despedazamiento, sino toma fotográfica parcial de un cuerpo que asumimos como entero, y así sucesivamente. Al mismo tiempo, todas esas relaciones asumen un carácter narrativo, que permite a los fragmentos constituirse en historia con principio, desarrollo y desenlace. Así nos es posible seguir la anécdota de un hombre que, al ir a suicidarse, es convencido por un ángel con figura humana para que rememore su pasado, lo que le permitirá descubrir que, como reza el título, pese a todos los inconvenientes y problemas cotidianos, vivir es hermoso. Todos estos significados, así como los que se desprenden del análisis de las relaciones entre personajes (ya hemos aceptado, también convencionalmente, que una serie de imágenes de un mismo rostro son el rostro de algo llamado «personaje»), de acuerdo con las normativas asumidas del género melodrama, hacen del film de Capra un espacio textual con límites espaciales y temporales precisos y con una estructura lógico-narrativa precisa. A partir de ahí empiezan las divergencias para los espectadores. Para quien asuma como válida la existencia de algo llamado «naturaleza humana», este film cuenta una historia real como la vida misma, donde la honradez y los buenos sentimientos siempre triunfan frente a la sordidez ambiental, ya que, en el fondo, ni siquiera los banqueros y los especuladores carecen de sentimentalidad. Para alguien que no crea en el concepto de bondad universal ni en la existencia de ángeles (por muy convincente que esté Henry Travers en el papel y por muy simpático que le resulte), el film puede estar contando otra historia muy diferente; una según la cual no tiene sentido abordar socialmente los problemas económicos puesto que —como en el caso del protagonista interpretado por James

Stewart— las causas no son estructurales, sino individuales, y pueden, en consecuencia, ser solucionados de forma individualizada. El ángel, a su vez, puede ser entendido como una metáfora del propio instinto de supervivencia del protagonista o como corporeización de una cierta justicia universal que, pese a todo, ayuda siempre a quien lo necesita en un mundo injusto. A un espectador, Donna Reed le recordará inconscientemente a aquella joven a la que una vez pretendió; a este otro, Henry Travers le traerá a la memoria la imagen del abuelo bonachón que le sacaba a pasear de pequeño. Todo ello implicará que uno y otro sigan el desarrollo de la historia con un talante y una disposición de ánimo determinados. No vale decir que estos ejemplos son aberrantes o parciales, porque en la práctica existen y funcionan, y es de estos sentidos de los que hay que dar cuenta en el comentario, unos sentidos emanados de una posición espectatorial que, en condiciones normales, de mirada no particularmente crítica, asume todos estos pequeños o grandes desplazamientos subjetivos como parte fundamental de su utillaje lector. Lo que nunca podría un espectador hacer a partir de un espacio textual fílmico dado es eludir la presencia de unas normas de composición, convencionales pero materialmente concretas, según las cuales dicho espacio textual fue histórica y socialmente producido. Ello no tiene nada que ver, evidentemente, con las «intenciones» de ningún autor, pero sí, y mucho, con las condiciones culturales que lo hicieron posible, sólo desde las cuales resulta comprensible.

En efecto, mirar un film no es tanto descubrir los *significados*, ofrecidos a través del objeto, en tanto manifestación de la *supuesta* voluntad de un *supuesto* autor, cuanto un trabajo que produce *sentidos* a partir del entramado en que aquellos significados se inscriben. O como dijo Derrida al abordar el estudio de *La carta robada* de Edgar Allan Poe, hacer hablar no al inconsciente del autor, sino al inconsciente del texto. Esto implica que es necesario fundamentar cualquier lectura en evidencias textuales que apoyen dichas hipótesis. En una palabra, no se trata de transcribir el monólogo que un sujeto (*autor*) realiza a través del objeto fílmico, sino de establecer un diálogo con el objeto mismo (entendido éste, a su vez, no como un universo cerrado, sino como un momento en el devenir procesual de la red dialógica real-discursiva en que se inserta), en la medida en que es él quien nos habla, en respuesta a nuestras interrogantes. De ese modo, quien asume la posición del sujeto responsable de la respuesta es un lugar vacío, construido por el enfrentamiento entre objeto y lector. Un planteamiento como el aquí esbozado conlleva, necesariamente, la puesta en cuestión de muchas de las nociones clave en una teoría de la interpretación, por cuanto, desde la perspectiva del análisis textual, términos como los de *autor, receptor* o *referente* dejan de remitir a entidades con existencia propia y exterior al discurso, para convertirse simplemente en inscripciones textuales de una *operación* o *estrategia* discursiva.

No debe resultar extraño, desde esta perspectiva, que sea el cine, y no otro discurso, el que mejor haya permitido ahondar en dicha problemática textual. Porque, ¿quién habla en un film? Frente a la fácil metaforización que la literatura permite —el «yo» que habla *puede ser leído* como el «yo» real que presta su nombre para encabezar el objeto a título de autor—, resulta difícil operar en la misma dirección cuando nos enfrentamos con el producto de un trabajo colectivo, como es el caso del objeto cinematográfico. Ya hemos mencionado antes la enorme cantidad de personas y grupos diferentes implicados en el largo y costoso proceso de producción de un film. Director, productor, guionista, montador, actores, iluminadores, etc., se disputarían un lugar de privilegio que, en definitiva, corresponde a todos ellos sin excepción, y a ninguno de ellos en particular, por cuanto es su articulación la que, en última instancia, constituye el sujeto enunciador. Dicha articulación tiene una forma explícita de manifestación textual: el *montaje*. Que la responsabilidad final del producto sea de uno u otro, según el poder que a cada uno le corresponda en la estructura de la industria, no cambia los términos de la cuestión, ni otorga a quien asuma ese papel el estatuto de *autor*. Podemos avanzar, pues, como hipótesis de trabajo, que el cine permite, en mayor medida que los restantes discursos tradicionales, definir el autor en términos de *construcción textual,* ajena, por tanto, a manipulaciones de orden psicologista, y entender el *montaje* (en su sentido de *puesta en escena)* como *sujeto de la enunciación.*

Los mecanismos retóricos que funcionan en los otros discursos institucionalizados, como la literatura, por ejemplo, no son muy diferentes. Sin embargo, el carácter representacional otorgado tradicionalmente por el aparato crítico a dicho discurso no siempre ha permitido un aproximación a los textos literarios que haga posible asumir estos principios. Desde esa perspectiva, el análisis fílmico permite retornar a los otros discursos, como el literario, por ejemplo, con unos instrumentos nuevos de lectura capaces de ver su funcionamiento bajo nueva luz.

7. LA NOCIÓN DE AUTORÍA

La noción de autoría, que está en la base de muchos de las aproximaciones al comentario de textos, debe ser, en consecuencia, discutida en relación con el comentario de textos fílmicos.

Cuando se habla de la noción de «autor» con referencia al caso del cine se suele remitir, bajo un mismo nombre, a tres posturas y concepciones diferentes: autor como responsable último de la articulación del conjunto, autor como personalidad artística, y autor como construcción a posteriori, sancionada mediante una firma.

En el primer caso estarían aquellos directores, productores, actores, etc. que, por su especial poder en el seno de la industria o por ser los dueños materiales de los medios de producción, tienen la última palabra en todos y cada uno de los estadios del proceso, o al menos derecho de veto sobre el montaje final. Es el caso de Charles Chaplin, por ejemplo, o de Federico Fellini, o de David O. Selznick o Elías Querejeta. Esto quiere decir que, aunque, normalmente, este concepto alude a un director, puede también aplicarse a un productor, caso muy frecuente en la política de los grandes estudios de Hollywood en las décadas de los años treinta y cuarenta. El autor es una especie de responsable final de que todos los instrumentos formen una orquesta.

En el segundo caso, se alude a la existencia de un «estilo personal». Es lo que predomina en la llamada «política de autores». Este uso suele ir asociado al nombre del director —el «toque» Lubitsch, el «suspense» de Hitchcock, el «vitalismo» de Huston, la «cotidianeidad» de Rohmer, etc. En cada caso se usa el término «personalidad» como elemento unificador de marca, pero no se especifica en qué consiste dicha personalidad. Unas veces es la forma de montar, otra el uso de determinada iluminación, otra el empleo recurrente de los mismos actores, otra la tipología de los argumentos, etc.

La tercera, que es la posición asumida en este libro, describe como autor a una convención, es decir, al resultado de una construcción. El conjunto de rasgos comunes a un grupo de films asume el nombre de una firma, sea ésta de un director o una actriz o un director de fotografía. Los rasgos y su caracterización dependen en cada caso de la selección de films entre los cuales se busca articular un modelo unitario y cambian conforme lo hace la misma selección.

rasgos : characteristics

Según este principio, el comentario producirá conexiones entre aspectos no necesariamente esenciales en un film concreto, a través de la proyección sobre su estructura de rasgos provenientes de ese modelo autoral desde cuya asunción lo abordamos.

8. LAS ETAPAS DEL COMENTARIO

Volvamos ahora al doble movimiento planteado en páginas anteriores: descomposición y recomposición. Tenemos ante nosotros un film y hemos decidido comentarlo. ¿Por dónde empezar? Cuando alguien se enfrenta a un film ésta es la primera pregunta que se hace. Como punto de partida, decíamos, debemos dividir la totalidad en partes. Esta división o descomposición parte de dos tipos de operaciones: segmentación y estratificación.

8.1. *La segmentación*

there are 4 subunits looking
at film as a language

La segmentación consiste en dividir la linealidad del film en unidades, que puedan ser entendidas como unidades significativas. Luego estas unidades, a su vez, se subdividirán en otras, y estas últimas en otras, hasta llegar a lo que consideremos unidades mínimas. Dicho así, resulta fácil, pero ¿respecto a qué han de ser significativas dichas unidades? ¿Cuáles son los criterios que debemos seguir? Estos criterios son, obviamente, convencionales, pero funcionan de manera precisa. Si se trata de delimitar lo que hemos definido antes como espacio textual, la convención está establecida de antemano por el desarrollo histórico del cine como lenguaje y es asumida por cineastas y espectadores (tanto si las aceptan como válidas o no) en forma de reglas sintácticas determinadas, elementos morfológicos y signos de puntuación. Por referirnos sólo a uno de dichos ámbitos, podemos afirmar que la sintaxis fílmica asume la existencia de cuatro estadios en la definición de unidades, de mayor a menor: *el episodio, la secuencia, el plano* y *el encuadre*.

El episodio representa la unidad de mayor entidad de un film y está relacionado con la presencia en este último de varias historias o de fases marcadamente separadas dentro de una misma historia (Casetti/De Chio, 1990). Estas unidades vienen explícitamente señaladas con determinados signos gráficos o de puntuación: títulos de crédito en el caso de film de varios directores, como por ejemplo *Historias de Nueva York* (Martin Scorsese, Francis Ford

72

Coppola, Woody Allen, 1988); voz en off o fundido indicando cambio de situación, como en *El diario de un cura rural* (Robert Bresson, 1950) o *Queridísmos verdugos* (Basilio Martín Patino, 1974); un desplazamiento del centro de interés del relato, como en *La aventura* (Michelangelo Antonioni, 1959) o *Psicosis* (Alfred Hitchcock, 1960) o simplemente un cambio brusco y radical en el desarrollo de la historia, como en *El fantasma de la libertad* (Luis Buñuel, 1974). Pero por lo general, dado que las películas estructuradas en formas de episodios no abundan, la secuencia es, de hecho, la unidad mayor en que puede dividirse un film.

La secuencia es más breve, y menos articulada que el episodio, pero tiene, como éste, un carácter distintivo y relativamente autónomo, que viene marcado también, a menudo, por determinados signos de puntuación: *fundidos encadenados, fundidos de cierre y apertura* (en negro por lo general, pero también con otras coloraciones, como por ejemplo, el rojo en *Gritos y susurros* [Ingmar Bergman, 1972]), la *cortinilla* vertical u horizontal, el *cierre y apertura del iris*, o simplemente, como en el caso de los episodios, la separación claramente delimitada de escenario o temporalidad. Claro que los signos de puntuación pueden ser usados de manera diferente, como parodia de su carácter divisorio establecido. Es lo que ocurre, por ejemplo, en el caso *Un chien andalou* (Luis Buñuel, 1929).

Tomando este último film a título de ejemplo, podemos decir que está dividido en cinco secuencias o unidades de contenido. Las separaciones entre 1 y 2, 2 y 3, y 4 y 5 están puntuadas por carteles, la existente entre 3 y 4 por un doble fundido de cierre y de apertura. Sin embargo, en el interior de 2, 3 y 4 existen una serie de fundidos encadenados, cuya función no es tanto indicar final y principio de secuencia como establecer relaciones significantes entre elementos de una misma secuencia, o en todo caso, subsecuencias. La primera secuencia es la del célebre ojo sajado por una hoja de afeitar; la segunda se inicia con la imagen del protagonista pedaleando en una bicicleta y se desarrolla hasta la aparición del cartel que indica *A las tres de la madrugada*. En esta segunda secuencia se incorporan aparentes separaciones espacio-temporales: las imágenes del ciclista, por ejemplo, están montadas alternativamente con planos de la protagonista femenina en el interior de una habitación, y hay una aparente subsecuencia (la del andrógino con la mano cortada) que no implica cambio en la historia, sino explicitación del punto de vista femenino que articula la narración (Talens, 1986). La tercera se inicia con un cartel y se cierra con un fundido en negro. En su interior hay también, como en el caso anterior, una aparente subsecuencia iniciada con un cartel (plano 208) y concluida con un salto de espacio interior a espacio exterior (plano 235). La cuarta secuencia (planos 251 a 289) se inicia con un fundido de apertura (plano 251) y se cierra con un fundido encadenado (plano 289), aunque en su interior exista otro fundido encadenado (planos 257A y 257B y un cierre del iris (plano 257C), que no cumple más función que la de subrayar, por aproximación en el plano, la presencia simbólica de una calavera dibujada en el dorso de la mariposa. La quinta secuencia está formada por un solo plano (290) y se abre con un fundido encadenado y un cartel y se cierra con la palabra FIN.

La banda sonora puede funcionar asimismo como signo de puntuación, marcando separación o continuidad entre secuencias. En el caso del film buñueliano, la alternancia de la música wagneriana con los dos tangos cumple un papel fundamental en la articulación de las partes.

Las secuencias están formadas por unidades menores, los planos. Un plano es una fragmento de film rodado en continuidad y puede definirse de dos maneras diferentes: desde el punto de vista técnico, es la cantidad de película impresionada entre el momento en que se pone en marcha el motor de la cámara y el momento en que se detiene; desde el punto de vista del montaje, un plano viene delimitado por dos cortes de tijera. Esta circunstancia hace que el plano pueda ser considerado, sólo de forma ambigua, como una unidad de contenido. Un plano-contraplano es, de hecho, la suma de dos planos, pero desde el punto de vista del contenido funcionan como una unidad. Sin embargo, es importante asumir la existencia de dicha unidad como articulación de dos planos distintos por cuanto la relación significante que se establece entre ellos es sólo producto de la convención que así lo decide. El uso de planos-contraplanos falsos, por ejemplo, en *El hombre con la cámara* (Dziga Vertov, 1930), muestra hasta qué punto dicha unidad funciona más como resultado del montaje que como unidad significativa propiamente dicha.

En el caso del film citado de Buñuel, existen 290 planos, distribuidos de la siguiente manera: primera secuencia, 12 planos; segunda secuencia, 158 planos; tercera secuencia, 80 planos; cuarta secuencia, 39 planos; quinta secuencia, 1 plano.

Por último, el plano está formado por unidades más pequeñas denominados *encuadres*. Un plano puede estar formado por uno o más encuadres. El encuadre indica la distribución de los elementos dentro del plano. Cuando la cámara actúa a la manera de un ojo estático frente a un escenario (caso de la mayoría del cine en sus orígenes) plano y encuadre coinciden. Si la cámara se mueve, redistribuyendo los elementos, el plano está fomado por más de un encuadre. Esto permite hablar de montaje en el interior de un plano, por cuanto la cámara puede construir un sistema relacional mediante el movimiento. Cuando éste incluye no sólo redistribución dentro del mismo campo de visión sino cambio de espacios y amplía también la duración, constituyendo una unidad completa de contenido, podemos hablar de plano-secuencia. Es el tipo de plano usado, por ejemplo, en muchos de los films de Miklos Jancsó o en el fallido experimento técnico llevado a cabo por Alfred Hitchcock en *La soga* (1955).

Esta descomposición de la linealidad determina la sucesión de los fragmentos, su articulación interna según ciertas reglas gramaticales determinadas y el orden que presentan para definir posteriormente lo que antes llamábamos espacio textual fílmico.

8.2. La estratificación

Una segunda manera de descomposición, complementaria con la anterior, es la que se refiere a la estratificación. Ésta consiste en delimitar los diversos estratos que componen un film. Frente al proceso precedente, no sigue la linealidad buscando la relación de contigüidad existente entre los segmentos, sino que se trabaja transversalmente para definir los elementos que recorren los diversos segmentos aislados. De ese modo pueden verse repeticiones, variaciones, etc., así como abordar el papel de un elemento simple en el interior de un segmento determinado y al mismo tiempo su función en otros segmentos. Por eso, una vez dividido el film en unidades lineales (secuencias, planos, encuadres), se pasa a descomponer cada una de dichas unidades en sus componentes internos (tiempo, espacio, acción, elementos figurativos o de la banda sonora, etc.) para poder abordar la relación que se establece entre dichos componentes dentro de una misma unidad o de un componente con ese mismo componente cuando se incluye dentro de otra unidad diferente, etc.

En el film de Buñuel, por ejemplo, se abordaría el papel de la caja con la cubierta de rayas transversales tanto en el interior de cada segmento en que aparece como tomando en consideración su reiterada aparición a lo largo del film, o la función de la música de tango o del fragmento del *Tristán e Isolda* wagneriano en su sucesiva alternancia, unas veces glosando y otras contradiciendo la banda imagen, etc.

8.3. *La recomposición*

Cuando la descomposición se ha llevado a cabo, empieza la segunda parte, o recomposición. La recomposición consiste en reorganizar los elementos provenientes de la descomposición para ofrecer una lógica que explique el funcionamiento del conjunto, entendido a la manera de un todo orgánico. Como adelantábamos en páginas anteriores, no se trata de «descubrir» la estructura, sino de «construirla», como resultado del trabajo de recomposición. Dicha estructura será la que otorgue a la totalidad del film un determinado significado y, al mismo tiempo, permita la elaboración de los diferentes sentidos en que consisten las lecturas diversas e individualizadas por espectadores concretos.

El modo de proceder deberá consistir, por ello, en la elaboración de sucesivas hipótesis a partir de tres funciones sucesivas: *enumeración, ordenación* y *articulación.* La primera cataloga los elementos individualizados en la segmentación, la segunda elabora un orden tanto lineal como jerárquico de importancia, y la tercera propone un modelo de organización del material previamente enumerado y ordenado. Estas tres funciones permiten establecer una lógica que sea coherente con la lógica fílmica a la que se suponen sometidos: el film comentado (tanto si la asume con todas sus consecuencias como si la intenta desmontar o parodiar), y el horizonte de espectativas del público espectador.

Estas tres funciones cumplen, por ello, un papel doble y diferenciado: por una parte buscan elaborar el significado del espacio textual y, por otra, establecer la propuesta de sentido que hemos llamado texto fílmico. En uno y otro caso, tanto la enumeración como la ordenación y la articulación no tienen por qué coincidir.

La recomposición tiene por ello que empezar por elaborar un espacio textual articulando en forma de estructura los elementos ya enumerados y ordenados en torno a lo que antes definíamos como principio ordenador. Una propuesta de este tipo no puede ignorar las condiciones históricas, culturales e industriales en que se realizó el film (lo que, como ya indicamos, no tiene nada que ver con las intenciones de ningún autor). No es lo mismo un film narrativo americano en los años veinte que un film no narrativo realizado en Malí en la década de los años ochenta, un film de ficción convencional y un film de los llamados documentales, un *western* que una comedia o un film de ciencia ficción. Un film como *La luz (Yeemen,* Souleimane Cisse, 1987) no puede ser

76

abordado con los mismos presupuestos culturales que *Lo que el viento se llevó* (Victor Fleming, 1939), y no porque sea peor o mejor, sino porque responde a otros esquemas y funciona sobre la base de otro sistema de valores. La norma de lo que consideramos un film «bien hecho» remite a nuestros propios códigos culturales, definibles a grandes rasgos como pertenecientes a un mundo muy concreto, occidental y de raza blanca. Que dicha cultura y dichos códigos sean hegemónicos no significa que no sean constructos históricos particulares y de validez sólo particular. Las reglas de montaje, de codificación figurativa o de significado del uso de la luz, por citar sólo tres elementos, responden a convenciones establecidas dentro de nuestra propia tradición cultural y sólo son analizables como resultado de ella. Cuando un espectador europeo o americano se sienta en una sala de cine para ver un *thriller* no espera ver cabalgatas en el desierto ni un duelo a revólver; la aparición de un extraterrestre, creíble en el interior de las convenciones del cine de ciencia ficción, resultaría inverosímil en una comedia o un musical. De acuerdo con una misma lógica, no debería abordar un film turco, egipcio o afgano con los mismos planteamientos que utiliza para analizar un film hollywoodense, actitud que, de hecho, presupone el sometimiento a unos modos de representación hegemónicos como criterio de validación.

En el terreno de dicho cine hegemónico, es evidente que los géneros pueden mezclarse. Por referirnos sólo a los ejemplos citados, *Colorado Territory* (Raoul Walsh, 1949) reformula desde la óptica del *western*, un guión anterior del género *thriller, High Sierra* (Raoul Walsh, 1940); *Atmósfera cero* (Peter Hyams, 1981) sigue paso a paso el guión de *Sólo ante el peligro* (Fred Zinnemann, 1951), sólo que el salvaje oeste ha cedido su puesto a una estación espacial del siglo XXI; un *thriller* como *El beso de la muerte* (Henry Hathaway, 1947) dio origen once años más tarde a un *western, The fiend who walked the West* (Gordon Douglas, 1958). Ejemplos como éstos abundan. Lo cierto es que la posibilidad de establecer un paralelo entre ambos modelos genéricos y comentar el sentido de su cruce se basa precisamente en la asunción de una diferencia respecto de determinados modelos convencionales, asumidos y compartidos como tales por una tradición cultural concreta, y eso es lo que nos interesa subrayar aquí.

Cada uno de los elementos enumerados cumplen un papel y se ordenan según una lógica que responde a unas reglas aceptadas por cineastas y público espectador. De esa forma, un film como el ya citado *Siempre hay un mañana* (Douglas Sirk, 1956) parte de la existencia de un género determinado, el melodrama. La anécdota argumental, así como los personajes significan en tanto en cuanto se adecuan a las tipologías previamente elaboradas por el dispositivo genérico. Douglas Sirk acepta incluso (en este caso lo sabemos además por datos externos al propio film: los productores le obligaron a incluir una secuencia final no prevista en el guión original) el cierre de la historia con el necesario *happy ending*. El film puede ser articulado, así, en torno a un principio ordenador que vuelve razonable la partida hacia Nueva York del personaje interpretado por Barbara Stanwyck y la reinserción de Fred MacMurray en la lógica de la institución familiar que había estado a punto de romper. De acuerdo con un sistema de valores basado en la necesidad de mantener dicha lógica, los personajes de la esposa (Joan Bennett) y del hijo (William Reynolds) representan un papel de defensa de la normalidad frente a la locura del cabeza de familia. El súbito enamoramiento del fabricante de juguetes por la independiente diseñadora de moda que fue su ayudante veinte años atrás puede entenderse como una aventura frustrada, un desliz momentáneo producto de la debilidad, que sólo sirve para confirmar que, en el fondo, las aguas verdaderas siempre vuelven a su cauce.

El espectador puede, sin embargo, leer el film desde otro sistema de valores, proyectar otro tipo de principio ordenador —que hemos llamado gesto semántico— y articular los elementos de acuerdo con otro orden, según el cual el film no indicaría una defensa, sino un ataque a la institución familiar y a una organización social basada en su mantenimiento. Las actitudes legibles como manifestaciones de amor en la primera lectura se convierten aquí en manifestaciones de egoísmo y represión. Incluso la novia del hijo (Pat Crowley), que siempre defendió la inocencia del protagonista no lo habría hecho en apoyo de su derecho a elegir su propia vida, sino por el hecho de no considerar ni siquiera posible que un padre amante de su familia pueda enamorarse de otra mujer. La visita de la esposa a la tienda donde la diseñadora expone sus últimos modelos sería, desde la primera perspectiva, una secuencia secundaria; desde la segunda, adquiriría una función más precisa: subrayar la absoluta conciencia por parte de la esposa de su control de la situación. El texto resultante de esta segunda lectura contradice, punto por punto, la estructura del espacio textual del film tal y como quedó fijado en el montaje final.

Podría argüirse que dicha contradicción forma parte del film, por cuanto los nuevos elementos tomados en consideración están presentes en él. Quien así argumentase tendría razón; es cierto.

De hecho el trabajo de producción de sentido no es una invención gratuita ni surge de un deseo arbitrario del espectador, sino que parte del espacio textual para construir otro orden y otro sistema relacional, pero siempre con unidades tomadas del objeto mismo que se comenta. El espacio textual señala los límites de pertinencia de todo posible texto, impidiendo la arbitrariedad espectatorial. Es así como podemos entender la afirmación antes citada de Roger Odin de que un film puede indicar qué lecturas no pueden ser realizadas sin caer en la interpretación delirante.

Muchas veces el gesto semántico puede venir sugerido por el propio espacio textual, que lo incluye como principio ordenador implícito. Es el caso de los films construidos en clave paródica o la de aquellos que simulan aceptar las reglas de género para desmontar su carácter de constructo ideológico. El caso citado de Douglas Sirk es un ejemplo paradigmático, como lo son muchos de los films americanos de Fritz Lang, Alfred Hitchcock, Jean Renoir o Billy Wilder o la mayoría de la producción de Luis Buñuel. Otras veces, la posibilidad de conectar elementos y estratificar los segmentos de manera diversa a la que explícitamente se ofrece puede ser producto del azar de la lectura espectatorial, cuando determinados encuadres o movimientos de cámara pueden relacionar entre sí elementos no nucleares en el film, permitiendo definir nuevas tipologías de unidades y nuevas formas de estructuración. Para ello no es necesario que exista ninguna inscripción concreta que indique dicha posibilidad; no se trata de que haya un mensaje secreto, ni que a nadie de las diferentes personas implicadas en la elaboración del film se les haya ocurrido una hipótesis de lectura semejante. Basta que las piezas estén presentes en el espacio textual y permitan constituir una cierta coherencia. Es esto lo que autoriza la recontextualización de determinados films en situaciones distintas y ante espectadores diferentes a los que sirvieron de horizonte en el momento de su elaboración. La llamada vigencia de unos films frente a otros que se nos antojan hoy anclados en su tiempo y lugar, es decir, difícilmente incorporables a nuestra contemporaneidad, es producto, en gran medida, de su capacidad para ser reestructurados como textos nuevos en momentos también nuevos.

CAPÍTULO III

Los componentes fílmicos

Decíamos en el capítulo anterior que un film se componía de signos, fórmulas y procedimientos diversos, articulados según una serie de reglas sintácticas que implicaban a su vez una determinada semanticidad. Ello nos permite entenderlo como un lenguaje desde el punto de vista semiótico y abordar su análisis a partir de la consideración de tres grandes bloques: a) las materias de la expresión o *significantes*, b) su manifestación en una tipología de *signos* y c) la forma de articulación de acuerdo con una serie de *códigos* operantes en el discurso fílmico. El primero aborda los soportes físicos de la significación, el segundo su modo de organización, el tercero el valor significativo que ésta última comporta.

1. LAS MATERIAS DE LA EXPRESIÓN FÍLMICA

Por *materia de la expresión* entendemos la *naturaleza del tejido en que se recortan los significantes.* Las tradicionales divisiones entre lenguajes suelen realizarse atendiendo a criterios que reposan en la materia de la expresión, sobre la base de que cada lenguaje posee en propiedad una materia de la expresión o una combinación específica de ellas.

Éste es el caso del cine cuya expresión aparece como *heterogénea* en la medida en que combina cinco materias diversas (Metz, 1973). Dos que se encuentran en la banda imagen: a) *imágenes fotográficas móviles, múltiples y organizadas en series con-*

tinuas, y b) *notaciones gráficas,* que a veces sustituyen a las imágenes analógicas (intertítulos o carteles intercalados entre planos durante el desarrollo visual, títulos de crédito sobre fondos neutros) o se superponen a ellas (subtítulos y nociones gráficas en el interior de la imagen). Por su parte, la banda sonora incorpora y mezcla tres materias de la expresión: *sonido fónico, sonido musical* y *ruidos o sonido analógico.*

Cada una de estas materias o elementos del significante da lugar a diferentes áreas expresivas. Las imágenes nos remiten a todos los otros artificios icónicos provenientes de la pintura, la fotografía, etc.; las notaciones gráficas lo hacen a las lenguas naturales y a las diferentes maneras de fijarla sobre un soporte; las voces nos remiten a la lengua que hablamos; la música, a la articulación de instrumentos, tonos, timbres, etc. En una palabra, las materias de la expresión permiten que un film se relacione con otros territorios, de los que toma elementos para articularlos en forma de objeto diferente. Abordando la problemática del cine desde posiciones preocupadas por su supuesta *especificidad,* ésta se limitaría, como es lógico, al caso de la *imagen móvil,* pues, como hemos visto, todas las restantes materias expresivas son compartidas con otro u otros lenguajes.

Mucho más productivo, sin embargo, puede resultar el hecho de ver la peculiaridad de la expresión cinematográfica en la *heterogeneidad de la combinatoria* de las diferentes materias que la integran, materias que son organizadas, manipuladas y moldeadas para ser utilizadas como elementos de significación.

2. LOS SIGNOS

Definimos los signos como la relación establecida entre los significantes, los significados y su referente. Esta relación va más allá de la materia expresiva y no depende necesariamente de ella. Un paisaje puede ser realizado mediante una fotografía, un cuadro o una descripción verbal. Lo importante es la forma que asume la relación entre los tres elementos citados, significante, significado y referente, al margen de la naturaleza del significante en cuanto tal.

Según Charles Sanders Peirce (1931), los signos pueden ser de tres tipos: *índices, iconos* y *símbolos.*

Los *índices* dan cuenta de la existencia de un objeto con el que mantienen una relación, sin llegar a describir la naturaleza de dicho objeto. Así un olor a perfume o a tabaco en una habitación indica que alguien ha estado en el lugar antes de nuestra llegada, aunque no sepamos exactamente quién. Aunque por abducción podamos deducir su identidad, el índice en cuanto tal sólo señalaría su presencia.

Los *iconos*, por el contrario, reproducen la forma del objeto del que son signo, sin implicar por ello su existencia real, aunque sí de alguna de sus cualidades. Una fotografía de una manzana sería el icono de *la apariencia de una manzana*: el tamaño, la forma o el color nos indicarían que el objeto representado parece una manzana. Nada nos dice, sin embargo, que dicha manzana no sea una simple construcción en porcelana pintada o que exista como tal fruta en realidad.

Los *símbolos* no dicen nada ni de la existencia ni de las cualidades del objeto, sino que lo designan a partir de su inclusión en un sistema regido por determinadas reglas. Una palabra, por ejemplo, no remite a un objeto real ni a sus cualidades, sino al concepto genérico con que se le engloba en el interior del vocabulario de una lengua. La palabra «libro» no designa así este volumen, titulado *Cómo se comenta un texto fílmico*, ni dice nada del tipo de papel, tamaño o color de la cubierta utilizados en su fabricación; sólo señala que como objeto, en lengua castellana, no puede ser confundido con un árbol o una bicicleta. Alguien, desde otra lengua podría designar ese mismo objeto con otra palabra equivalente de su propio vocabulario. De hecho sólo se traducen, es decir, se trasvasan *símbolos*. Los *índices* e *iconos* deben necesariamente ser reconstruidos de una lengua a otra.

Un film posee los tres tipos de signos citados. De manera rápida y harto simplificadora podríamos decir que las imágenes son en primer lugar iconos, las palabras dichas o escritas, así como la música, símbolos, y los ruidos serían indicios. De todas formas el carácter de un signo fílmico (como en caso de la verbalidad) puede incluir más de una forma a la vez. Una imagen es un icono, pero también puede funcionar simultáneamente como un símbolo en el interior de una secuencia a efectos de estructuración sintáctica del significado. Del mismo modo un símbolo puede tener función paralela como índice. Una frase dicha en la banda sonora está compuesta por símbolos que a su vez son índices de algo cuya existencia no podemos determinar. Y así sucesivamente.

El significado de un plano puede de este modo venir definido como la resultante de articular la información emitida por los diversos tipos de signos, simples o compuestos, que lo constituyen. Pensemos, por ejemplo, en la imagen del rey Juan Carlos I en el mensaje emitido la noche del 23 de febrero de 1981, que puso fin al intento de golpe de Estado conocido como del 23F. El Rey aparecía en su función de Jefe del Estado, teniendo como fondo la bandera aprobada por la Constitución de 1978, que sustituye el águila imperial y el yugo y las flechas de la etapa franquista por una corona. Sin embargo, iba vestido de Capitán General de los tres ejércitos. El traje usado sería un icono (representaba un uniforme militar), pero tendría, al mismo tiempo, unos fuertes componentes: indicativos (sintomatizaba una toma de postura clara sin explicitarla: la explicitación vendría expuesta en las palabras de su discurso), y simbólicos (hablaba no sólo como Rey, sin mando político de gobierno sino en tanto jefe superior jerárquico de los sublevados, quienes decían actuar, supuestamente, en su nombre). El contenido semántico de una imagen, en consecuencia, puede articularse mezclando mensajes explícitos y mensajes implícitos, sean éstos subliminales o no. Esta característica es la que explica la existencia efectiva de un discurso como el de la publicidad.

La preponderancia jerárquica de uno de los tres tipos sobre los demás puede cambiar completamente el funcionamiento discursivo de un film. Antes de la aparición del sonoro, por ejemplo en el cine cómico americano de Charles Chaplin, Buster Keaton, Ben Turpin o Harold Lloyd, el componente fuertemente icónico sobre el simbólico exigía una tipología de actor irreductible a la fragmentación del montaje propia del cino sonoro. No es casualidad que la llegada de esta nueva forma discursiva hiciera desaparecer del cine hegemónico (a excepción de Chaplin, que supo en cierta medida reciclarse) a actores como los citados, muy ligados a la iconicidad.

3. Los códigos

En el capítulo anterior avanzábamos una definición de código tomada de Umberto Eco (1975). Un código, sin embargo, puede ser entendido de formas diferentes. Por una parte, define un simple conjunto de correspondencias (es lo que ocurre, por ejemplo, con el alfabeto Morse, donde cada letra del alfabeto tiene su correspondiente equivalencia en una serie de puntos y rayas o de sonidos simples y dobles); por otra, puede indicar un repertorio de señales dotadas de significado fijo tanto de forma individualizada como en combinación con otras señales (el código de circulación); por último, puede ser un conjunto de reglas de comportamiento (el código civil, por ejemplo, o la gramática de una lengua natural). Es decir, un código posee tres rasgos definitorios (correspondencia, función de repertorio e institucionalización) según los cuales es siempre: un sistema de equivalencias, una serie de posibilidades dentro de las cuales escoger por referencia a un canon, o un conjunto de comportamientos ratificados por una comunidad, según el cual emisor y destinatario pueden establecer contacto, sabiendo que ambos hablan el mismo lenguaje.

En el caso del cine no puede hablarse de código con la misma firmeza que lo hacemos cuando nos referimos al Morse, al código de circulación o a una lengua natural. En estos tres casos los límites del significado son fijos y están más o menos claros. Por mucho que alguien desee transgredir las reglas de la gramática castellana, una frase es legible desde la asunción de una normativa generalmente asumida por una comunidad de hablantes según la cual, por ejemplo, el sujeto rige al verbo y el verbo al predicado, o los participios pasivos llevan marca de género, etc. En un film siempre nos movemos en un terreno resbaladizo, del «parece que esta imagen significa o quiere decir que...». Pese a todo, las convenciones establecidas por el uso a lo largo de sus casi cien años de existencia, nos permiten hablar de ciertos códigos, no por débiles menos efectivos.

Esta serie de códigos puede ser dividida en cuatro grandes grupos: tecnológicos, visuales, sonoros y sintácticos o de montaje.

3.1. Los códigos tecnológicos

La primera serie de códigos es aquella que se refiere al film en tanto objeto tecnológico. En el capítulo anterior ya avanzábamos que un film supone el uso de un determinado soporte físico (fotoquímico o electromagnético), unos medios de reproducción (proyector o vídeo) y un lugar con determinadas características visuales y acústicas donde proyectarse. Cada uno de estos tres elementos supone unos determinados códigos relativos:

a) al soporte (sensibilidad, formato, película o cinta de vídeo, etc.), así como todo lo relacionado con el tipo de cámara grabadora, tipos de objetivo fotográfico, formato, etc.;

b) al dispositivo de reproducción (cadencia o ritmo del pase de los fotogramas para mantener la ilusión de un movimiento estable y sostenido: 18 imágenes por segundo en el cine mudo, 24 imágenes por segundo en el formato estándar o 25 imágenes por segundo en el aparato de vídeo);

c) al lugar donde se materializa la proyección del material

impreso en la cinta o película (tipo y amplitud de la pantalla, tipos de instalación sonora, etc.). Aunque todos estos códigos parezcan tener que ver únicamente con el dispositivo tecnológico, son de hecho parte del proceso de recepción de un film. Como ya dijimos en el capítulo anterior, el hecho de que un film realizado en 70mm y sonido cuadrafónico sea emitido en formato de 35mm y sonido monoaural o estereofónico de dos bandas significa una alteración de su espacio textual. Del mismo modo, la visión por televisión de un film hecho para pantalla grande, no sólo cambia los encuadres y el sentido de la composición sino su misma percepción. Todos los aficionados al cine de terror saben, por ejemplo, que lo que produce efecto terrorífico en una sala oscura, con la luminosidad viniendo de atrás hacia adelante y el sonido desde los cuatro ángulos de la sala, desaparece cuando es un aparato de televisión el que literalmente nos arroja las mismas imágenes y los mismos sonidos a la cara en el ambiente caldeado de la sala de estar.

En ese sentido, los códigos tecnológicos forman parte de la articulación del film en cuanto tal. Determinados efectos sólo funcionan en un formato y no en otro; un encuadre en formato de 70mm permite un tipo de composición estructural inviable en 16mm, etc. En la medida en que el estudio del objeto film se realiza en los últimos años en formato vídeo, cabe decir, pues, que se opera fundamentalmente por aproximación a lo que imaginamos que el film debió ser a partir de lo que aún permanece de él en la cinta. Cuando se trata de estudiar un film desde el punto de vista de la narratividad, por ejemplo, una copia en vídeo permite seguir el desarrollo de la acción y segmentarlo de manera adecuada. Sin embargo, todos aquellos otros elementos no nucleares al relato en cuanto tal pueden perfectamente haber desaparecido; en el caso de los que se refieren al campo de la visualidad, bien porque el cambio de formato los haya eliminado o porque la reducción los haya vuelto invisibles; en al campo de lo auditivo, porque la nitidez estereofónica se diluya en la mezcla monoaural, etc.

3.2. Los códigos visuales

Este tipo de códigos tiene que ver con cuatro grandes bloques de cuestiones: la iconicidad, el carácter fotográfico, la movilidad y los elementos gráficos.

86

3.2.1. Iconografía

Los primeros no pertenecen estrictamente al discurso del cine y son compartidos por otros discursos, como el de la pintura o la fotografía. Dichos códigos se subdividen a su vez, de acuerdo con su funcionalidad, en varios grupos:

a) de reconocimiento icónico: organizan los sistemas de correspondencia entre rasgos icónicos y valores semánticos y permiten a los espectadores reconocer las figuras sobre la pantalla y saber lo que representan;

b) de transcripción icónica: aseguran una correspondencia entre rasgos semánticos y elementos gráficos, con los que se busca reproducir las características del objeto. Estos códigos permiten, a su vez, establecer un punto de referencia para el reconocimiento, en el caso de que se trate de una imagen deformada (gran angular o imágenes borrosas);

c) de composición: organizan el sistema de relaciones entre elementos en el interior de una imagen; fundamentalmente actúan en relación a la colocación de las figuras en el encuadre o su relevancia respecto a otras, etc.;

d) iconográficos: regulan la constitución de imágenes con significado estable y genérico, tanto en el nivel de los personajes como en el del espacio. En el *western* clásico, por ejemplo, el pistolero a sueldo viene definido físicamente de manera diversa a como lo está el bandido o «el bueno de la película». En *Raíces profundas (Shane,* George Stevens, 1953), la sola aparición de Jack Palance, vestido de negro, y con movimientos corporales de estudiada precisión, lo muestra como el hombre contra el que Shane (Alan Ladd) tarde o temprano tendrá que enfrentarse en un duelo a pistola. En el cine negro, la iluminación suele ser de fuertes contrastes o claroscuros, y las acciones clave en el desenlace suelen conllevar un tempo determinado y un ambiente de nocturnidad.

3.2.2. Fotografía

Los códigos que atañen al *carácter fotográfico* son más complejos y numerosos y atañen a cuatro grandes bloques de problemas: la perspectiva, la planificación, la iluminación y el color. Aunque, como los anteriores, no son algo perteneciente en exclusiva al fenómeno cinematográfico, tienen un papel central en la configuración del objeto fílmico y, por lo que respecta a la movilidad, son los que diferencian dicho objeto de sus correspondientes equivalencias en el terreno de la pintura y la fotografía.

3.2.3. La perspectiva

El primero de estos códigos tiene que ver con la noción de perspectiva, una noción que asume como modelo el funcionamiento de la «camera obscura» y del perspectivismo de la pintura renacentista. La primera consecuencia es que los objetos se despliegan en la superficie de la pantalla de acuerdo con un orden pretendidamente «natural», en tanto en cuanto lo hacen de una manera homogénea respecto a los cánones institucionalizados de representación del espacio. Es por ello por lo que, pese a no contar con una tercera dimensión (los experimentos en 3D no pasaron de ser una propuesta fallida y poco convincente), el film consigue distribuir la espacialidad de modo similar a lo que se supone la manera «real» de percibir el mundo. Conviene diferenciar, sin embargo, la *percepción* del espacio de sus *representaciones*. En efecto, de la percepción del espacio no se deriva unívocamente una manera de representarlo, como si de causa y efecto se tratara. Veamos, en cualquier caso, algunos ejemplos.

En 1933, Thouless apuntó la idea de que la ausencia de perspectiva en profundidad en el arte oriental y la mayor regresión fenomenológica hacia el objeto real que encontró entre hindúes e ingleses, se debía a una diferencia *racial* en la percepción, diferencia que estaría en el origen de las divergencias que pueden comprobarse entre las técnicas de dibujo orientales y occidentales.

De ser esto cierto, podría afirmarse que en el Renacimiento tuvo que producirse una especie de mutación genética que luego se iría propagando al resto de Occidente. Es cierto que, en el caso de imágenes figurativas, el dibujo refleja lo que percibimos, pero no hay que perder de vista que el dibujo se rige por otros factores además de los perceptuales. Baste recordar que si la percepción del espacio no es un hecho puramente visual, tampoco el espacio en el que nos movemos es el de un cuadro —aunque sólo sea por el papel que tiene la gravedad— y que este último es una superficie plana que ocupa un lugar en el espacio. La elección de una forma de representación debe verse menos como un reflejo mecánico de la visión que como el fruto de una serie de elecciones *convencionales*.

Especialmente interesante es el caso de la experiencia realizada por M. J. Hertskovits (1959) sobre el *reconocimiento de imágenes fotográficas* por parte de la tribu Bush. La dificultad para identificar a las personas mostradas en una fotografía, observada en gentes que nunca antes habían visto un artilugio semejante, le sirvió para poner de manifiesto el grado de *convencionalidad* y arbitrariedad lingüística que encierra la fotografía. Si a esto le añadimos que el camino hacia la comprensión de la imagen fotográfica puede allanarse con información sobre la forma en que se produce, el carácter cultural de la interpretación parece demostrado. W. Hudson llevó a cabo en Suráfrica una serie de estudios dirigidos a establecer la posible existencia de diferencias interculturales y/o raciales en la percepción de la perspectiva gráfica convencionalmente representada. De este estudio, su autor dedujo que la familiaridad con material gráfico de tipo occidental tenía significativa importancia sobre los resultados, demostrando así *la influencia que la tradición pictórica de un pueblo ejerce sobre su manera de percibir o interpretar determinados materiales gráficos.*

Los trabajos de Abraham Zems (1974) sobre las representaciones de los indios Tchikao, Yanomami y Piaroa, subrayan, por su parte, el hecho de que para la construcción del espacio proyectivo, la visión euclidiana no es sino una de las posibles. En el espacio abstracto y simbólico de una superficie plana pueden desarrollarse multitud de convenciones estilísticas. De hecho, decisiones como el asignar el arriba y el lejos a la parte superior de la superficie no son sino eso, una convención, hasta tal punto que apenas si pueden mantenerse dos únicos *universales* referidos al espacio proyectivo: la bidimensionalidad de la superficie, es decir, la izquierda y la derecha.

Todas estas consideraciones tienen la virtud de relativizar los diversos sistemas de representación icónica que el hombre ha ido diseñando a lo largo de su existencia, así como de unir y separar a la vez la percepción del mundo de los problemas planteados por esos objetos que llamamos imágenes y que forman parte del mundo y tienen la virtualidad, en su dimensión figurativa, de remitir a aspectos de la realidad diferentes de lo que ellos mismos son.

En unos párrafos anteriores nos hemos referido a la necesidad de diferenciar la percepción del mundo de su representación en imágenes. Trataremos ahora de establecer algunas de las implicaciones concretas que tiene el *método dominante de representación del espacio* que se ha impuesto a lo largo de la historia moderna de la cultura occidental, de la que el cine no es sino un resultado reciente; y lo haremos precisamente para mostrar su carácter convencional y las elecciones y exclusiones que subyacen a su utilización.

Conviene no perder de vista que, a lo largo de los siglos, han existido múltiples artificios destinados a producir una representación icónica que una cultura dada considerase adecuada en relación a su sistema de organización del significado del mundo. La perspectiva artificial, desde ese punto de vista, sólo responde a la búsqueda de *una* solución técnica para representar icónicamente los fenómenos de la tridimensionalidad del mundo natural (profundidad, volumen) en soportes bidimensionales

El *Diccionario de uso del español* (II, 717) dice en su entrada «perspectiva»: «vista de una cosa de modo que se aprecia su posición y situación real, así como la de sus partes». Esta definición orienta sobre la etimología de la palabra (del latín *perspicere*, que significa ver claramente, mirar a través de).

Una primera definición de la «perspectiva artificialis» haría referencia al arte de representar los objetos sobre una superficie plana, de tal manera que esta representación sea semejante a la percepción visual que podemos tener de esos mismos objetos en el mundo real. Sus presupuestos se basan en la creación de un ámbito perceptivo *aparentemente* tridimensional, que parece extenderse indefinidamente (aunque no infinitamente) por detrás de una superficie objetivamente bidimensional.

De esta manera aparecen con nitidez las ideas de «mirar a través de» y de «ventana abierta sobre el mundo», que se identifican directamente con la perspectiva. Todos los tratadistas recogen esta idea, subrayando el hecho de que, a través de las dos hipótesis subyacentes a la representación en perspectiva, o se mira con un sólo ojo inmóvil *(punto de vista)*, —o se considera la *intersección plana de la pirámide visual* como una reproducción adecuada de nuestra imagen visual—, se busca la producción de un espacio racional, infinito, constante y homogéneo.

Panofsky (1973) ha subrayado lo que tienen las hipótesis ya expresadas de «audaz abstracción de la realidad». Baste considerar la discrepancia entre nuestra visión binocular y de retina curva con la intersección plana de la pirámide visual propugnada por los teóricos de la perspectiva. Es precisamente en esta discrepancia donde encuentran su asiento fenómenos como el de las *aberraciones marginales* (Panofsky, 1973). Como ejemplo interesante apuntemos las enigmáticas curvaturas que se detectan en los templos griegos y que, rechazada la hipótesis de que obedecen a puros motivos artísticos, debe de ser explicada por la conciencia de los antiguos de la contraposición existente entre perspectiva y realidad objetiva y los mecanismos de la compensación psicológica, que explicarían, finalmente, el hecho de que la curvatura objetiva que aparece en las columnas griegas parezcan, en un primer momento, reforzar la curvatura subjetiva de la retina.

Desde este punto de vista, la *perspectiva* queda claramente situada como un método de representación que *aspira* —pero *difiere* sustancialmente a la vez— a representar de forma eficiente la profundidad del mundo real, a través de la producción de un *display* bidimensional capaz de generar una imagen retínica *lo más comparable posible* al *display* tridimensional formado por el tema objeto del mensaje visual.

Es, pues, bastante evidente la importancia que tiene el *situar históricamente la aparición de este fenómeno*, el surgimiento de esta *elección representativa,* por cuanto sirve para mostrar que la «perspectiva artificialis» ocupa un tiempo y un espacio bien determinado en la historia de las representaciones gráficas de la humanidad.

En la antigüedad egipcia, donde se valoraba la representación de las cosas en función de cómo *eran* y no de cómo se *veían* desde un punto de vista dado, o clásica, donde el espacio era considerado como enemigo de la forma, pasando por la Edad Media, donde los cuadros eran simples superficies susceptibles de ser «llenadas», o la pintura bizantina, fundada en la relación del tamaño con la importancia social de la figura representada, no encontramos ni un solo intento de «perspectivizar» las reproducciones icónicas de la realidad. La idea, introducida en el arte gótico, de la unidad plástica de los cuerpos y el espacio de su entorno, desembocará —de la mano de la reaparición de las teorías aristotélicas sobre la infinitud de la existencia— en las primeras tentativas (Duccio, Giotto, Lorenzzetti) de representar espacios cerrados unificados. De ese modo, a lo largo de diversos intentos de codificación imperfecta (Ambrogio Lorenzetti en Italia o Van Eyck en los Países Bajos) comienza a sistematzarse lo que iba a desembocar en el primer plano en perspectiva matemáticamente exacto, construido por el florentino Filippo Brunelleschi (entre 1416 y 1425).

A partir de ese momento, y gracias al principio de la *intersezione della piramide visiva,* puesto a punto por Leon Alberti, se alcanza la «racionalización de la impresión visual subjetiva» dando lugar a una «construcción espacial unitaria» y no contradictoria, de extensión infinita (en el ámbito de la «dirección de la mirada»), regida por una ley matemática universal que determinaba el tamaño de las cosas y sus respectivas distancias.

La aparición de la fotografía, que se asienta sobre los mismos principios básicos, acabaría por institucionalizar de manera definitiva este método de representación del espacio que impera en la cultura occidental desde el siglo xv. Ello no evita la existencia de ciertos problemas que no se pueden pasar por alto. Pensemos, por ejemplo, en el fenómeno de la *indeterminación de la imagen perspectiva* derivada del hecho de que el punto de vista único y la intersección de la pirámide visual llevan a que exista un número infinito de configuraciones que podrían producir la misma proyección si estuviesen colocadas en la adecuada disposición. Es decir, que si se puede calcular cómo resultará sobre un plano de proyección un objeto tridimensional dado, la reversibilidad del plano proyectivo al objeto no está garantizada (Gombrich, 1979).

En términos de la historia de la representación este fenómeno ha dado lugar al surgimiento de la *anamorfosis*, imágenes que aparecen distorsionadas al ser observadas frontalmente, pero que revelan su mensaje al ser miradas desde un punto de vista lateral. Igualmente, una revisión de la noción de perspectiva debería tomar en cuenta las formas alternativas de representación del espacio, como es el caso de las culturas orientales y precolombinas, así como la influencia y reescritura de la perspectiva lineal en contextos culturales tan diversos como el chino y el japonés.

Cuando Panofsky (1973) tituló su texto clave *La perspectiva como forma simbólica,* estaba apuntando directamente al fenómeno de la representación del espacio como construcción ideológica. En efecto, si hay algo evidente es la existencia de conexiones claras entre el pensamiento filosófico, político y económico del Renacimiento y la aparición de la perspectiva como forma de representación. Con la racionalización de la visión, el arte entroncaba directamente con las ideas del *quantum continuum* de Nicolás de Cusa, que iban a dar paso a la racionalidad cartesiana de la infinitud del espacio. Otro tanto podría decirse respecto a la idea de *orden visual* introducida por el artificio de la perspectiva y su inmediato corolario social o el *antropocentrismo,* construido a través de la idea del *punto de vista como lugar privilegiado* desde el que el hombre observa la realidad.

En efecto, siendo la perspectiva lineal una ordenación del espacio construida en torno a un centro de proyección definido por un ojo solitario e inmóvil, ¿qué sucede cuando observamos imágenes en perspectiva desde posiciones distintas de ese lugar ideal equivalente al punto de fuga? ¿No tendríamos, acaso, una visión deformada de la escena representada? Todo parece indicar que, aunque pocas veces observemos las perspectivas desde el centro de proyección, no por ello disminuye la ilusión representativa.

Pirenne (1970) avanzó la idea de que en condiciones normales —que implican la conciencia de estar ante una superficie pintada— ponemos en marcha un proceso intuitivo de compensación psicológica capaz de restaurar el mecanismo de constancia. De hecho ante cualquier imagen —con la excepción de determinados casos de *trompe l'oeil*— somos conscientes, a la vez, de la *escena representada* y de la *representación de esa escena*. La ilusión nunca es total y, debido al hecho de que, cuando miramos binocularmente una imagen plana, los ángulos visuales involucrados no son los mismos para ambos ojos, se puede localizar y distinguir que el cuadro es sólo una superficie. A esto debe añadirse que la conciencia de la superficie de la imagen aumenta a medida que nos acercamos a ella, dificultando progresivamente la compensación psicológica antes indicada. En el caso del cine, sin embargo, el aspecto de la movilidad de la imagen, sobre el que volveremos luego, así como la posición fija del espectador en su butaca, hacen que dicha compensación siga siendo efectiva.

La perspectiva, sin embargo, no es sólo una construcción ideológica tendente a reforzar el efecto de realidad de la imagen. También es posible *leer* en ella una expresión de fuerzas psicológicas. Ehrenzweig (1976) ha subrayado cómo entre las distorsiones objetuales —libres de la perspectiva y la constancia del mundo reconstruida perceptivamente— se juega la alternativa entre ambigüedad y constancia, irracionalidad y racionalidad. Por eso, dirá Ehrenzweig, pueden encontrarse en imágenes, como la perspectiva en escorzo del *Cristo muerto* de Mantegna, nociones simbólicas como la muerte y, a la vez, el éxtasis del amor y la procreación.

La perspectiva impone una visión abstracta sobre el «interés libidinoso ante el objeto». El observador, sólo reprimiendo las distorsiones de la perspectiva, será capaz de restaurar las propiedades «reales» (forma, tono y color) de las cosas. Pensemos por un momento en nuestra experiencia como espectadores cinematográficos sentados en una fila excesivamente cercana a la pantalla: las figuras próximas a los bordes del encuadre se distorsionan y adelgazan. Pero, tras unos minutos de incomodidad, volvemos a ser capaces de apreciar las formas «constantes» de las figuras.

El cine juega con estas convenciones como si no se tratara de tales convenciones y ofrece así unas líneas de fuga «constantes» y una articulación fija de la profundidad de campo (Casetti/De Chio, 1990). De hecho, aunque los elementos se muevan en el

93

interior del encuadre o lo haga el encuadre mismo, las coordenadas de representación espacial permanecen inalterables. De ese modo garantiza la estabilidad de la percepción y puede remitir a ella las variantes que utiliza para distribuir el espacio según otras coordenadas, mediante el uso del gran angular, teleobjetivo o de una violenta angulación de la cámara. Todo ello apoya la constitución ideológica del efecto realidad, ayudando a «borrar» el carácter de constructo retórico en que consiste un film.

3.2.4. La planificación

Otra serie de códigos remiten a la composición fotográfica o planificación desde dos puntos de vista diferenciados: el que se refiere a la delimitación de los bordes y el formato de la imagen fílmica, y el que lo hace al modo de realización de la imagen, o lo que es lo mismo, a la forma y escala de los planos, a la inclinación de la cámara y a la angulación.

Por lo que atañe al primer grupo, se trata de indicar los márgenes del encuadre. Esto tiene que ver con dos tipos de cuestiones distintas: una se refiere al formato, y otra a la función representativa del encuadre.

El formato es normalmente rectangular con una relación alto-ancho de 1:1,33 en el caso estándar, 1:1,66 en formato panorámico, 1:1,85 en formato de vistavisión, 1:2,55 en cinemascope, y 1:4 en cinerama. Pueden darse, sin embargo, otros tipos de formato, aunque para ello deban construirse cámaras especiales no estandarizadas comercialmente. En España es conocido el caso del formato cuadrado 1:1 usado por el hoy famoso arquitecto Ricardo Bofill para realizar su película *Circles* (1966), una de las más representativas de la Escuela de Barcelona en la década de los años sesenta.

El formato, como ya dijimos, es importante por cuanto implica disponer de una superficie diferente para distribuir los elementos y, en consecuencia, una diferente disponibilidad del espacio y de la cantidad de objetos incluibles en él. Al margen de que, en numerosas ocasiones, el formato vistavisión o cinerama, por ejemplo, sólo haya sido utilizado como reclamo espectatorial o como marca de grandiosidad y superior «realismo», no elimina que su uso ofrezca unas posibilidades objetivamente distintas al formato estándar, sin que ello conlleve un problema de valor.

Desde el punto de vista representativo, marcar los límites del encuadre significa separarlo del contexto establecido por los otros encuadres en el interior de un mismo plano, o de otro planos en el interior de la secuencia. Esta separación implica elegir un fragmento de espacio dejando otras partes fuera del campo de visión del espectador, al que, sin embargo, se le supone consciente de la existencia del resto, del que el fragmento seleccionado forma parte. El campo y el fuera de campo se relacionan a través de las entradas y salidas de personajes u objetos, de las interpelaciones realizadas hacia el fuera de campo —con el *raccord* de miradas como forma privilegiada— y la determinación del espacio off a través de la fragmentación de personajes u objetos de los que una parte queda excluida del encuadre. En efecto, cuando un personaje sale por la derecha del encuadre, el espectador asume que si vuelve a entrar lo deberá hacer también por la derecha. Ello supone la aceptación de un espacio «real» estable, exterior al encuadre, del que éste sólo estaría haciéndonos ver una parte. El carácter convencional de este dispositivo permite crear la ilusión de un espacio homogéneo de representación, ocultando así su carácter fragmentado y construido a posteriori. Es conocido el caso del *Othello* de Orson Welles. Las dificultades financieras alargaron e interrumpieron enormente el rodaje, de manera que el supuesto «espacio real» fuera de campo en un plano rodado en una ciudad acabó siendo necesariamente un espacio distinto de otra ciudad varios años después. La continuidad del montaje y la lógica del código aludido anuló cualquier posible ruptura de la lógica de la convención y el film ya terminado pudo verse como algo que transcurría en un espacio homogéneo y constante.

Por último, conviene recordar que este *fuera de campo,* delimitado por el encuadre, consta de seis segmentos, cuatro definidos por los límites físicos de aquél, un quinto constituido por el espacio virtualmente situado «tras la cámara» y un sexto que comprende todo lo que se encuentre detrás del decorado o de un elemento del mismo (Burch, 1970).

En el cine narrativo, la figura de la *reversibilidad* del campo y el fuera de campo constituye un elemento sustancial. De tal manera que, definido el *fuera de campo* como el conjunto de elementos que, sin estar incluidos en el campo, se relacionan con él imaginariamente para el espectador por cualquier medio (Aumont *et al,* 1983), su *potencial* aparición en función de las necesidades del relato forma parte de las reglas de la narratividad.

Burch (1970) propone distinguir entre *fuera de campo concreto e imaginario.* El primero hace referencia al caso de una actualización que convierte en concreto un espacio off que era imaginario en el campo. El segundo caso haría referencia a ese espacio off que *nunca* es actualizado a lo largo del film.

Con todo, tal y como recuerda Bonitzer (1977), hay algo que siempre permanece fuera de campo: es el espacio de la producción, de una enunciación sólo susceptible de aparecer sobre la pantalla bajo la apariencia de *enunciación enunciada*. El segundo grupo de códigos remite a la tipología del plano, así como a la angulación e inclinación de la cámara. Este segundo tipo no se refiera ya, como en el caso anterior, a la delimitación del espacio sino al modo de mirarlo. Ello implica elegir cuántos elementos entran en el encuadre, desde qué distancia se le debe ver y hacer ver (de cerca o de lejos, a la altura de los ojos, de abajo arriba o de arriba abajo, vertical, horizontal o de forma inclinada), etc.

Considerado como *unidad mínima* (Mitry) o *taxema fílmico* (Metz), la noción de *plano* ha sido siempre conflictiva. Como ya adelantamos en el capítulo anterior, al tratar el tema de la segmentación, una primera aproximación tiende a identificarlo con la *toma* (duración temporal entre dos movimientos de arranque y apagado del motor de la cámara durante el rodaje) o con el *segmento fílmico* que se desenvuelve entre dos cortes de tijera (fragmento de película ya impresionada y lista para su utilización en el trabajo de «cortar y pegar» en que consiste el montaje). Mitry (1978) insistirá en la idea de la identidad de acción, ángulo y campo, como criterios definidores. Se trataría, pues, de «fragmentos de espacio-tiempo» donde es detectable una rigurosa continuidad de ambas dimensiones.

3.2.4.1. Tipos de plano

Analizado el plano en términos de *tamaño* ha dado lugar a una clasificación empírica básicamente imprecisa, en función de la mayor o menor cantidad de campo que ocupan los personajes o de la función que cumplen dentro de una cadena sintagmática:

Plano general (PG): es el que incluye una figura humana en su totalidad dentro del encuadre;

Plano americano (PA): la figura ocupa el encuadre desde las rodillas hacia arriba;

Plano medio (PM): la figura ocupa el encuadre desde la cintura hacia arriba;

Primer plano (PP): el encuadre incluye una vista cercana de un personaje, concentrándose en una parte de su cuerpo, principalmente el rostro, pero también un brazo o una mano;

Primerísimo plano (PPP): encuadre centrado en una cercanía mayor que en el caso anterior (por ejemplo, los ojos, la boca o el dedo de una mano);

Plano de detalle (PD): el encuadre ofrece una vista cercana de un objeto;

Plano de conjunto (PC): el encuadre incluye un conjunto de figuras de cuerpo entero.

Plano master. Recoge el conjunto en continuidad. Su función es la de servir como punto de referencia para el *script* para conocer en todo momento a que totalidad remiten los planos individuales disociados por montaje, cubrir planos cortos necesarios no rodados y evitar fallos de *raccord.*

Como vemos, en unos casos el origen de la definición remite a la presencia de una figura humana en el encuadre, en otro, a la presencia de un objeto, en un tercero, a la función del plano dentro de una unidad superior o conjunto de planos y, por último, al papel que desempeña a la hora del montaje.

Considerado desde el ángulo de la *duración,* el plano ha dado lugar a la aparición de un concepto complejo: el *plano-secuencia* (aquel que por su duración contiene el equivalente de acontecimientos que corresponden a una secuencia). Mitry (1978) hablará en este caso de sucesión de planos *en un solo y mismo movimiento continuo,* y Bonitzer (1977) de paradoja, en tanto en cuanto en el nivel del «continente» se destaca la continuidad de la toma, mientras que en el nivel de los «contenidos» son relevantes los distintos *tamaños* dependientes de la toma móvil de vistas. El plano-secuencia supone, de hecho, una reformulación sofisticada de los sistemas de representación anteriores a la constitución del sistema narrativo clásico, al descomponerse el proscenio teatral, con el añadido nada despreciable de la potencial movilidad de la cámara.

Desde el punto de vista de la *distancia,* pueden asimismo distinguirse planos normales, planos de gran angular (acercan artificialmente la imagen fotografiada por efecto de un determinado tipo de objetivo, otorgándole a los elementos que la integran una apariencia de volumen) y planos de teleobjetivo (alejan la imagen también como efecto de un tipo de objetivo y dan la impresión de «aplastarla» sobre el fondo del encuadre).

También es posible un acercamiento a los planos en función de su *movilidad.* Así se puede hablar de *plano fijo* o de diversos tipos de *planos en movimiento.* Ello hace que se hayan constituido también una serie de códigos referidos a la inscripción de la movilidad en el film. Esta inscripción es de dos tipos; el primero remite al movimiento de la imagen representada, es decir, al de los elementos dentro del encuadre frente a una cámara situada en posición fija; el segundo lo hace al modo en que se lleva a cabo dicha representación y tiene que ver con los movimientos de cámara. Los primeros permiten analizar los cambios y redistribución de los elementos encuadrados y el establecimiento de una diferente jerarquización de posiciones y distancias aparentes de dichos elementos, respecto a la mirada del espectador, dentro de la duración temporal del plano. Efectivamente, el que un personaje situado al fondo del campo se acerque paulatinamente hacia el objetivo no quiere decir que lo haga *realmente* hacia el espectador (la pantalla es plana y no incluye la profundidad), pero sí que constituya *un efecto de acercamiento* como forma de subrayar, por ejemplo, su paso de un elemento de mero decorado de fondo a un elemento de mayor importancia.

Los segundos son de dos tipos, los que organizan el movimiento real de la cámara y los que organizan la producción de dicho movimiento como efecto aparente.

Los movimientos reales de la cámara, a su vez, pueden referirse al movimiento de la cámara en cuanto tal, que es desplazada horizontalmente en cualquier dirección (sobre unos raíles fijos o a mano *[travelling]* o sobre un soporte con ruedas *[dolly]* o verticalmente *[grúa]*), o bien al movimiento de la cámara fija sobre su eje vertical (panorámica horizontal) o sobre su eje horizontal (panorámica vertical o *tilt*). Cuando este último se hace de manera que sólo mantengan nitidez las imágenes inicial y final el movimiento se denomina *barrido*.

Por último los movimientos aparentes son aquéllos creados como efecto óptico por la utilización del *zoom* para acercar o alejar, en su representación, la imagen que se filma.

Todos estos movimientos son, en efecto, procedimientos técnicos, pero implican efectos de sentido. Ya comentamos en el capítulo anterior el uso sucesivo de la *grúa* y el *travelling* con cámara en mano utilizado por Bertolucci en *Novecento*. Jean-Luc Godard afirmó en una ocasión que un *travelling* es siempre una cuestión ética. En efecto, todos ellos implican una función relacional. Por ello se ha podido hablar, refiriéndose al efecto de su utilización, de «montaje en el interior del plano». Este uso del término «montaje» (noción sobre la que volveremos luego) no tiene más que un estatuto metafórico, pues, de hecho, en el montaje se produce el efecto de relación como resultado de una unión y articulación de fragmentos diferentes, mientras un plano, fijo o en movimiento, la ofrece ya articulada como tal unidad.

Todo ello ha llevado a autores como Bonitzer (1977) a negar la existencia del *plano* como tal. Y ello porque no se trata de una unidad estable, sino de una *notación variable* de una dimensión, de una diferencia, de un valor marcado por la toma de vistas. La noción de plano aparece así reconducida a su carácter *diferencial* que permite una evaluación particularizada de la mayor o menor proximidad del punto de vista con respecto a los personajes.

Renunciando a ese *arbitrario jerárquico*, Eisenstein analizará el plano en tanto *fragmento* manipulable, independiente del «tamaño» y lugar de residencia de una serie de elementos (luz, volumen, movimiento...) susceptibles de ser combinados sobre la base de determinados principios formales.

Todos los tipos de plano, en efecto, cumplen una función significante diferente, según el conjunto en que se integran. Un primer plano puede indicar un subrayado de la importancia del elemento encuadrado en relación con otros elementos y representar un simple papel designativo. En un film como *El viaje de los comediantes* (Theo Angelopoulos, 1974), sin embargo, la ausencia de primeros planos remite a otros presupuestos de clara inscripción materialista, a saber, impedir la sustitución del carácter colectivo de la historia por la figura de un protagonista que pueda convertirse en su sujeto. No es casual si el primer plano funciona, fundamentalmente, dentro del modo de representación institucional. En otro caso, pensemos por ejemplo, en Jacques Tati, la misma ausencia responde a una voluntad de «realismo». Preguntado Tati acerca de por qué no usaba primeros planos en sus films, respondió que porque nadie mira a sus semejantes a dos centímetros del rostro. La buena educación exige adoptar una debida distancia, física, equivalente, cuando menos, al plano medio.

3.2.4.2. Encuadre, campo, profundidad de campo, fuera de campo

Todo *plano* define un *campo*, entendido éste como la porción de espacio imaginario contenida en el interior del *encuadre*.

El *encuadre* se presenta como los límites del campo, es decir, como la determinación de un sistema cerrado o relativamente cerrado, que comprende todo lo que se encuentra presente en la imagen (Deleuze, 1983). El *encuadre* testimonia la puesta en relación entre un observador y los objetos figurativos que aparecen en la pantalla (Buscema, 1979), introduciendo la discontinuidad, la fragmentación y la posibilidad de recomponer el orden del espacio del «mundo natural» en un orden antinatural, sólo predicable del discurso fílmico (Bruno, 1979).

El encuadre forma el elemento básico a partir del cual se puede estructurar la *composición plástica* del campo. A lo largo de la historia del cine, mecanismos como el *iris*, la *pantalla variable*, los *caches* o la *split screen* dan testimonio de la utilización creativa del encuadre.

Bonitzer (1978; 1985) ha puesto de manifiesto cómo el cine ha inventado una serie de encuadres que no se encontraban ni en la pintura ni en la fotografía; la extrema parcelación de los cuerpos, el troceamiento, la monstruosidad del detalle y, sobre todo, el *desencuadre* con su despliegue y/o reabsorción de los efectos de vacío, son los principales entre ellos.

Si observamos la imagen contenida entre los límites del encuadre podremos atribuirle un carácter *plano*. Pero al mismo tiempo, la *impresión de profundidad* —el campo definido por los límites del encuadre *parece extenderse en profundidad*— es uno de los datos constitutivos de la impresión de realidad. A este efecto se le denomina *profundidad de campo*, un efecto que en cine —o en fotografía, pero no en la pintura— surge de la correlación de una serie de parámetros técnicos —distancia focal, apertura del diafragma y, en el caso de la fotografía, velocidad de obturación— y sirve para designar la parte del campo en la que los objetos o personas situados en ella se perciben con nitidez.

Aunque toda imagen presenta una profundidad *del* campo —zona de nitidez mayor o menor— hablar de *profundidad de campo* es, de acuerdo con Bazin (1966), señalar cómo los progresos técnicos han ido acercando, paulatinamente, la percepción de la pantalla a la percepción natural. En este progreso desempeñó un papel decisivo la introducción de los objetivos de focal corta, que permitió, gracias a la profundidad de campo, tratar escenas enteras en un solo plano renunciando a los efectos dramáticos del montaje. Así, indicaba Bazin, el espectador adquiriría una relación con la imagen más próxima a la que tiene con la realidad, respetando la ambigüedad básica de esta última y solicitando del público una posición más activa, y todo ello pese al leve trucaje que supone la imagen uniformemente nítida en relación con la visión humana, pues *obliga* al espectador a captar sensiblemente la continuidad del acontecimiento.

Jean-Louis Comolli (1971) ha señalado que el «suplemento de realidad» que trae consigo la profundidad de campo, de hecho, rompía con el «grado cero de la escritura cinematográfica» puesta a punto por el Modo de Representación Institucional, al subrayar excesivamente los códigos del realismo. De esta manera, la profundidad de campo deja de ser un elemento esencial del camino del cine hacia su constitución como *asíntota de la realidad* (Bazin) para ser contemplada como un procedimiento de producción de sentido *alternativo* al montaje en sentido estricto.

3.2.4.3. Angulación e inclinación de la cámara

Otro tipo de códigos se encargan de organizar las diversas posibilidades de distribución del material en el encuadre, teniendo en cuenta cómo y desde dónde se sitúa la cámara para filmar. Los primeros tienen que ver con el ángulo de visión respecto al cual la imagen es mostrada, lo que implica colocar a los espectadores en una determinada posición frente a la puesta en escena del plano. El número de ángulos es, desde esa perspectiva, infinito, en tanto en cuanto son infinitos los puntos del espacio que la cámara puede ocupar. Por regla general se distinguen, sin embargo, tres grandes categorías: normal, picado y contrapicado. El primero sitúa la cámara a la altura de los ojos. Evidentemente, una definición de ese tipo no deja de ser ambigua pues depende de qué entendamos por altura normal de los ojos. Algunos films, por ejemplo, *Zéro en conduite* (Jean Vigo, 1928), *Marcelino pan y vino* (Ladislao Vajda, 1956) o *E. T.* (Steven Spielberg, 1982), eligen la estatura de un niño y en consecuencia la posición de la cámara cuando se enfrenta a un adulto puede dejar ver su cintura en la parte superior del encuadre. Otros, como en el caso de muchas de las realizaciones de Yasujiro Ozu la colocan en un nivel cercano al del suelo. En ambas posibilidades se entiende que existe una voluntad de inscribir un determinado punto de vista desde el cual se narra la historia. En el caso de *E. T.*, por ejemplo, la categoría de fantasía queda normalizada como algo verosímil por cuanto remite a la proyección sobre el mundo de la mirada de un niño, y así sucesivamente. Ello implica, sin embargo, que existe una convención según la cual la altura de los ojos de un adulto señala el punto de vista general.

El *picado* observa la materia filmada desde arriba, mientras el *contrapicado* lo hace desde abajo. Tanto uno como otro pueden abarcar un amplio espectro que va desde la verticalidad absoluta hasta una ligera elevación o descenso de la horizontalidad implícita en la angulación normal.

Por lo que atañe a la inclinación de la cámara, hay también infinitas posibilidades, pero podemos establecer tres grandes categorías. La inclinación normal es aquella en la que las figuras, ocupando una posición vertical en el interior del encuadre, forman un ángulo recto con la parte inferior y superior del mismo. Es el tipo de inclinación normalmente utilizada. Puede, sin embargo, alterarse su posición, de forma que las imágenes aparezcan inclinadas hacia la derecha o hacia la izquierda. Es un tipo de recurso utilizado, por ejemplo, en *La pasión de Juana de Arco* (Carl Dreyer, 1928), *El hombre con la cámara* (Dziga Vertov, 1929), *The Hearts of Age* (Orson Welles, 1934), *El tercer hombre* (Carol Reed, 1948) o *El conformista* (Bernardo Bertolucci, 1970). Esta inclinación, como el caso de la angulación puede abarcar un enorme espectro de posiciones y, al mismo tiempo, cumplir una función dramática o narrativa, o ser, simplemente, una forma de connotar «carácter artístico», es decir, ser completamente gratuita.

3.2.5. Iluminación

Por lo que respecta a los códigos de iluminación, son los que organizan los diferentes usos de la luz en la composición de un encuadre. La luz puede limitarse a hacer visibles los elementos que lo integran o, por el contrario, servir para desrealizar, subrayar o difuminar un elemento del encuadre. El primer caso cumple un papel neutro (como sucede con el uso normalizado de la luz en un cine naturalista, o en la mayoría del cine hecho para televisión). En el segundo caso (pensemos en el cine negro, por ejemplo, o en el musical tipo *Brigadoom* [Vincente Minnelli, 1954] o en el cine de Víctor Erice), la luz tendría un fuerte contenido simbólico y serviría para definir un ambiente o una situación, la importancia de un personaje o el punto de vista que articula la composición. Entre la utilización neutra y la utilización con finalidad significante existe, sin embargo, una gradación. Una luz «neutra» puede no serlo en última instancia por cuanto implique, por ejemplo, el «carácter realista» de un determinado segmento de la puesta en escena respecto a otros fragmentos más marcados por el uso funcional de la iluminación.

En general, los códigos de iluminación no son específicos del cine puesto que funcionan en otros discursos figurativos, y en relación a ellos el uso de una tipología u otra puede indicar un valor semántico o simbólico más o menos preciso, de acuerdo con las convenciones establecidas y asumidas por una tradición.

3.2.6. Blanco y negro / color

Los últimos códigos referidos al carácter fotográfico tienen que ver con el uso del blanco y negro o del color. En los orígenes del cine, las dificultades tecnológicas para impresionar colores en la película hicieron que el blanco y negro fuese la norma y el color una elección significativa, bien para añadir un cierto preciosismo al objeto, bien como simple valor de cambio añadido al producto (caso de las coloraciones a mano en Meliès o Segundo de Chomón). Desde la normalización del uso del color, la norma se ha invertido. Hoy es el blanco y negro el que indica una elección significante (muchos de los films de Woody Allen, por ejemplo). De todas formas, aunque la mezcla de ambas posibilidades no sea común, la simple posibilidad de su uso alternativo implica un valor significante, que puede inscribirse en el film en cuanto tal. Pensemos, por ejemplo, en *El mago de Oz* (Victor Fleming, 1939) o *La conjura de los Boyardos* (S. M. Eisenstein, 1946) o *La ley de la calle* (Francis Ford Coppola, 1983). En el primero de los citados, el blanco y negro señala los límites de la realidad dentro del film, y el color, la entrada en el universo de los sueños de Dorothy (Judy Garland). En el film de Coppola, todo el film está visto desde el punto de vista de un personaje daltónico que sólo es capaz de distinguir el color de los peces que dan título al film en su versión original *(Rumble fish)*. De hecho sólo estos peces aparecen coloreados en las secuencias en blanco y negro. La muerte del protagonista (Mickey Rourke) desplaza el punto de vista hacia el correspondiente a su hermano menor (Matt Dillon). A partir de ese momento, y durante los escasos minutos que aún dura el desarrollo de la historia, el film es en color.

El blanco y negro o el virado en sepia en el interior de un film en color puede indicar intento de producir efecto de realidad. En *Che* (Richard Fleisher, 1969), todas las entrevistas con los actores que representan a los antiguos acompañantes de Ernesto Guevara están filmados en el tono sepia propio del efecto realista del cine documental; en *True Beleiver* (Joseph Ruben, 1989), los testimonios de los testigos del fiscal que intenta culpar de un asesinato a un coreano están presentados como *flashbacks* en blanco y negro y rodados con cámara en mano. Y así sucesivamente.

Al igual que en el caso de la iluminación, los códigos que remiten al tipo de coloración son, en la mayoría de los casos,

103

compartidos por otros discursos figurativos y, como en ellos, plantean cuestiones que van más allá del hecho fílmico.

3.2.6.1. En torno a la percepción del color

La percepción del color ha sido objeto de numerosos intentos de detectar diferencias culturales o raciales. Así W. E. Gladstone, estudiando la ausencia en la Grecia clásica de nuestros modernos conceptos de color, llegó a la conclusión de que las diferencias de vocabulario no son sino reflejos de las diferencias en la percepción del color. Virchov, por su parte, indicó la diferencia entre la distinción de los colores y el vocabulario utilizado para nombrarlos.

Más recientemente, y desde un punto de vista semiótico, Umberto Eco (1985) ha mostrado cómo la valoración del espectro cromático está basada en principios simbólicos, es decir, culturales, pues si somos animales con capacidad para distinguir colores, se debe ante todo al hecho de ser «animales culturales».

Para Umberto Eco, la percepción se sitúa a medio camino entre la categorización semiótica y la mera discriminación basada en procesos sensoriales. De acuerdo con las investigaciones de Jean Petitot, puede admitirse la existencia de un mecanismo cerebral llamado «categorización perceptiva», que explicaría por qué el lenguaje verbal es un sistema semiótico tan importante (el *Sistema Modalizador Primario* del que hablaba Lotman [1970]).

En efecto, mientras la dificultad para la discriminación de sonidos se acompaña en el ser humano de la habilidad innata para su identificación, en el mundo del color las cosas parecen suceder de otra manera: tenemos una alta capacidad para discriminar colores aunque nos resulte sensiblemente más complejo categorizar sus fronteras.

Para resolver esta discrepancia y volverla operativa en un terreno cotidiano, cada cultura procede a realizar una valoración del espectro cromático, que reposa sobre principios culturales y simbólicos generados por las necesidades de la vida práctica. De aquí su conclusión de que las diferentes maneras en que una cultura dota de sentido el *continuum* cromático, a través de la categorización e identificación de unidades de color, corresponde a diferentes sistemas del contenido. Esto no significa que pueda decirse que los nombres de los colores tengan en sí mismos contenido cromático, sino que deben verse en un contexto en el que múltiples sistemas semióticos —los que constituyen la cultura en cuestión— interaccionan entre sí. Así, este fenómeno semiótico —la organización de una cultura— afecta, y a veces condiciona decisivamente, la habilidad perceptiva y discriminadora, de la misma manera que el lenguaje determina la forma en que una sociedad organiza sus sistemas de valores e ideas, condicionando nuestra percepción cromática.

3.3. Los códigos gráficos

Por último, dentro de la imagen fotográfica, existe otra serie de códigos que articulan todos los elementos gráficos o de escritura verbal presentes en la pantalla, sobre encuadre en negro o color, con o sin imagen icónica. Estos signos son de varios tipos: *didascalias* (fundamentalmente usados en el cine mudo como forma de soporte del diálogo ausente, pero también utilizados para añadir alguna información complementaria sobre el relato o como forma de separación entre secuencias. En ese sentido aparecen también en algunos films sonoros, como por ejemplo *Hepl!* [Richard Lester, 1965]); *títulos* (de crédito, con el reparto y la ficha técnica, o bien incorporados para indicar división en partes, cuando el film debe ser distribuido con intermedios por su larga duración, o simplemente para marcar el término del film: normalmente la palabra FIN, pero también, en ocasiones CONTINUARÁ o el título del próximo film que se quiere realizar dentro de la misma serie [el caso de *Supermán*, por ejemplo, o de la serie de James Bond]); *subtítulos*, normalmente usados para incluir la versión sin doblar la banda sonora original, pero también utilizados como recurso significante para contradecir o explicitar lo que se ve o escucha (caso de *Annie Hall* [Woody Allen, 1976] en la secuencia del encuentro de Alvin y Annie en el club de tenis, etc.); *escritos varios* que aparecen como parte de la imagen de la realidad o del decorado fotografiado en el cuadro. Estos escritos pueden ser *diegéticos*, es decir, pertenecientes a la historia narrada (nombres de restaurantes o calles donde se desarrolla la acción, títulos de libros leídos por los personajes, cartas o mensajes, etc.), y *no diegéticos*, es decir, exteriores al mundo narrado pero que informan de alguna manera sobre la narración. (En *El hombre que sabía demasiado* [Alfred Hitchcock, 1956], por ejemplo, aparece de pasada un irónico cartel sobre un muro anunciando un inexistente concierto de música clásica en el Albert Hall londinense, con la orquesta dirigida por Bernard Herrmann, compositor de la partitura del film, etc.) En ambos casos su función puede informar o contradecir acerca de lo expuesto en la banda imagen o de sonido. En *Las Hurdes* (Luis Buñuel, 1932), por ejemplo, cuando la voz del narrador explica que a los niños de las Hurdes se les enseña a escribir, un joven hurdano de aspecto hambriento y depauperado escribe en la pizarra la frase «Respetad los bienes ajenos».

En el caso de los títulos de crédito, los signos gráficos pueden ir acompañados de otro tipo de recurso visual y/o sonoro que les otorgue un explícito papel significante, introduciendo lo que será el tema del film o inscribiendo un punto de vista desde el que leer lo que en él se desarrollará (caso de *La pantera rosa* [Blake Edwards, 1963] o de *Pajarracos y pajaritos* [Pier Paolo Pasolini, 1967]). A veces, incluso, los créditos pueden superar al propio film (caso de *La vuelta al mundo en ochenta días* [Michael Anderson, 1956], que alguien definió como «unos créditos expléndidos precedidos de casi tres horas de prólogo inútil»).

3.4. *Los códigos sonoros*

Con la incorporación del sonido, el cine se constituyó definitivamente en espectáculo audiovisual, homologándose con el teatro, complementando, con el auxilio de los recursos aportados por la banda sonora, los elementos básicos constitutivos de la impresión de realidad. Conviene recordar, sin embargo, que el cine nunca fue «mudo» en sentido estricto, pues siempre estuvo acompañado de música en vivo y de los «explicas», que contaban de viva voz el desarrollo de la historia al filo de la proyección.

Los tipos de códigos sonoros son tres, según se ocupen de las tres modalidades de introducción del sonido en el film: *voz, ruidos y música*.

Precisamente la música cinematográfica se configura, en esencia, como una música *para* el cine, entroncándose en la herencia de la música de programa, sin más especificidad que su *discontinuidad* y con la utilidad fundamental de ser una *máquina para tratar la relación espacio/tiempo* (Chion, 1985).

3.4.1. Sonido diegético y no diegético

En lo que hace referencia al *sonido* en términos generales, su clasificación suele atender a su *localización y origen en función de la imagen* y puede dividirse en *sonido diegético* (si la fuente del sonido está relacionada con algunos de los elementos presen-

106

tes en lo representado), y *sonido no diegético* (si la fuente no tiene nada que ver con los elementos de lo representado). El primero, a su vez, puede ser *in* o *en campo* y *off* o *fuera de campo*, según sus fuentes de emisión estén o no presentes en el interior del encuadre, e *interior* o *exterior*, según provenga del interior de un personaje (lo que éste escucha como producto de su propia alucinación) o tenga una existencia compartible por otros personajes. El sonido diegético interior será *sonido out* y los sonidos no diegéticos son considerados como *sonidos over*.

Así se hablará de *sonido in* o *en campo* (asociado a la visión de la fuente sonora), de *sonido off* o *fuera de campo* (su origen no está presente en el encuadre y no es, en consecuencia, visible *simultáneamente* en la imagen, pero ésta se halla *imaginariamente* situada en el mismo tiempo que la acción y en el espacio contiguo), de *sonido out* (la fuente está o no presente en campo, pero acompaña y se ajusta al desarrollo de las imágenes en el encuadre) y de *sonido over* (emanado de una fuente invisible situada fuera de la diégesis).

En el cine «clásico» de Hollywood, los sonidos han sido convenientemente *espacializados,* ofreciéndoles correspondencias en la imagen y otorgándoles funciones redundantes con respecto a los elementos visuales. Habrá que recurrir a tradiciones diferentes para encontrar propuestas que, como las de Eisenstein, propongan utilizar de manera contrapuntística el sonido, jugando con la *divergencia* e incluso *oposición* entre imagen y sonido.

Con todo, lo relevante es poner de manifiesto, como ha hecho Michel Chion (1982), que la *banda sonora* no existe estrictamente en tanto tal. Y ello debido a que suele estar formada de sonidos cogidos de aquí y allá, mezclados, pero rara vez compuestos ni seleccionados unos en relación con los otros. Podrá hablarse de banda sonora cuando las relaciones entre sonidos sean tan significativas como las que se establecen en el campo de la imagen.

3.4.2. Voz «in», «out», «off», «through», «over»

La *voz humana* ocupa un lugar preponderante en la constitución del componente sonoro de un film, junto con el sonido analógico o musical, porque permite hacer ingresar al cinematógrafo en los dominios del *logocentrismo,* hasta tal punto que el cine clásico rápidamente modeló su arte sobre la base de la palabra.

Así se hablará de *voz in* para definir la voz que, *en tanto tal,* interviene en la imagen, redoblando en el espacio del sonido lo que se ofrece en el campo de la visión. Es una voz que parece salir de la boca de un personaje presente en el encuadre, al margen de que sea tomada en sonido directo, o añadido más tarde mediante el proceso de sincronización, o sea la voz del doblador. La expresión *voz out* apunta hacia la voz que irrumpe *en* la imagen, por ejemplo, cuando una voz cuya fuente no se visualiza en el encuadre interroga a un sujeto en campo.

La voz off será, por ejemplo, la voz del monólogo interior o del personaje-narrador de un *flashback,* no presente en el encuadre.

El término *voz through* es la *emitida por alguien presente en la imagen, pero al margen del espectáculo de la boca* (Serge Daney, 1977) y se ejemplifica en esos encuadres que nos muestran al personaje que habla de *espaldas* a la cámara (Bresson, Godard, Straub, etc.). En *La plaça del diamant* (Francesc Betriu, 1982) hay un interesante ejemplo de voz off reconvertida en *voz through.* El personaje de Colometa, solo en la terraza y de espaldas a la cámara inicia lo que se supone un monólogo interior. Acaba de recibir la noticia de la muerte de su marido en el frente, simbolizada en el reloj de pulsera que el mando republicano le ha hecho llegar junto a otros objetos personales. Conforme el plano avanza, Colometa se gira hacia la cámara y continúa hablándole al objetivo, convirtiendo, así, retrospectivamente, lo que se suponía voz off en *voz through.*

Por último, la *voz over,* en sentido estricto designará aquella voz que se instala en paralelo a las imágenes, sin relación con ellas emergiendo de una fuente exterior a los elementos que intervienen diegéticamente en el film. Es el caso, por ejemplo, de los comentarios en el film documental o la voz del narrador omnisciente, que puede incluso asumir la tarea de exponer el contenido de los títulos de crédito, ausentes como inscripción gráfica, como en *El cuarto mandamiento* (Orson Welles, 1942). A veces esta *voz over* designa asimismo a aquella voz que se superpone, sin eliminarla, a la propia de la banda original, como forma de inscripción del doblaje. Es usada a menudo en doblajes de films documentales para televisión. (El caso ya citado de *Las Hurdes,* en su copia estándar mantiene el original en francés, mas una *voz over* en castellano.) Esta *voz over* se construye como *lugar del poder,* que fuerza a la imagen en un sentido concreto. En algún caso, la *voz out* puede cumplir idéntica función a la *voz over* (caso de los falsos *flashback,* como en *Pánico en la escena* [Alfred Hitchcock, 1950]).

Los *ruidos* cumplen un papel similar al de las voces, aunque carezcan, obviamente, de la complejidad que éstas poseen, por el hecho de no remitir al universo de una lengua natural. Pueden ser ruidos *in, off, out, through* y *over.* En el apartado del *ruido over* pueden incluirse tanto los ruidos explícitamente ajenos a la diégesis como todos aquellos incluidos como efectos especiales. Que muchos de estos ruidos no sean directamente perceptibles como tales para un oído humano normal, no elimina su presencia ni el hecho de su clasificación. Todos ellos, o bien apoyan, refuerzan, niegan o complementan los elementos presentes en el campo visual, o condicionan la percepción de la banda sonora y provocan una determinada respuesta sensorial ante ella; todos tienen, en consecuencia, un valor significante. En el penúltimo plano de *El padrino II* (Francis Ford Coppola, 1974), por ejemplo, el asesinato de Freddo no está visualizado, pero sí indicado por el *ruido off* del disparo que se superpone a la imagen de Michael Corleone asomado a la cristalera que separa su despacho del jardín de la casa junto al lago Tahoe. En otros casos, los ruidos no informan, pero inscriben un estímulo de tipo subliminal para provocar una determinada forma de percepción de las imágenes en el espectador (caso de los gruñidos, jadeos, chirridos metálicos presentes con diferente frecuencia en el interior de la banda sonora de *El exorcista* [William Friedkin, 1972]).

En cuanto a la música, rara vez incluye su fuente en campo, aunque puede darse el caso de un grupo de instrumentistas interpretándola dentro del encuadre o de una fuente sonora visible que la emita (un tocadiscos, una radio o un cassette). La mayoría de las veces es *out* u *over.* Su función, como en el caso de los ruidos, suele ser secundaria respecto a las voces, lo que no elimina que su uso sea siempre equivalente. Unas veces subraya de modo redundante el carácter convencional de las imágenes, otras veces les sirve de contrapunto, otras, finalmente, puede incluso ocupar el lugar de unas voces ausentes por imposibilidad técnica (caso de *Un chien andalou)* o por decisión discursiva (caso de *Koyanitqatsi* [Greodfrey Reggio, 1983]).

3.5. *Los códigos sintácticos: la noción de montaje*

Por último, otra serie de códigos articulan el proceso de composición y reunión de todos los elementos para construir el film. Este proceso se conoce como *montaje.*

El *montaje,* en sentido amplio, puede ser considerado como la operación destinada a organizar el conjunto de los planos que forman un film en función de un orden prefijado. Se trata, por tanto, de un *principio organizativo* que rige la estructuración interna de los elementos fílmicos visuales y/o sonoros.

El montaje, tan antiguo como el cine, puede incluso detectarse en aquellos films que, como los de los hermanos Lumière, se conformaban con un solo plano, a través del establecimiento en profundidad de acciones que se acercaban o alejaban de la cámara siguiendo órdenes prefijados o aleatorios según los casos. Sin embargo, tal y como se entiende en términos generales, la noción de *montaje* hace referencia a los films multicelulares en los que la cámara, liberada del plano fijo y el punto de vista único, observa las cosas alternativamente de cerca o de lejos, sigue a un personaje en sus desplazamientos a través de un decorado y alterna episodios que se desarrollan en lugares diversos.

Como ha subrayado Román Gubern (1974), la operación sintagmática del montaje (selección y ordenación de fragmentos espacio-temporales) reproduce las condiciones de selectividad de la percepción y la memoria humanas, en lo que éstas tienen de *discontinuas* y de privilegiar ciertos aspectos significativos en detrimento de otros que no lo son.

Desde esa perspectiva, no es necesario asociar la noción de montaje con la de narratividad. El montaje, en tanto operación de cortar y pegar, no es sólo un procedimiento técnico, sino que siempre supuso una forma de construir la percepción. Silvestra Mariniello (1990) ha demostrado cómo la función primordial del montaje en alguien normalmente considerado como uno de sus cradores en el aspecto meramente técnico, Lev Kuleshov, nunca tuvo la técnica como finalidad. Kuleshov, en efecto, veía en el montaje, entre otras cosas, la posibilidad de producir, *como si fuesen representación de elementos reales*, imágenes inexistentes en la realidad. El brazo de una persona junto con la cabeza de otra y las piernas de una tercera podrían, ordenados de una determinada manera, producir el efecto de ser partes de un mismo cuerpo. No era, en consecuencia, necesario reducirlo a una forma de fragmentar algo ya existente de antemano. Su sometimiento a las leyes del relato vino como consecuencia de la reintroducción, en el territorio cinematográfico, de nociones provenientes de los discursos tradicionales, como la literatura, con los que el cine, según Kuleshov, no guardaba ninguna relación. El médium fílmico, por sus propias características tecnológicas, ofrecía unas posibilidades de eliminación de la noción central del sujeto, implícita en la concepción tradicional de «arte». Fue el triunfo de esa opción alternativa, (compartida por cineastas tan aparentemente opuestos como Griffith e Eisenstein), una opción que consideraba el cine como una forma de arte (séptimo en el orden de su aparición histórica), lo que ligó en adelante la noción de montaje con el efecto de narratividad. Al permitir descomponer físicamente el espacio del proscenio teatral para permitir su recomposición mental por parte del espectador, el montaje se configuraría, de forma predominante, a lo largo de sus años formativos, como una concatenación *biunívoca* de un plano con el que le precede y el que le sigue (Burch, 1980; 1985; 1987).

La comprensión del hecho de que un film es un organismo, formado por partes que se relacionan entre sí para dar lugar al surgimiento de un sentido global, hecho posible por el montaje, ha llevado a Deleuze (1983) a proponer la sugestiva hipótesis de que no es la narratividad la que ha condicionado la aparición del montaje, que denomina *orgánico-activo* y que es patrimonio del cine del Modo de Representación Institucional (denominado de manera impresionista «cine clásico»), sino que es la narratividad la que se desprende naturalmente de esa forma de montaje.

3.5.1. La articulación espacio-temporal

Si el montaje regula el ensamblaje de los planos para formar la unidad del film, y siendo todo plano una unidad espacio-temporal, cada vez que exista un cambio de un plano a otro, se producirá una relación entre los parámetros de ambos planos que da lugar a lo que Burch (1970) denominó la *articulación espacio-temporal*.

Cinco tipos de *relación temporal* pueden establecerse entre un plano y el que le sigue en la cadena fílmica: *rigurosa continuidad, elipsis definida* y medible, *elipsis indefinida, retroceso definido* y *retroceso indefinido*.

Junto a estas relaciones temporales existen tres *tipos de articulación espacial* entre dos planos contiguos: *continuidad espacial, con o sin continuidad temporal,* que Burch denomina *discontinuidad espacial simple,* y que hace referencia al caso en que el segundo plano muestre un espacio distinto al visualizado en el plano anterior, pero *claramente próximo* (en términos diegéticos) al fragmento de espacio anterior y, finalmente, *discontinuidad espacial normal*.

Caso especialmente atractivo es el de la *discontinuidad espacial simple,* pues su utilización privilegiada tiene que ver con la constitución progresiva —entre 1905 y 1918— de un espacio-tiempo diegético que envuelve la ficción y que constituye un espacio pictórico plenamente *habitable* y en el que el espectador debe conservar siempre la orientación básica de la escena, pese a la fragmentación de la misma en diversos planos. El montaje clásico institucional estaba llamado a dar vida a la paradoja de que, liberando al cine de la unicidad del punto de vista, no dejaba de recomponer un espacio diegético totalmente tributario de la escena teatral (Burch, 1985; 1987).

El instrumento privilegiado destinado a soldar esa discontinuidad iba a ser el *raccord*. Tanto si se trata de *raccords de dirección, de miradas, de posición* (cuya variante central es el *raccord en el eje*), su papel iba a ser central en la constitución del M. R. I., permitiendo que el espectador estableciese la referencia de cada fragmento fílmico con relación a un *espacio escénico preexistente*.

3.5.2. Tipos de montaje

En el ámbito temporal, uno de los problemas que debió resolver el cine es el de cómo mostrar escenas que sucedían simultáneamente Cuatro son las maneras básicas de expresar cinematográficamente la *simultaneidad:*

a) Mostrando acciones que coexistan *en el mismo campo* (por ejemplo, gracias a la profundidad de campo).

b) Que coexistan *en el mismo encuadre* (doble exposición, *split-screen).*

c) Presentarlas *en sucesión.*

d) Presentarlas en *montaje alternado* o *cross-cutting.*

3.5.2.1. Montaje alternado

El *cross-cutting* o *montaje alternado* concede abiertamente a la cámara una función narrativa y su virtud fundamental es *hacer olvidar que la simultaneidad se presenta sucesivamente.* El montaje alternado propone, por tanto, una serie amplia de *analepsias* o *retrocesos definidos,* en las terminologías de Genette y Burch, respectivamente. Esta manera de resolver el problema de la superposición temporal obliga al espectador a considerar la sucesión de imágenes y leerla como dos sucesos diegéticamente simultáneos y alejados del espacio.

3.5.2.2. Montaje paralelo

Una variante del montaje alternado es el denominado *montaje paralelo* en el que las acciones que se muestran alternativamente no son simultáneas en el tiempo de la historia.

Tanto el *cross-cutting* como el *montaje paralelo* pueden ser considerados como procesos que producen efectos narrativos, pues establecen lazos y relaciones entre diferentes líneas de acción. Al mismo tiempo, son una manera privilegiada de manipular el orden y la duración de los acontecimientos implicados (Metz, 1973; Bordwell/Thompson, 1985), funcionando, además, como un sistema de creación de elipsis.

3.5.2.3. Montaje convergente

Deleuze (1983), refiriéndose al montaje alternado practicado por Griffith en no pocos de sus films, ha subrayado el hecho notorio de que, en éstos, los grupos de imágenes procedentes de partes diversas se iban sucediendo a un ritmo exactamente calculado. Además, este montaje movilizaba los *diferentes tamaños de los planos*, miniaturizando la escena a través del funcionamiento metonímico de los planos de detalle. Por último, se ponía un énfasis especial en la separación física de grupos en conflicto que convergían *hacia un único lugar en un único tiempo*. Para este tipo de montaje alternado, mediante el que unas partes del film reaccionan sobre otras, hasta llegar a fundirse dando lugar a una síntesis final, suele reservarse el nombre de *montaje convergente*.

3.5.3. Discursos sobre el montaje

Sin duda el *montaje clásico* ha ido configurándose como un *sistema* fuera de cuya lógica, como en el caso de la Iglesia católica, no había salvación. Esta lógica está basada, a su vez, en la lógica profunda de reconstruir la misma escena teatral que la dispersión de los puntos de vista parecía dinamitar.

El montaje tenía por objeto analizar el suceso según la lógica material y dramática de la escena (Bazin, 1966), lo que conducía a su *invisibilidad*. Para Bazin este montaje suponía una superación *[sic]* con respecto al montaje abstracto practicado por determina-

113

dos autores (ciertos cineastas soviéticos) y en el que la creación del sentido no depende del valor objetivo de las imágenes, sino que procede de sus mutuas relaciones.

Prolongando su afirmación del *cine como arte de lo real*, Bazin privilegiará la *función registradora* de la praxis cinematográfica, tanto más lograda cuanto más se incorporan aquellos progresos técnicos que acerquen la percepción de la pantalla al natural. Ese *realismo esencial del cine* pasa por respetar la ambigüedad básica del mundo y la capacidad de interpretación del mismo por parte del espectador (Bazin, 1966).

Desde este punto de vista el *découpage clásico*, y pese a que su invisibilidad se asienta en una experiencia psicológica de carácter universal (la selección que efectuamos permanentemente en nuestra percepción natural), supone una *superchería esencial* (Bazin, 1966).

Por tanto, lo que se debe exigir a todo film es que proporcione la ilusión de permitirnos asistir a hechos reales. Los mecanismos utilizados para ello deberán cumplir una norma básica: la de no manifestarse como tales. Desde ese punto de vista, Bazin verá en el *plano secuencia con profundidad de campo* una alternativa al montaje clásico que permite una fusión ejemplar del realismo narrativo y del realismo perceptivo. De esta forma, el cine se constituiría en un *lenguaje sintético,* más realista y más intelectual, obligando al espectador a participar en el sentido del film —que no es otro que la profunda ambigüedad de la realidad que muestra—, descubriendo por él mismo las relaciones implícitas que el montaje no muestra abiertamente en la pantalla (Bazin, 1973).

Para Bazin, el lenguaje del plano-secuencia *no* es una mera alternativa estilística al montaje analítico tradicional. Se trata de un avance sustancial en la constitución de ese cine de lo real que asintóticamente tiende hacia su fusión final con el mundo, confundiendo percepción de la pantalla y percepción natural.

En un polo opuesto al comentado, se encuentran las reflexiones de S. M. Eisenstein en torno al montaje. Aunque el cineasta soviético comparte el postulado de partida, es decir, la ambigüedad de la realidad, pensaba que era necesario combatirla, evitando la confusión de la imagen cinematográfica con una captación inmediatamente realista del mundo.

En su polémica contra el «realismo», Eisenstein propondrá sustituir la noción de plano por la de *fragmento*, lugar de residencia de elementos (luz, volumen, movimiento, contraste, duración, etc.), combinables según principios formales.

El montaje pasaba a ser, así, el método privilegiado para dar vida a estos fragmentos, insertando la razón del espectador en el proceso creador, en tanto *se le obligaba a seguir el camino emprendido por el autor [sic]* al construir la imagen (Einsestein, 1970; Aumont, 1979). De esta forma, el film es considerado como *objeto de significación,* es decir, *discurso organizado,* reconstrucción de la realidad, que no es sino un mero punto de partida, siendo el de llegada el descubrimiento de sus leyes significativas, puestas al descubierto gracias al trabajo fílmico.

No puede decirse que exista en la obra de Eisenstein —aún no conocida en su totalidad— un sólo concepto de montaje. En un primer momento, pondrá a punto la *teoría del choque o conflicto* —surgida, a la vez, de su particular concepción de la dialéctica marxista y de los *haikus* japoneses—, en la que la colisión de dos planos hará surgir un nuevo concepto en la mente del espectador.

Su experiencia le llevó a comprobar que este tipo de montaje podía hacerse cargo de significaciones locales, pero no era extensible al sentido global de una obra, lo que le hizo afirmar que el cineasta no debía limitarse a reunir elementos de montaje a lo largo de una línea dominante, sino que debía orientar su trabajo hacia la producción de un *montaje polifónico,* que orquestara sensitivamente un conjunto de estímulos organizados para el espectador.

En esta nueva formulación, el *tema* —que en la teoría del choque apenas se entendía como un elemento más— pasa a gozar de una consideración central. A partir de estas nuevas ideas, el *montaje se propone* como el procedimiento más realista y lógico para hacer surgir lo que Eisenstein denomina el *realismo del contenido;* el *tema* atravesará la totalidad de las imágenes puestas en juego, como cualidad general que permite la organización de las mismas en un *todo.* Se abandona de esta manera la *técnica de la yuxtaposición,* para centrar la preocupación en el *principio unificador* que garantice el surgimiento del conjunto como *algo nuevo* (Eisenstein, 1970).

Esta concepción del montaje, cuya *función* final no es·tan opuesta como podría parecer a la del montaje clásico institucional, presupone, por tanto, *una idéntica manipulación del espectador,* al que se le forzaría a reaccionar según un sistema de sentido cerrado y organizado de antemano, controlado desde el propio espacio textual fílmico, que no pone en escena sus propios presupuestos.

Capítulo IV

La puesta en escena

Todos los componentes analizados en el capítulo anterior se organizan formando un entramado espacial desarrollado en el tiempo. Ello implica que, por una parte, un film conlleva un trabajo de construcción de un espacio imaginario de representación y, por otra, articula cada uno de los fragmentos de ese espacio en una sucesión que forma una cadena temporal. Al primer aspecto lo denominaremos *puesta en escena*, al segundo, *puesta en serie*. En este capítulo nos ocuparemos de aquellos casos relacionados con el primer aspecto.

En primer lugar, detengámonos brevemente en algunas consideraciones de orden general que tienen que ver con el concepto de representación.

1. De la percepción a la semiótica

Si la percepción parece ocuparse de cómo captamos el mundo exterior y la semiótica del mundo de la significación, no hace falta insistir en el hecho de que captar el mundo no es independiente de captar el sentido de las cosas que lo constituyen.

Es difícil, sin embargo, afirmar qué es la causa y qué la consecuencia, o lo que es lo mismo, si es la semiosis la que permite la percepción o viceversa. En cualquier caso, admitiendo que no hay percepción que no sea significativa, lo coherente es indicar que percepción y semiosis son los dos polos de un proceso unitario, y que forman parte de un círculo en el que resulta difícil designar un lugar que pueda ser definido, con mediana pertinencia, como un punto de partida.

Nuestra posición, en este sentido, implica reconocer que el universo aparece ante la persona humana como un conjunto de cualidades, dotado de una organización, dando lugar al surgimiento de lo que Greimas y Courtés (1982) han denominado *Mundo Natural*. Este concepto define un vasto conjunto significante sobre el que se ejerce la actividad semiótica, entendida como análisis de la estructuración de su sentido.

Desde este punto de vista, no es quizá utópico intentar segmentar esa *teoría y práctica de las mediaciones* que es la semiótica, aislando del *continuum* del campo semiótico *lo visual* y, dentro de lo visual, *lo fílmico*, a condición de no olvidar que *lo visual* y lo *no visual* están relacionados, y que una adecuada comprensión de la perspectiva utilizada para el análisis de lo visual tiene inmediatas implicaciones en la manera en que lo no visual es aprehendido y conocido.

También parece evidente que el campo de la *semiótica de lo visual* desborda ampliamente el del análisis de las imágenes. Basta tener en cuenta que el sentido de la vista nos pone en contacto con innumerables textos que siendo percibidos visualmente no son, propiamente, *imágenes*. Por tanto, y para nuestro propósito aquí y ahora, distinguiremos dentro de las semióticas visuales, aquella que se ocupe de objetos definidos *por la bidimensionalidad de sus significantes*, abriendo una doble dirección de análisis: una en torno a los problemas de la analogía e iconicidad de la imagen y otra centrada en el intento de aislar formas semióticas mínimas específicas que se relacionen adecuadamente con elementos del contenido.

2. EL CONCEPTO DE REPRESENTACIÓN

Para poder profundizar adecuadamente en estos aspectos, deberemos resolver antes un importante problema conceptual, referido a la noción de *representación*, eje en torno al que giran no pocos de los puntos clave del debate sobre la significación de las imágenes.

Si nos atenemos a las meras definiciones del Diccionario de la Lengua Española, el término «representación» ofrece una serie de acepciones bastante significativas. Representar se identifica, por una parte, con *evocar* por descripción, retrato e imaginación y, por otra, con situar *semejanzas* de algo ante la mente o los sentidos. Conviene subrayar que la representación, tal y como la entiende la filosofía clásica, se planteaba como una *función del lenguaje en general*, como lo que cumple *la función de estar en lugar de otra cosa* a través de una representación, *de ofrecer de nuevo*, pero transformando en signo, lo que ya existe en la vida o en la imaginación.

El análisis freudiano retomó la expresión *Vorstellung* (representación) del patrimonio de la filosofía clásica alemana, para distinguir una *representación de cosa* (esencialmente visual) y otra *de palabra* (esencialmente acústica), siendo la primera característica del sistema inconsciente.

Lo importante, en cualquier caso, es preguntarse ¿cuándo una imagen es «imagen de algo»?, es decir, ¿cuándo una imagen mantiene una *relación de representación* con el tema que muestra, sea ese tema un «retrato» o una «invención»? La relación de representación no puede explicarse ni recurriendo a la *historia causal* de la imagen, ni mucho menos a la *intención* de ningún supuesto autor. Por ello, el centro del debate se ha constituido en torno a la identificación, históricamente importante, entre *representación y semejanza.*

Tanto si se trata de la postura más radical, basada en un *ilusionismo* de primer grado, como si se maneja un concepto matizado de semejanza —aquel que señala que la imagen aparece «como si» en ella estuviera presente algo «semejante» al tema representado—, la concepción tradicional de la imagen ha tendido a identificar, al menos desde el Renacimiento, *representación* con *semejanza.*

Gombrich (1967), a través del doble camino de la historia del arte y la psicología, ha mostrado cómo el factor clave de la representación no está en la relación de semejanza que pueda establecerse entre el objeto y su representación, sino en que ambos cumplan la misma *función,* una *función de sustitución,* anterior, lógica e históricamente, al retrato (semejanza), donde la creación precede a la comunicación.

Partiendo de esa hipótesis de trabajo, la *representación como sustitución* precisa de dos condiciones: *que la forma autorice el significado* con el que se le inviste y *que el contexto fije y sancione el significado* de manera adecuada. De ello se deduce una conclusión importante: una forma que significa algo en un contexto determinado, dentro de otro contexto puede significar otra cosa diferente. Eso quiere decir que existe, en potencia, una convergencia de significados en una misma forma. Es preciso, pues, subrayar el *carácter provisional de la articulación entre expresión y contenido.* Por lo pronto partiremos del concepto de representación como *sustitución,* que engloba la noción de semejanza, pero no se reduce a ella. Siempre que hay semejanza hay sustitución, aunque la primera no sea condición necesaria para la segunda, pues, como subraya Roland Barthes (1973), la representación no se define por la imitación, y aquélla existe más allá de las nociones de «real», «verosímil» o «copia», por cuanto hay una *identificación profunda entre representación y significación.*

Como vimos en el capítulo segundo, un sistema la *significación* puede ser entendido como un proceso subyacente en toda *comunicación.* De esta manera, el estudio de la significación es independiente de los mecanismos comunicativos y se amplía el campo del análisis hasta las áreas de las actividades no intencionales y/o naturales. De acuerdo con este punto de partida, la significación se produce siempre que una cosa, *materialmente presente* ante la percepción de un destinatario, *represente* otra *a partir de reglas subyacentes.* Ello implica que debe existir un *código* que establezca una *correspondencia entre* lo que *el signo* representa y *lo representado,* pero también, y sobre todo, *que la cosa representada no tiene por qué existir ni ser sustituida, de hecho, en el momento en que la represente el signo sustituto significante de otra cosa.*

Si nos remitimos a la definición tradicional de Saussure, el signo se define como una entidad de dos caras íntimamente unidas (*necesariamente* unidas, dirá Benveniste): el *significante (aspecto material del signo)* y el *significado (concepto).* Por tanto, la asociación entre *cosas de órdenes diferentes,* significante y significado, producirá el *signo.* Conviene, pues, aclarar que el significado no se confunde con el mundo externo. Las diversas expresiones no significan cosas o estados del mundo, aunque puedan remitir a ellas. Los significados se identifican con *unidades culturales,* con determinados aspectos de *nuestra* organización del mundo.

En ese sentido es importante el replanteamiento de la propuesta saussureana llevado a cabo por Louis Hjelmslev, que sustituye la tríada signo/significado/significante por la de *función semiótica/expresión/contenido.* Como afirma Umberto Eco (1975), cuando un código relaciona elementos de un sistema transmisor (*expresión*) con elementos de un sistema transmitido (*contenido*), se produce la significación a través de la aparición de una *función semiótica.* Siempre que existe una correlación de este tipo, *reconocida por una sociedad humana,* existe signo.

120

Un signo, en consecuencia, no es una entidad física ni una entidad semiótica fija, sino un *lugar de encuentro* de elementos independientes, que proceden de sistemas diferentes y que se asocian a través de una correlación codificada transitoria.

Una concepción del signo de estas características permite identificar, como veíamos antes, representación y significación. La *provisionalidad* del signo (opuesta a la rígida visión del mismo en el planteamiento de Saussure) es lo que permitirá introducir los mecanismos que hacen posible explicar la alteración de la significación en función de un contexto dado.

Si antes se ha hablado de expresión y contenido, conviene distinguir en cada uno de estos planos entre materia, forma y sustancia.

En páginas anteriores definíamos la *materia de la expresión* como aquello que hace referencia a la naturaleza material (física, sensorial) del «tejido» en el que se recortan los significantes, de tal manera que cada *sistema de significación* se realiza en una o varias materias de la expresión.

La *materia del contenido*, común a todos los fenómenos semióticos, se confunde con lo que se denomina el tejido semántico, el *universo entero del sentido*.

Por lo que respecta a la *forma del contenido*, ésta se identifica con la manera en que, en un marco cultural dado, el mundo se organiza en categorías dadas, dotando de *pertinencia* al tejido semántico (a través de un juego de oposiciones y diferencias).

Finalmente, esta *forma del contenido* deberá ser transcrita en una materia expresiva dada, cuyo carácter *pertinente* dará lugar a la aparición de la *forma de la expresión*.

Se reserva el nombre de *sustancia* para la materia, en tanto en cuanto aparece como ya formada. La sustancia surge cuando se proyecta la forma sobre la materia como una red que proyectara su sombra sobre una superficie ininterrumpida.

La relación que se establece entre la forma de la expresión y la forma del contenido puede ser de dos tipos: *denotación* y *connotación*. La *denotación* se identifica con el hecho de que, *según una correlación codificadora dada,* a unos elementos dados del plano expresivo les corresponde de *forma unívoca y directa* una posición pertinente del contenido.

Se hablará de *connotación* cuando el plano expresivo de una función semiótica se presente formado por otro sistema de significación (que incluye a su vez un plano expresivo y un plano del contenido).

Según Eco, la connotación se establece parasitariamente a par-

121

tir de un código precedente, y no puede transmitirse antes de que se haya denotado el significado primario. Se trate o no, en el caso de las denotaciones, de significaciones privilegiadas, no puede identificarse este hecho con la *estabilidad* de las mismas. En la medida en que su aparición parece hallarse en función de las diferentes situaciones comunicativas, el significado denotativo no será nunca absolutamente independiente del contexto.

Parece evidente que en el caso de los signos lingüísticos el propio carácter del sistema de significación dota a sus realizaciones concretas de un carácter de *generalización* (por ejemplo, la palabra /árbol/ no se identifica con ningún árbol concreto). Por el contrario, en el caso de los *signos,* que denominaremos de momento *icónicos,* en los que se fundamenta el discurso fílmico, éstos parecen apuntar no hacia categorías o clases de objetos, sino hacia objetos precisos, singulares y *concretos.* Ya Platón hablaba de que las imágenes eran imitaciones de «particulares». No debe confundirse, sin embargo, el carácter individual o general de los signos, en tanto *representaciones,* con la actitud de generalización o individualización de los objetos sensibles cuando funcionen como signos. Siempre que miramos un objeto, por ejemplo, filmándolo o fotografiándolo, dicho objeto actúa como representante de la categoría a la que pertenece y a la que remite. Toda imagen, además, puede considerarse una *abstracción* (recordemos, por ejemplo, la búsqueda del «hombre medio» en el Renacimiento, o la práctica de los retratos-robot en la práctica policial), pues como toda representación, la visual *abstrae* una serie de *rasgos particulares* de una circunstancia dada, aunque esto se realice a través de una estrategia particularizada.

Por ello, una de las cuestiones centrales de la semiótica se relaciona directamente con el *problema del referente,* es decir, con «esos estados del mundo que, según se supone, corresponden al contenido de la función semiótica» (Eco, 1975).

La construcción de una semiótica capaz de dar cuenta de los procesos de significación implica admitir que el hecho de pretender que un significado corresponda a un objeto real responde a una actitud ingenua. El mundo del contenido es un *universo cultural,* designa la existencia de un *mundo posible* en términos culturales, lo que implica que *la semiosis es capaz de explicarse, en tanto proceso, por sí sola,* pues una unidad cultural nunca remite necesariamente a una realidad física exterior, sino a otras unidades culturales, en una cadena interminable.

En el caso de los signos icónicos, en la medida en que la imagen figurativa plasma un fragmento del mundo real o posible, por el «realismo natural y fatal» (Bettetini, 1982) que parece ser parte de su estatuto, ¿no nos encontraríamos ante casos en que el signo parece «recibir en sí mismo el objeto y presentarlo como tal en su individualidad»? ¿Serían los signos icónicos un tipo particular de función semiótica en donde la *presencia* primaría sobre la *significación*, dando lugar a la integración del referente en el interior del signo? (Casetti, 1980). Admitir esta idea equivaldría a admitir una cierta *naturalización* del signo icónico por su semejanza con los estadios del mundo, que supuestamente transcribiría, incorporándolos de manera directa.

Antes de responder adecuadamente a esta problemática conviene detenerse brevemente en la contraposición —heredada de Peirce— entre *icónico* y *simbólico*. En esta tradición, los símbolos se basarían en una convención social, mientras que los iconos lo harían sobre una relación de semejanza objetiva con el referente.

Determinados autores, como Battacharya (1984), han tratado de trascender esa oposición, integrándola en la distinción entre: a) *representaciones que usan una serie de relaciones espaciales para representar otras cosas del mismo tipo* (mapa congruente como iconicidad), y b) *representaciones espaciales de entidades no espaciales o relacionadas* (casos en los que un icono representa clases de objetos que no tienen idénticos mapas). Este segundo tipo es el que se refiere a las *representaciones simbólicas*. De acuerdo con esta idea, toda representación icónica *esquemática* sería simbólica, pues englobaría relaciones espaciales conectadas interiormente por un parecido de familiaridad (cuando un árbol esquemático representa a la categoría general /árbol/).

Como punto de partida para nuestra aproximación semiótica al mundo de las imágenes, hemos supuesto que los signos icónicos se distinguían de las otras categorías sígnicas por el hecho de utilizar un significante *bidimensional*. Si a esto unimos el que una parte de este continente sígnico parece asentarse sobre una cierta *naturalidad* de la relación que se establece entre los signos y los objetos representados por ellos, a través del fenómeno de la analogía de las apariencias, dicha circunstancia supondría que las imágenes no guardan la misma correlación con su contenido que, por ejemplo, las palabras, y que la *convencionalidad* que sustenta la significación en las lenguas naturales no sería predicable de los fenómenos icónicos.

Tres son las principales teorías que han intentado avanzar por ese terreno, propuestas, respectiva y en orden cronológico, por Charles Sanders Peirce, Charles Morris y Umberto Eco.

Morris señaló que un signo podía considerarse icónico en la

medida en que tuviera las mismas propiedades que su *denotata*. De ser esto así, los únicos signos icónicos auténticos serían los *dobles* de los objetos significados. No es de extrañar que el mismo Morris admitiese la existencia de escalas de iconicidad, lo que permitía hablar de signos icónicos «en ciertos aspectos».

Eco, por su parte, propone reformular esta idea al indicar que los signos icónicos tendrían la propiedad de articular una estructura perceptiva *semejante* a la que articularía el objeto representado por el signo, a través de una selección de estímulos que permiten construir una estructura perceptiva que presenta idéntico significado que la experiencia real denotada por el icono.

Ambos partían de Peirce, para quien un signo es icónico cuando puede representar a su objeto sobre todo por semejanza. O con otra expresión, icónico es un signo que está en lugar de algo, simplemente porque se le asemeja. Ello obliga a analizar más de cerca la noción de semejanza.

Ya vimos el carácter problemático de este concepto. En un sentido amplio, puede hablarse de *semejanza* establecida a través de la *comparación* (por copresencia, recuerdo o confrontación) o a través de la *analogía* (ya sea ésta material o puramente convencional).

Remitiéndonos al campo de la geometría, el concepto de semejanza hace referencia a un fenómeno bien preciso: la igualdad de dos figuras, salvo en el tamaño. Esto implica la realización de una operación que subraye ciertos aspectos (igualdad angular) y vuelva irrelevantes otros (tamaños diferentes), revelando la presencia de unas reglas que deben ser aprendidas y reposan sobre bases *convencionales* (como es el caso de los niños pequeños para los que el tamaño es algo absolutamente pertinente). Otro tanto sucede en los casos de *isomorfismo* peculiar, como son los *grafos* que expresan relaciones. Por tanto, *la semejanza se produce y debe aprenderse,* lo que pone de manifiesto su carácter convencional. La aparente *inmediatez* de los signos icónicos deja paso, así, a codificaciones culturales que aseguran el funcionamiento significante de las realizaciones icónicas. Es en ese sentido en el que Umberto Eco desde un radicalismo antirreferencialista busca asentar la idea de que los signos icónicos no deben su significación a una pretendida «naturalidad», sino al hecho de que, al igual que los restantes tipos de signos, funcionan en torno a la idea de *convención social.*

Una primera constatación de la validez de su posición la encuentra Eco, de la mano de Gombrich, en el hecho de que a lo largo de la historia, determinados artistas han ido produciendo «imitaciones» de la realidad, que si hoy las consideramos altamente realistas, no fueron reconocidas ni aceptadas como tales en el momento de su producción. La interiorización progresiva de determinadas formas de transcribir la percepción de la naturaleza termina filtrando ésta a través de un *modelo icónico* determinado.

Si esto es así, *representar icónicamente un objeto no es sino transcribir mediante artificios gráficos (o de otra clase) las propiedades culturales que se le atribuyen.* ¿Cómo se define culturalmente un objeto? *A través de los códigos de reconocimiento que sirven para identificar los rasgos pertinentes y caracterizadores del contenido.* De hecho es así como se seleccionan los elementos fundamentales de lo percibido. Los códigos de reconocimiento (o perceptivos) *tienen en cuenta los aspectos pertinentes que en un contexto dado permiten diferenciar los objetos entre sí.* Por tanto, no puede decirse estrictamente que las imágenes representen objetos, sino marcas semánticas, unidades del contenido culturalmente definidas.

Una vez seleccionados esos aspectos pertinentes del contenido, han de ser adecuadamente comunicados y para eso existe lo que denominaremos un código de *representación icónica,* cuya finalidad es establecer qué artificios gráficos se corresponden con los rasgos del contenido o con los elementos pertinentes destacados por el código de reconocimiento.

Conviene precisar que esos artificios gráficos son susceptibles de referirse tanto a lo que se ve del objeto como a lo que se sabe de él o a lo que se ha aprendido acerca de él. Es decir, el signo icónico puede poseer, entre los rasgos del contenido expresado, propiedades ópticas del objeto (visibles), propiedades ontológicas (presuntas) o meramente convencionalizadas (aquellas conocidas como inexistentes, pero que han sido convertidas en modelo en tanto en cuanto son eficazmente denotativas).

Esta manera de afrontar el problema de la significación en los signos icónicos permite dejar de lado la idea de que éstos son un tipo de signos «semejantes a», «vinculados naturalmente a su objeto», etc.

Nos encontramos en presencia de signos que, como todos, están codificados culturalmente —*convencionalidad*—, lo que no implica que sean totalmente arbitrarios. Los signos icónicos ponen de manifiesto que es posible concebir una serie de signos no codificados arbitrariamente —es decir, que mantienen una relación con su contenido diferente de la que existe en las lenguas naturales—, sin que ello implique que la correlación existente no sea cultural y, por tanto, asentada en una convención.

125

No conviene, sin embargo, caer en posiciones radicales que desliguen la imagen de toda referencia. Así, conviene mostrar cómo algunos autores que asumen como presupuesto el «convencionalismo» no vacilan en subrayar el hecho de que los productos visuales suelan actualizar operaciones referenciales, a condición de entender que dicha referencialidad puede concernir tanto a la experiencia del mundo físico como a los elementos procedentes de lo que Gombrich denomina datos perceptivos («mundo óptico» y «apariencia»), y que dependen de variables tan complejas como la experiencia anterior, el interés, las expectativas, e incluso el ajuste del sistema perceptual del observador a las situaciones cambiantes. En una palabra, «no hay razones para denegar las convenciones, pero éstas pueden fundarse sobre bases referenciales» (Calabrese, 1980).

De manera aún más matizada, el propio Gombrich (1987) ha subrayado la idea de que para plantear de manera adecuada el debate entre naturaleza y convención es necesario proceder a modificar la perspectiva de la discusión, reformulando dicha antítesis en términos de la existencia de un continuo entre las facultades naturales y las que denomina «casi imposibles de adquirir». De ese modo, mediante la sustitución de la idea de «parecido» por la de «equivalencia», es posible llegar a reconocer que el significado de una imagen quizá dependa menos del «parecido» (que aseguraría el reconocimiento de las formas) que de la captación de esa «promesa de significado» que parece acompañar a toda organización plástica. La imagen, como dice Gombrich, orienta la proyección que nuestra mente, «ávida de significados, no cesa de buscar e integrar». Ello no impide, sin embargo, que las representaciones denominadas «realistas» presenten la virtud nada despreciable de que, al incorporar a la imagen una serie de rasgos «que en la vida real nos sirven para descubrir y contrastar el significado, permiten [que el artista pueda] prescindir de un número cada vez mayor de convencionalismos».

Abundando en esta perspectiva, Eco plantea la necesidad de mantener una teoría de la significación —a la hora de analizar el mundo de las imágenes— especialmente atenta al peso del *contexto* en el funcionamiento del sentido, no perdiendo nunca de vista el carácter *transitorio* del contrato sígnico que suelda la relación entre elementos expresivos y de contenido.

3. EL CONCEPTO DE PUESTA EN ESCENA

De todos los elementos presentes en un film, quizá sean los relacionados con la puesta en escena los que más directamente permanecen en la memoria espectatorial. Después de haber visto un film puede resultar, en efecto, difícil recordar (salvo tras repetidas visiones o revisiones en moviola) los movimientos de cámara, los juegos de montaje, la estructura de los diálogos o la distribución exacta de la música en la banda sonora. Siempre recordamos, sin embargo, cuestiones como el vestuario fastuoso de *Lo que el viento se llevó* (Victor Fleming, 1939), el color matizado de *El espíritu de la colmena* (Víctor Erice, 1973), la iluminación de fuertes contrastes en *Plácido* (Luis García Berlanga, 1961), la luz chirriante de *La caza* (Carlos Saura, 1964), o la imagen de inocente perversión con que Marilyn Monroe deja que el vapor emitido por los respiraderos del metro le levante las faldas en *La tentación vive arriba* (Billy Wilder, 1955). Todos ellos son elementos que tienen que ver con la puesta en escena.

El término *puesta en escena* viene del teatro y significa montar un espectáculo sobre el escenario. Aplicado al trabajo fílmico, describe la forma y composición de los elementos que aparecen en el encuadre. El desplazamiento metafórico del término teatral hacia el discurso fílmico tiene, sin embargo, cierta lógica. En efecto, el texto del guión, como el texto dramático, es montado espectacularmente para ser captado por la cámara. En ese sentido, no es de extrañar que la noción de puesta en escena fílmica incluya no sólo aquellos aspectos propios de lo cinematográfico (movimientos de cámara y escala y tamaño de los planos), sino también todos aquéllos compartidos con el espectáculo teatral (iluminación, decorados, vestuario, maquillaje, reparto, dirección y movimiento de los actores, etc.).

En el caso del cine, sin embargo, la base fotográfica que le sirve de fundamento ha dado lugar a una serie de equívocos que conviene aclarar. El primero y más importante es el que tiene que ver con la cuestión del realismo.

Ya hemos avanzado en la primera parte de este capítulo los problemas teóricos que comporta la noción de representación como semejanza, noción sobre la que se basa la idea de realismo, que la amplía hasta límites que hacen equivalente semejanza y reproducción.

En efecto, un caballo puede ser «realista» porque se parece a un caballo de los que existen en la realidad, del mismo modo que una forma de actuar de un personaje puede parecer «no realista» (en cuyo caso, la norma general es definir el trabajo del actor o actriz como «teatral») por el hecho de que las personas reales no actúan así en la vida diaria. Sin embargo, como antes avanzamos, lo que no fue realista en el momento de su aparición puede serlo en otro momento, del mismo modo que unas actuaciones actorales, como las de *La aldea maldita* (Florián Rey, 1929), consideradas como realistas en el momento del estreno del film, resultan hoy absolutamente distanciadoras y nada realistas. El carácter excesivamente melodramático e irreal de *Marcelino pan y vino* (Ladislao Wajda, 1954) no puede ser considerado como exceso si se piensa, por ejemplo, que responde al punto de vista de un franciscano contando la historia a una niña a punto de morir para hacerle incluso atractiva y no dolorosa la idea de la muerte, etc. Siendo, por tanto, un problema de códigos culturales, lo importante será analizar los elementos que componen la puesta en escena, de acuerdo con la función que cumplen en el interior de la estructura del film, sea éste narrativo o no, al margen de la cuestión del realismo.

En efecto, la puesta en escena tiene la capacidad de permitir ir más allá de la concepción normalizada que poseemos acerca de qué es la realidad construyendo, por ejemplo, un mundo imaginario, sin necesario referente real pero, sin embargo, totalmente verosímil, capaz de dejar en suspenso la descreencia de los espectadores a través de una forma diferente de producir efecto de realidad.

Recordemos la historia que, según se cuenta, le sucedió a Meliès. Al parecer, un día que estaba filmando en la Plaza de la Ópera, el motor de la cámara se atrancó justo cuando estaba pasando un tranvía delante del objetivo. Meliès arregló rápidamente el problema del motor y siguió filmando, pero para cuando esto sucedía, el tranvía ya había desaparecido. Cuando reveló el film, descubrió que el tranvía se convertía como por arte de magia en un coche fúnebre. Las imágenes filmadas eran reales; sin embargo, el resultado se alejaba de la realidad. Nadie ha visto, efectivamente, que un tranvía experimente una mutación tan espectacular en cuestión de segundos. Sea cierta la anécdota o no, lo que sí puede asegurarse es que casi todo el cine realizado por este hombre, proveniente del teatro de music-hall, se basa en la elaboración premeditada de este tipo de efectos.

Si pensamos en un film como *El hotel eléctrico* de Chomón, veremos que una filmación plano a plano (procedimiento que luego sería adoptado por el film de animación), permitía con elementos reales fragmentados crear una falsa continuidad fantástica en la que una máquina afeita sola, las camas y los muebles se mueven por su propio impulso, etc., sin salirnos, en apariencia, del mismo encuadre, equivalente, en este caso, a la embocadura de un teatro.

Sean, pues, los procedimientos meramente tecnológicos o no, ya desde los orígenes del cinematógrafo fue claro para los cineastas que la forma en que los componentes aparecían en la pantalla eran parte esencial de su propuesta de sentido. El cine permitía, por ello, reproducir mediante trucaje o por montaje, los cambios de decorado, iluminación, etc. hasta límites impensables en un escenario teatral.

4. LOS COMPONENTES DE LA PUESTA EN ESCENA

La puesta en escena engloba elementos diversos. Por una parte están aquellos que remiten al diseño global de la producción (iluminación, decorados construidos o naturales, vestuario, maquillaje, iluminación), por otra, los que se refieren al componente humano (reparto y dirección y distribución de los actores en el encuadre); por último, también tiene que ver globalmente con la constitución de un espacio y un tiempo determinados. Los citados en segundo lugar son, aunque muy comunes, secundarios respecto a los otros dos, ya que para que exista un film no es necesario que haya actores ni siquiera figuras humanas, o que las haya sólo en tanto elementos físicos sobre un paisaje. En el capítulo anterior citábamos el caso del célebre film de Geodfrey Reggio, *Koyaaitqatsi* (1983), en el que sólo imágenes acompañadas por una excelente partitura de Philip Glass (no hay textos gráficos, ni voces), permiten, sin embargo, construir una estructura portadora de sentido.

El diseño de producción es quizá la parte más importante, por cuanto de él depende en gran medida la coherencia final del film. Un ejemplo, muchas veces citado, es el de Cameron Menzies en *Lo que el viento se llevó*. Pese a los varios cambios de director (George Cukor, Sam Wood, Victor Fleming), el montaje final no deja ver la inscripción de diferentes direcciones de actores y de diferentes formas de entender la composición, gracias a la función unificadora que el diseño de Cameron Menzies otorgó a las diversas fases del rodaje.

4.1. El escenario

El escenario, o setting, es parte fundamental de la puesta en escena. En alguna medida funciona generalmente como una especie de contenedor de lo que ocurre en el film, pero puede, en ocasiones, situarse en primer plano y formar parte de lo que se cuenta. Pensemos, por ejemplo, en el hangar vacío que ocupa el plano final en la penúltima secuencia de *El verdugo* (Luis García Berlanga, 1963) o en la totalidad de los planos del ya citado *Koyaaitqatsi*.

El escenario puede ser natural o artificial, es decir, construido especialmente para la ocasión. Es este segundo caso, 1) puede buscar una verosimilitud extrema, intentando reproducir por todos los medios un efecto de realidad (caso de los films medios inscritos en el modo de representación institucional) o fingirla mediante transparencias, superponiendo en laboratorio imágenes tomadas por separado (caso, por ejemplo, de *La guerra de las galaxias* [George Lucas, 1976]) o bien 2) asumirlas como tales decorados explícitos (caso de *El gabinete del doctor Caligari* [Robert Wiene, 1921] o de *Karl May* [Sieberberg, 1974]).

Tanto sin son naturales como si son construidos, realistas o estilizados, en color o en blanco y negro, interiores o exteriores, los escenarios pueden funcionar de multitud de maneras y asumir un papel dramático o narrativo. Incluso determinados componentes individualizados (sean éstos humanos o no) dentro del escenario pueden por sí solos ser portadores de una específica función semántica: por ejemplo, la cajita con la cubierta de rayas transversales en *Un chien andalou*, la pelota de la niña en *M* (Frizt Lang, 1931), el cactus que sustituye a la rosa que nunca ha visto la protagonista en *El hombre que mató a Liberty Valance* (John Ford, 1962), el abuelo, «muy correcto» que acompaña a Paul McCartney en *¡Qué noche la de aquel día!* (Richard Lester, 1964) o el extraño submarinista que aparece por todas partes buscando el polo norte en *Help!* (Richard Lester, 1965). Estos elementos pueden cumplir una función por su sola inclusión como parte del decorado (los libros que lee Fernando Fernán Gómez en *Feroz* [Manuel Gutiérrez Aragón, 1984], todos, algo redundantemente, de Jean Piaget, informan de las razones por las que el personaje acogerá al oso en su casa), o por su carácter recurrente. La cortina de la ducha en *Psicosis* (Alfred Hitchcock, 1961) será, la primera vez que aparezca, un simple elemento del decorado; más tarde connotará el recuerdo del crimen, por cuanto Norman Bates la utiliza para envolver el cadáver. La bicicleta insistentamente fotografiada en *Yo confieso* (Alfred Hitchcock, 1953) servirá para descargar la tensión del espectador cuando, en un punto álgido del llamado *suspense*, caiga con estrépito fuera de campo, etc.

4.2. Vestuario y maquillaje

Al igual que los componentes del escenario, los vestidos y el maquillaje ocupan un lugar importante en la puesta en escena. El vestuario puede ser neutro o buscar un efecto de naturalización y verosimilitud (por ejemplo, en un film histórico o que intente reconstruir un determinado ambiente de época) o una estilización que, sin ser realista, construya una tipología de personaje (el sombrero y el poncho mexicano en el *western*, el frac y la capa en las películas de Drácula, los trajes espaciales en *Star Trek*, el bombín y el bastón de Charlot, el látigo y la chaqueta de cuero usada que lleva Indiana Jones); puede servir para definir edad, clase social, raza o nacionalidad o servir para caracterizar actitudes de los personajes (la ropa masculina que viste Joan Crawford en *Johnny Guitar* [Nicholas Ray, 1954] la define como mujer fuerte e independiente, frente a la imagen recatada de Grace Kelly en *Sólo ante el peligro* [Fred Zinneman, 1952]). Los ejemplos podrían multiplicarse. Lo importante, sin embargo, es subrayar el hecho de que el vestido puede cumplir una función específica como elemento articulador de significado.

Lo mismo ocurre con el maquillaje. Su función primordial es caracterizar la imagen que los actores presentan en el encuadre. Puede ser *neutro*, es decir, cumplir sólo el papel de «naturalizar» un rostro bajo los focos (eliminando reflejos, ayudando a refinir rasgos que la potencia de la luz podría difuminar, etc.), o *marcado*, para indicar actitudes, o estados de ánimo de los personajes, o provocar un determinado efecto en la percepción de los espectadores. En *Sed de mal* (Orson Welles, 1957), por ejemplo, es el maquillaje lo que convierte a Quinlan, el comisario mexicano, en alguien repulsivo, frente a la aséptica normalidad del policía americano que interpreta Charlton Heston. Gran parte del poder de atracción de las composiciones actorales de Alec Guinness (no en vano conocido como el actor de las mil caras) se basan en el maquillaje; pensemos, por ejemplo, en *El quinteto de la muerte* (Alexander Mackendrick, 1955). Otro tanto ocurre con Orson Welles en *Campanadas a medianoche* (O. W., 1965) o Marlon Brando en *El Padrino* (Francis Ford Coppola, 1972), actores que,

131

a los 48 y 46 años de edad respectivamente, dan cuerpo a ancianos verosímiles por efecto de la posticería. El maquillaje puede también definir una tipología (el falso bigote pintado de Groucho Marx, la peluca rizada de Harpo) o desrealizar a un personaje (el rojo de clown en las mejillas de los locos que interpretan el papel del coro en *Marat-Sade* [Peter Brook, 1966], frente al maquillaje naturalista del resto del reparto). Puede incluso no existir maquillaje alguno como forma de producir un efecto específico de desnudez (caso de *La pasión de Juana de Arco* [Carl Dreyer, 1928]).

4.3. Iluminación

La luz es extremadamente importante en la puesta en escena. Puede ser también, como el maquillaje y el vestuario, neutra y servir sólo para que el encuadre sea percibido con nitidez. La mayoría de las veces, sin embargo, cumple una función dramática y de composición. Puede delimitar o definir objetos, lugares y personajes mediante el juego de luces y sombras, realzar o difuminar determinados componentes del encuadre o forzar la percepción que de ellos se tenga desde un particular punto de vista caracterizador. La aparición de los personajes de «mujer fatal» en el cine negro va siempre asociada a un ambiente de nocturnidad y fuertes contrastes de luz y sombras, mientras que los que representan el lado virtuoso de la existencia se relacionan con la claridad diurna y una iluminación más fuerte.

La iluminación funciona como dispositivo retórico de puesta en escena según su *calidad, dirección, fuente* y *color.*

La calidad se refiere a la intensidad. Una iluminación intensa define claramente la oposición de luces y sombras, mientras una iluminación tamizada por filtros crea un espacio de luz difusa que difumina contornos y neutraliza contrastes.

La dirección de la luz se refiere al lugar desde donde surge y es proyectada sobre el objeto presente en el encuadre. Dicha dirección permite producir efectos determinados en la composición. Una luz vertical, cayendo desde arriba sobre el personaje o iluminándolo desde abajo, puede construir una imagen fantasmagórica o inscribir en su rostro un aura mística de elevación casi religiosa (pensemos, por ejemplo, en la luz que ilumina el rostro de José Nieto en la escena de su inverosímil «conversión» en *Espíritu de una raza* [José Luis Sáenz de Heredia, 1940], o en la que hace otro tanto con el rostro de Maria Falconetti en la citada *La pasión de Juana de Arco).*

La fuente puede ser diegética o no diegética, realista o no realista, cumplir un papel de referencia cultural (en determinados encuadres de *Barry Lindon* [Stanley Kubrick, 1974], por ejemplo, es aparentemente una vela, remitiendo a la iluminación de la pintura de Georges Latour), inscribir en el encuadre una exterioridad fuera de campo (Gene Kelly iluminado por la luz de una farola ausente en la pantalla en *Cantando bajo la lluvia* [Stanley Donen/Gene Kelly, 1950]) o mostrarse a sí misma como tal fuente, explícitamente artificial (la luz del foco sobre el rostro de Dick Powell cuando es interrogado en comisaría en *Historia de un detective* [Edward Dmytryk, 1941], etc.). Del mismo modo, la iluminación puede utilizarse para colorear naturalista o estilizadamente un encuadre.

Probablemente sea este elemento lumínico el más importante en la puesta en escena ciematográfica. Calidad, dirección, fuente y color pueden, juntos o por separado, configurar tanto la composición como el carácter significativo de un plano o del film en su totalidad.

4.4 *Reparto y dirección de actores*

Determinados films no funcionan pese a contar con un excelente diseño, un guión inteligente y una fotografía e iluminación adecuadas, por el hecho de poseer un reparto disfuncional. En efecto, la elección de los actores o actrices que deban dar presencia física a los personajes es también parte integrante de la puesta en escena. Las sucesivas versiones del guión de Hecht y MacArthur *Primera plana (The Front Page* [Lewis Milestone, 1932], *His Girl Friday* [Howard Hawks, 1940], *The Front Page* [Billy Wilder, 1974] y *Switching Channels* [Ted Kotcheff, 1988]) deben sus diferencias fundamentalmente, aparte de detalles mínimos de guión para adaptar la historia a la época histórica del rodaje, al hecho del reparto. Entre Adolphe Menjou, Cary Grant, Walter Mathau y Burt Reynolds, por citar algunos de los que asumen idéntico papel en el reparto, no sólo hay divergencias generacionales y de escuela de interpretación, sino que, en tanto tipos físicos de actor, han construido tipologías de personajes muy diferentes entre sí. Lo mismo puede decirse de las parejas Edmond O'Brien/Jack Lemmon y Rosalind Russell/Kathleen Turner en las versiones respectivas de Milestone y Wilder (primer caso) y de Hawks y Kotcheff (segundo caso). No se trata de que en unos films la composición sea creíble y en otros no. El realismo no tiene nada que ver.

La elección de un actor o actriz, a veces impuesta por imperativos de financiación, puede condicionar el resultado final, por el hecho de no funcionar en relación con el resto de los elementos de la puesta en escena. Cuando Luchino Visconti eligió a Marcello Mastroianni para interpretar el personaje de Mersault en su adaptación de *El extranjero* de Albert Camus (1967), muchos críticos pensaron que sería un fracaso. Un rostro tan conocido como el de Mastroianni no podía hacer creíble a esa especie de *uomo qualunque,* difícilmente individualizable en razón de su propia indefinición. Sin embargo, el actor italiano funcionó a la perfección, hasta el punto de acabar siendo, quizá, el mayor acierto del film. El reparto y las formas de interpretación, en consecuencia, deben ser abordados en relación con su funcionalidad en cada film concreto.

Un actor o actriz, al dar cuerpo y voz a un personaje, cumplen tres tipos diferentes de función: como *persona,* como *papel* y como *actante.* La primera función remite a la producción de un efecto de realidad como resultado de su actuación. Ningún efecto debe ser confundido con algo real; sin embargo, podemos a analizar la «superficialidad» o «profundidad» psicológica de un personaje en tanto efecto construido. De ese modo se hace posible distinguir entre personajes *planos* y *complejos,* personajes *lineales* o *contrastados, estáticos* o *dinámicos,* etc. En todos estos casos el personaje puede ser abordado desde las perspectivas del *carácter,* es decir, en tanto aparente entidad psicológica, o desde la de su *comportamiento,* es decir, como mero soporte de las acciones que se suceden en el film. En el modo de representación institucional, la primera perspectiva es fundamental. En films más radicalmente conscientes de su estatuto retórico, ni siquiera se da (caso de *El año pasado en Mariembad* [Alain Resnais, 1961], *El hombre que miente* [Alain Robbe-Grillet, 1965] o *India Song* (Marguerite Duras, 1975]). La segunda función remite a su ubicación jerárquica en el desarrollo de la historia (personajes *protagonistas, antagonistas* o *secundarios),* a su relación con los otros pesonajes *(activos* o *pasivos, autónomos* o *influyentes)* o a su forma de intervención en las acciones *(modificadores* o *conservadores),* etc. La tercera función remite a su consideración a partir de un modelo abstracto dentro de un esquema que dé cuenta de la lógica de las acciones (por ejemplo personaje *objeto* o *sujeto, destinador* o *destinatario, ayudante* u *opositor).*

Decíamos que un personaje se construye a partir de una actuación. Ésta se compone de elementos visuales (presencia física en el encuadre, gesticulación, expresión facial) y sonoros (voz, tonalidad). A veces una actuación se basa sólo en el aspecto visual (en todo el cine mudo, por ejemplo) o sólo en el sonoro: en *Eh, Joe* (1965), primera incursión de Samuel Beckett en el terreno de la televisión, Joe es sólo una presencia muda y la voz que nos habla desde la banda sonora remite a un personaje nunca presente en el encuadre. Por lo general, sin embargo, imagen y sonido son parte de una misma composición actoral, de ahí que el doblaje, por definición, sea siempre, en la práctica, una perturbación, por cuando sólo puede traducir el significado de las palabras pero no el tono ni el «grano» de la voz que las emite. De cualquier forma, si no percibimos el doblaje como perturbación se debe al hecho de que la relación imagen/sonido funciona en el film en tanto resultado de una construcción y no como *a priori*. En el film *Bilbao* (Bigas Luna, 1978), el personaje de Ángel Jové prácticamente no abre la boca durante los casi cien minutos de proyección, y la voz off que se supone la suya propia, es la de otro actor, Mario Gas. Ello no implica, sin embargo, que dentro del film funcione como ajena.

5. TIEMPO Y ESPACIO DE LA PUESTA EN ESCENA

Todos los elementos anteriormente citados son importantes, bien de manera aislada, bien a través de su combinación con otro u otros elementos a la hora de producir un determinado efecto individual o dentro del conjunto del film. Conviene ahora detenerse en la forma en que dichos elementos están presentes en el film, lo que nos lleva necesariamente al problema del espacio y el tiempo.

La imagen proyectada sobre la pantalla es plana. Es el uso de la luz y las sombras lo que, por la puesta en escena, *compone* un espacio pictórico y, a través de determinados recursos, *produce como efecto* un simulacro de espacio tridimensional. De esa forma la mirada espectatorial, tanto desde el punto de vista del movimiento físico de los ojos, como desde que se refiere a la atención que prestamos a lo que sucede en la pantalla, está materialmente forzada a seguir una dirección estipulada por la interacción existente entre la composición bidimensional y el efecto representado de tridimensionalidad.

En efecto, la mirada se mueve guiada por ciertos movimientos, luces, colores, distribución y tamaños. Un elemento móvil atraerá más la atención que uno estático. En un plano, por ejemplo, donde vemos a una pareja paseando sobre una plaza llena de palomas con una catedral al fondo y personas sentadas en mesas de café, los ojos seguirán el deambular de los paseantes; basta, sin embargo, que las palomas empiecen a volar para que los ojos se desplacen de inmediato hacia ellas. Cuando los elementos que se mueven dentro de un encuadre son varios (como sucede en la mayoría de los casos), nuestra atención se dirigirá a unos u otros de acuerdo con las expectativas que previamente tenemos acerca de la importancia de unos u otros respecto a lo que, consciente o inconscientemente, esperamos del desarrollo de la acción. *Esto quiere decir que no vemos siempre lo que hay, sino lo que buscamos ver.*

El juego de luces y colores funciona de manera similar. Cuando, por ejemplo, en *La ley de la calle* (Francis Ford Coppola, 1983) aparecen los «rumble fishes» coloreados sobre una pantalla en blanco y negro, nos vemos forzados a fijar nuestra atención en esos diminutos peces que luchan por matar la imagen que reflejan en la superficie de la pecera. Una parte del encuadre más iluminada que otra obligará asimismo a dirigir la mirada sobre los elementos que reciben mayor cantidad de luz. Ello no quiere decir, sin embargo, que la parte más importante sea ésta. En *El tercer hombre* (Carol Reed, 1949), en la secuencia de la primera aparición de Orson Welles, lo principal del plano está situado precisamente en la zona de sombra; *es aquello que no vemos, pero deseamos ver,* lo que obliga a dirigir la mirada hacia la oscuridad que olisquea un gato, y de la que por una panorámica vertical, de abajo arriba, surgirá, cínico y sonriente, el especulador supuestamente asesinado.

La distribución y tamaño de los elementos también dirigen la mirada del espectador, obviamente. Una figura hablando en el centro del encuadre desvía la atención de lo que está situado a los bordes o en el aparente «fondo» de la pantalla. Sólo si alguno de esos otros elementos se mueve, atrae de nuevo nuestra mirada.

En los films basados en la simple articulación de formas móviles sobre la pantalla (muchos de los encuadrados dentro de las llamadas «vanguardias históricas» o los más modernos de Philippe Garrel, por ejemplo), la atención está regulada por la bimensionalidad. En la mayoría de los casos, sin embargo, lo está por el efecto de representación de las tres dimensiones. Dicho efecto se construye de acuerdo con un determinado uso y combinación de sombras, luces, movimientos y tamaños. En el impresionante plano final de *Annie Hall* (Woody Allen, 1976), la connotación de vacío del espacio de la cafetería donde Alvin y Annie han tenido su último y definitivo encuentro, se produce por la existencia de otro espacio exterior que vemos en el fondo del plano, con gente caminando por la calle. La vida sigue impertérrita su ritmo habitual, ajena al cínico estoicismo con que la voz off de Alvin asegura que aunque su hermano crea ser una gallina no le manda al psiquiatra porque necesita los huevos. La profundidad espacial se crea por la relación de dos elementos, tamaño (menor en los semáforos o edificios, mayor en las mesas y sillas vacías de la cafetería) y movimiento. Eso es lo que se define como *diferentes planos de profundidad* en un encuadre. En efecto, sólo la pantalla en blanco ofrece, en sentido estricto, un plano único de profundidad.

Todos estos juegos retóricos de composición articulan una específica manera de forzar la mirada espectatorial de acuerdo con una función dramática, poética o narrativa particular en cada film concreto.

De la misma forma que el espacio, la *temporalidad* desempeña un papel importante en la puesta en escena. Sólo los planos de muy corta duración nos permiten mirar la totalidad de la composición a la vez. Por lo general, sin embargo, la simultaneidad debe ser aprehendida sucesivamente. Mirar un plano consume tiempo. La temporalidad, pues, puede ser utilizada como elemento fundamental de guiar la concentración de nuestra mirada. Volviendo al ejemplo antes citado de la pareja paseando en la plaza con palomas, primero vemos a los paseantes, luego, las palomas, atraídos por su repentido vuelo. Cuando éstas han desaparecido de campo, y suponiendo que los paseantes se hayan detenido, podemos fijarnos en las figuras sentadas en las mesas de la plaza o en la arquitectura de la fachada de la catedral. De ese modo la inscripción de la temporalidad de la visión impone no sólo qué mirar en cada momento, sino en qué orden aprehender la totalidad del plano.

6. Cuatro comentarios de puesta en escena

Tras lo expuesto anteriormente, estamos ahora mejor situados para abordar el problema de la puesta en escena en cuatro films concretos. Los dos primeros comentarios la abordarán en el caso de la narratividad cinematográfica; el tercero en el de un cine que simula asumir el carácter hegemónico del modo narrativo institucional «relato» para subvertir su significado. Por último, nos centraremos en un caso del llamado «cine documental».

Aunque el cine pueda escapar de esa fatalidad sintagmática de la narración—como decía Roland Barthes—, aproximándose a los usos y maneras del lenguaje poético, en nuestro hábito de ir al cine parece quedar implícito el hecho de que vamos a él para que nos cuenten historias. No obstante, la narración no es una adquisición natural del cine desde sus inicios. Es en cierto sentido una construcción histórica, lograda al mismo tiempo que su consolidación como industria del espectáculo, y que el teórico e historiador Noël Burch ubica en torno a la fecha de 1910 y a la obra de primitivos americanos como Edwin S. Porter y David W. Griffith. Lo que algunos llaman prehistoria del cine (el periodo 1895-1910) basaban, fundamentalmente, su atractivo cara al público en la propia invención de la maquinaria —cámara tomavistas y aparato de proyección— que provocaba una ilusión de realidad, mediante la captación del movimiento en su materialidad. Las primeras películas del cinematógrafo eran postales en movimiento que transmitían el comienzo y fin de una acción (salida de los obreros de la fábrica, llegada del tren a la estación, barcas saliendo del puerto...-). Lo que hará la institución cinematográfica, a partir de la creación de Hollywood, es tratar de transmitir al espectador la falsa realidad de esa ilusión. Boris Eichenbaum, en un artículo de 1927, centrará el problema de la evolución del cine en dos fases: de la invención a la toma de conciencia del instrumento:

> Conviene distinguir dos fases en la historia del cine: la invención del instrumento, gracias al cual ha sido posible reproducir el movimiento en la pantalla, y su utilización para transformar la película cinematográfica en film. En el primer estadio, el cinematógrafo no era más que un aparato, un mecanismo; en el segundo, se ha convertido en una especie de instrumento en las manos del operador y el director. Estos dos aspectos, evidentemente, no son fortuitos El primero es el resultado natural de los perfeccionamientos técnicos de la fotografía; el segundo, resultado natural y obligatorio de las nuevas exigencias artísticas. El primero corresponde al dominio de las invenciones que han progresado según las leyes de su lógica propia; el segundo puede clasificarse entre los descubrimientos: el instrumento puede ser *utilizado* para reglamentar el nuevo arte, un arte cuya necesidad se presentía desde hace tiempo.

Jacques Aumont da tres razones fundamentales para que el encuentro entre el cine y la narración tenga lugar:

A) *La imagen móvil figurativa*. Esta característica del cinematógrafo hace que el solo hecho de mostrar un objeto reconocible en la pantalla sea un *acto de ostentación,* implicador de que alguna cosa se quiere decir a propósito de dicho objeto.

B) *La imagen en movimiento.* Como hemos visto en las páginas anteriores, lo representado en el cine lo es en *devenir,* en una progresión lineal de antes-después que acaba siendo asociada a la ley causa-efecto propia del relato.

C) *La búsqueda de una legitimidad.* Para que el cine se convirtiera en un espectáculo de masas debía ser previamente reconocido como arte por las clases dirigentes. Los modelos de verosimilitud del teatro y la novela burgueses proporcionan al cine su imprescindible marchamo de calidad para ser aceptado.

El hecho de que el cine se acercara, en sus primeros años de existencia, a los grandes modelos narrativos establecidos —la Biblia y ciertas novelas populares, como *La cabaña del tío Tom,* por ejemplo— dice mucho sobre la posibilidad de ser narrativa. Ahora bien, estos modelos son abordados de forma radicalmente diferente a como hoy estamos acostumbrados a disfrutarlos. En primer lugar, la longitud de estos films apenas superaba los diez minutos de proyección, lo cual obligaba, necesariamente, a representar en ellos únicamente los momentos culminantes de la acción narrativa, supliendo con carteles —o, más frecuentemente, con la figura del explicador al lado de la pantalla— las lagunas del relato. En este Modo de Representación Primitivo (M.R.P.) *no existe clausura de la diégesis:* la narración no se explica por sí misma a los ojos del espectador. Por otro lado, la *distancia de la cámara* con respecto a lo que ante ella se representa es considerable, reproduciendo, en cierta forma, la embocadura de un escenario teatral a la italiana visto desde el patio de butacas. *Se privilegia el espacio/tiempo del espectador en la sala, frente al espacio/tiempo del film.* La situación de dicho espectador es siempre exterior a la acción del film, no se implica en ella. Por otra parte, la *cualidad no centrada de la imagen* —que puede animarse, aleatoriamente, desde cualquier ángulo: andén de la estación, tráfico en la calle...— unida a la *autarquía/unicidad de cada encuadre* (acción que empieza y acaba en el interior de un cuadro fijo), contribuye a ese carácter de *postal animada,* vista a cierta distancia, propio del cine primitivo.

Noël Burch opone al M.R.P. el Modo de Representación Institucional (M.R.I.), propio del cine narrativo clásico, cuyas principales adquisiciones y mecanismos persuasores cristalizan, como ya hemos dicho, en torno a 1910 y a la obra de Porter y Griffith. En el M.R.I., los personajes empiezan a moverse por un *espacio pictórico habitable* —y no ya frontalmente ante una tela pintada—

propiciador de la clausura diegética en la que el ojo del espectador se orienta sin necesidad de glosa alguna del explicador. *La cámara se aproxima a los rostros y las acciones,* sirviendo de vehículo para *puntos de vista* sobre los acontecimientos narrados. *La imagen queda centrada,* buscando puntos concretos de anclaje visual, dinamizando la solidificación del encuadre primitivo, concebido no ya como un elemento autárquico, equivalente a la toma de vistas, sino como eslabón en una cadena significante. La propuesta de Burch puede quedar resumida en el siguiente esquema:

M.R.P.:	M.R.I.:
1. Autarquía/unicidad de cada encuadre. 2. Centrado de la imagen. 3. Distancia de la cámara. 4. No clausura de la diégesis.	1. Encuadre como eslabón en una cadena significante. 2. Cualidad no centrada de la imagen. 3. Aproximación de la cámara. Vehiculación de diferentes puntos de vista. 4. Clausura de la diégesis. Creación de un espacio pictórico habitable por los personajes.

El M.R.I. establece, pues, una reglamentación codificada de las imágenes cinematográficas —con vista a que el espectador las perciba como una continuidad espacio-temporal lineal, transparente y sin rupturas— y puede ser definido como el conjunto de las directrices (escritas o no) que, históricamente, han sido interiorizadas por los cineastas y los técnicos como la base irreductible del lenguaje cinematográfico en el seno de la Institución, y que han permanecido constantes a lo largo de cincuenta años, independientemente de las importantes transformaciones estilísticas que hayan podido existir en su desarrollo.

Dice Burch: «Había que hacer invisible, por artificio, lo que no lo era "naturalmente" para convencer particularmente al espectador de que se podía fragmentar el espacio profílmico (que no fue, en una primera época, sino el del proscenio teatral) y hacerle admitir que estos fragmentos, desfilando sucesivamente ante él, en un espacio siempre idéntico (la "ventana" de la pantalla) podían constituir un espacio *mentalmente continuo.* Lo que no era (casi) más complicado que esto: para llegar a una credibilidad novelesca, era necesario, por una parte, poder filmar objetos o personajes de cerca —aislar un rostro, una mano, un adorno (como lo hace el discurso novelesco)—, pero *evitando* desorientar al espectador con relación a su propio análisis "razonado" (instintivo, en realidad, pero compatible con la razón inmediata) del continuo espacial en causa en aquel momento, evitando del mismo modo atraer su atención sobre los artificios por los que se alcanza esta ilusión de la continuidad».

Centrándonos en el ámbito de los personajes, a partir de sus miradas y movimientos, podemos distinguir cuatro relaciones fundamentales. Si se trata de un solo personaje mirando, nos encontramos ante un *punto de vista*. Así, en *Ciudadano Kane* (Orson Welles, 1941), un desplazamiento de la cámara en picado sobre el protagonista durante su discurso electoral en el Madison Square Garden queda justificado, en el plano siguiente, por el punto de vista de su enemigo político, el senador Jim Gettys, desde el palco (foto 12). Cuando entran en juego dos miradas —por ejemplo, una conversación entre dos interlocutores—, la relación de una con respecto a la otra es de *campo-contracampo (o contraplano)*. Un ejemplo clásico lo tenemos en la emocionada despedida de Rick e Ilsa en el aeropuerto, perteneciente a *Casablanca* (Michael Curtiz, 1942). La posición de los personajes y la dirección de sus miradas es perfectamente simétrica (fotos 13-14 y 15-16). Obsérvese, en B2, la *continuidad* del gesto cariñoso de Rick en el plano anterior (mano acariciando suavemente la mejilla y el mentón de Ilsa).

Cuando el personaje está en movimiento, puede desplazarse en relación a los bordes del encuadre, con lo cual tenemos la *entrada y salida de cam*po. La atribulada madre de familia de la película de Griffith *The lonely villa* (1909), sale de campo, con su hija, por el lado izquierdo del encuadre (foto 17) para entrar, en el siguiente plano, por el lado derecho (foto 18). La continuidad del movimiento —que relaciona dos habitaciones contiguas a través de la puerta de comunicación— es perfecta, y el ojo del espectador la percibe como si se tratara de un único desplazamiento. Si las evoluciones del personaje tienen lugar en el interior del encuadre, las transiciones de un plano a otro se producirán mediante *raccords de movimiento*. Así, Gene Kelly en *Cantando bajo la lluvia* (Stanley Donen/Gene Kelly, 1952) cierra el paraguas, llevándoselo al hombro a guisa de fusil en 19, continuando el movimiento en el siguiente plano (foto 20). Igual sucede, momentos después, con el gesto de la mano en el sombrero (fotos 21-22).

En los dos últimos ejemplos, para que la continuidad del movimiento sea perfecta —*invisible* como «recosido» de dos planos distintos para el ojo del espectador—, las magnitudes escalares de A y B no deben ser muy diferentes. Griffith mantiene, exactamente, la escala del plano de conjunto en A3-B3. Donen-Kelly la alteran mínimamente: del plano americano (A4) al de conjunto (B4) y, nuevamente, del plano medio corto (A5) al plano de conjunto (B5). Si el *raccord* se hiciera entre dos planos de escala extrema (por ejemplo, de plano general a plano de detalle), la molestia visual para el espectador sería considerable. Esto no quiere decir que algunos realizadores no puedan utilizar dicha molestia como un efecto expresivo más.

La palabra clave para entender el mecanismo del *raccord* es la de *sutura*. Sutura de espacios, de movimientos, de miradas..., que se traduce, para el espectador, en la sensación de *continuidad perceptiva*, de *invisibilidad de la puesta en escena*. Esa perfecta transitividad entre el objeto y su expresión llevó a algunos teóricos idealistas del hecho fílmico (André Bazin, Henri Agel) a la afirmación de que el cine traducía la realidad perceptiva de lo invisible, convirtiéndose la pantalla en una mágica ventana abierta al mundo, sin mayores mediaciones.

Particularmente importante resulta el dispositivo del *raccord* de miradas, esencial en el cine narrativo institucional. Tal dispositivo interpela directamente al deseo del espectador: ver y ver cada vez más. La pantalla debe provocar nuestra mirada, y el *raccord* de miradas intentará por todos los medios que nuestro ojo se identifique con el de alguno de los personajes. En un film podemos, simplemente, ser testigos de un *intercambio relacional* de miradas. En *The school teacher and the waif* (D. W. Griffith, 1912), el abuelo de Nora recibe la notificación de que su nieta debe ser escolarizada y, esgrimiendo el papel oficial, la llama desde el interior de la vivienda (foto 23). Nora contesta desde el exterior (foto 24), con la mirada vuelta hacia el lado izquierdo del encuadre, en perfecto *raccord* visual. La *sutura* de ambas miradas ubica espacialmente al espectador —que percibe así casa y patio como espacios contiguos— y, al mismo tiempo, traduce una diferencia, muy explícita a lo largo del film: la oposición orden (interior) frente a libertad (exterior).

El raccord, pues, une, mientras que el sintagma narrativo relaciona. Si evocamos ahora la serie sintagmática de imágenes que vimos en el capítulo segundo, nos daremos cuenta de hasta qué punto la alteración en el orden de las dos últimas fotografías (cadáveres-grupo airado) cambiaría el *sentido* último de la serie. Finalizando con los hombres en actitud de rebeldía, las significa-

142

ciones potenciales de la cadena quedarían abiertas. Si adjudicamos el último lugar a la fotografía del montón de cadáveres, el sentido de la serie ya no es abierto, sino cerrado: la rebelión conduce, indefectiblemente, a la muerte. El proceso narrativo, como un sutil mecanismo de relojería, obliga a una determinada imbricación de sus elementos constituyentes, sin la cual el control del sentido se nos escaparía. Como ejemplo final de lo que en cine es una pertinente *unión y relación* de imágenes —implicación del punto de vista, leyes de la causalidad— vamos a centrarnos, nuevamente, en *Casablanca*. El espectador ya ha sido testigo de la triunfal aparición de Ilsa (Ingrid Bergman) en el café de Rick (Humphrey Bogart). Ilsa se dirige a Sam (Dooley Wilson), el pianista negro, lo saluda y le ruega que interprete la canción («As time goes by») que, en el París anterior a la guerra, había ambientado su idilio con Rick. No sin reticencias —se trata de una canción prohibida en el café por su dueño, tras el abandono de Ilsa—, Sam empieza a cantarla, acompañándose al piano. Acude Rick furioso, recordándole la prohibición (foto 25). Rick todavía no ha visto a Ilsa, pero los expresivos ojos de Sam, vueltos hacia el lado derecho del encuadre, se encargan de guiar su mirada (foto 26, seguimos dentro del mismo plano). Rick levanta los ojos (foto 27) y se produce el emocionante cambio de plano sobre el rostro de Ilsa (foto 28), mediante el cual Curtiz condensa —ayudado por la brillante orquestación que Max Steiner hace de la canción de Sam— toda la herida abierta del tiempo transcurrido, los amores devastados y la soledad irremediable del protagonista. El petrificado rostro de Bogart (foto 29) recibe —y con él nosotros, espectadores— la demandante mirada de Ilsa como un impacto.

En ese mecanismo retórico se fundamenta la llamada «magia del cine narrativo»: en el hecho de implicar nuestra mirada en la acción, de ser testigos privilegiados de imágenes que, tal vez, se ocultan para mejor mostrarse a la luz del deseo. En 27, el espectador es consciente de lo que va a encontrar la mirada de Rick. El *raccord* de mirada une, casi fatalmente, un plano con otro, pero antes, los ojos de Sam han designado un fuera de campo que nos fuerza a seguir viendo, a permanecer atentos a la pantalla —causa/efecto, mirada/objeto— para que el fluir de las imágenes nos complete, por un momento, la *visión parcial* (mirada imaginaria al campo ausente) cuya *mostración* es clave esencial y motor desencadenante del relato cinematográfico.

Como ha escrito Paul Bonitzer: «La fotografía normal está como fragmentada, no sólo sobre una porción de espacio, sino también sobre el flujo continuo del tiempo; fija un instante, una sección vertical del tiempo. Igualmente, opera en duración continua. Por el contrario, el fotograma de cine retiene en su trama los ángulos, los pliegues de una duración fabricada, articulada, dramatizada. La visión parcial se sitúa en el ángulo del espacio y del tiempo cinematográficos..., y es así indicio de la causa, de la causa del deseo. Mantiene el deseo por el deseo (o el temor) de ver.»

6.1. *Primer comentario:*
La puesta en escena de la narratividad en Ciudadano Kane

Al igual que sucede en el campo de la novela a partir de la gran crisis abierta tras el naturalismo literario (Company, 1986), el cine narrativo va a asumir, con *Ciudadano Kane* (Orson Welles, 1941), dos nuevas características dinamizadoras de su estructura: *la pérdida de la omnisciencia* —relato lineal en tercera persona, desde fuera de la acción, que lo sabe todo de sus personajes— y, unida a ella, *la fractura del sujeto de la enunciación,* hasta ahora único e indivisible, canalizándose la información narrativa a través de diferentes *perspectivas*. Si la novela contemporánea se caracteriza por el deslizamiento de sus mecanismos de sentido hacia problemas derivados de la materialidad misma de la escritura y de la especificidad del lenguaje, del cine que surge con *Ciudadano Kane* se propondrá un trabajo riguroso sobre los *puntos de vista* que rigen la acción.

En una primera ojeada, la materia básica de la ficción en *Kane* está constituida por el encadenamiento de diferentes narraciones de personajes que forman parte de la acción. Todas ellas tienen, como punto en común, el estar centradas sobre un mismo personaje (el prepotente Charles Foster Kane) y todas, igualmente, tratan de desvelar la motivación última de sus actos —su *destino* individual— a través de la interpretación de una misteriosa palabra *(Rosebud)* que pronunció antes de morir.

Orson Welles (1915-1985) llega a Hollywood para realizar su primer film en 1940. Como escritor y hombre de teatro al frente de su propia compañía *(Mecury Theatre),* había protagonizado el mayor pánico colectivo de la historia de la radio con su ya mítica retransmisión *verista* de *La guerra de los mundos,* de H. G. Wells, el 30 de octubre de 1938. Un hombre capaz de hacer creer que los marcianos invadían Nueva York estaba, forzosamente, destinado a ocupar un lugar en la mayor industria mundial del espectáculo, y la productora RKO le propone un ventajosísimo contrato, que Welles firma el 21 de agosto de 1939, mediante el cual se le daba total carta blanca para la realización de la película, estableciendo un control absoluto sobre el montaje final de la misma.

La RKO (Radio Keith Orphcum Corporation) era una *Major Company* en el Hollywood de la época, surgida —como era, por otra parte, habitual— de la unión entre un grupo productor (Radio Pictures, de Joseph P. Kennedy) y un grupo distribuidor (KAO, Keith-Albee-Orpheum Corporation), a los que, posteriormente, se sumaría la firma RCA, con capital financiero de las bancas Rockefeller y Morgan. A lo largo de sus casi treinta años de existencia (1928-1957), la RKO desarrolló una política de cine de géneros, alternando producciones costosas y de prestigio (como los dos primeros films de Welles) con otros de bajo presupuesto, destinados a ser amortizados en los circuitos de programa doble (los films fantásticos de Jacques Tourneur, producidos por Val Lewton, por ejemplo, y otros llamados de serie B).

Aunque, por su misma inexperiencia cinematográfica, Welles asumirá funciones que no le correspondían —la colocación de las luces en el decorado, por ejemplo—, en líneas generales se benefició de la racionalizacion del trabajo propia de los rodajes en estudio. Así, contó con Van Nest Polglase —nombre habitual de la casa— como director artístico, Gregg Toland en la fotografía y Bernard Herrmann en la música.

Más de un año después de la firma del contrato, y tras desestimar el proyecto inicialmente concebido —una adaptación de El *corazón de las tinieblas,* de Joseph Conrad—, Welles comienza el rodaje de *Ciudadano Kane,* que se extenderá a lo largo de cuatro meses (30 julio-23 octubre de 1940). El estreno tendrá lugar el 1 de mayo de 1941 en el Palace Theatre de Nueva York. El film cosechará abundantes críticas laudatorias y un estrepitoso fracaso de público, algo que sería ya una constante en la carrera del realizador .

En un ámbito dominado por el *look* (o imagen de marca) de las productoras y la comercialización del film basada en los oropeles del *star-system,* Welles se autoproclama la única *star* de su película: el cineasta se erige en *patrón y dueño del sentido.* Gérard Leblanc, en un análisis economicista de la película que hoy nos hace sonreír por su ingenuidad, acierta, sin embargo, al relacionar la causa del fracaso taquillero de *Ciudadano Kane* con esos *rasgos autorales* desmedidos de la obra que entran en abierta contradicción con la *puesta en escena invisible,* característica, como ya dijimos, del modelo institucional en que pretendía inscribirse.

Desde el punto de vista técnico, *Ciudadano Kane* utiliza sistemáticamente lentes de focal corta que proporcionan a las imágenes del film una *profundidad de campo* insólita hasta entonces, donde todos los elementos del campo visual son nítidamente percibidos por el espectador. Los primitivos del cinematógrafo ya las habían utilizado anteriormente, pero si en ellos constituía un *plus* de realidad que, añadido a la reproducción del movimiento, estaba en la base misma de la concepción del dispositivo espectacular del cine como *ventana abierta al mundo,* el redescubrimiento que Welles hace de la focal corta (18'5 mm) confiere una nueva expresividad a las imágenes. Para algunos críticos, como, por ejemplo, André Bazin, se trataba de una acentuación de la impresión de realidad que el cine posterior a 1928, al incorporar el sonido y la película pancromática, había relegado.

Empero, una observación detenida del film nos demuestra hasta qué punto Welles utiliza la profundidad de campo no tanto como *prolongación de la realidad en la pantalla,* sino como manera eficaz de practicar una segmentación dramática y simbólica del campo visual, del espacio entre los límites del encuadre. Veamos algunos ejemplos:

— En la cena de Kane con la redacción del *Inquirer,* la profundidad de campo es plasmación del punto de vista del protagonista. Su mirada posesiva *abarca* a todos los miembros del periódico como objetos de su propiedad (foto 30).

Leland y Bernstein hablan, en plano medio, mientras Kane evoluciona en el escenario con las coristas. Dos magnitudes escalares (plano medio y plano de conjunto) coexisten en el interior del encuadre Al efecto de relieve sonoro —voces en primer término, música y canciones en el segundo— se le añade la combinación de *valores descriptivos y dramáticos* en una misma imagen (foto 31).

— Leland despierta de su borrachera en la mesa de redacción del *Inquirer.* La botella de whisky, en primer término —y muy mermada en su contenido— es trasunto visual de su estado etílico. La relación causa (botella)-efecto (embriaguez de Leland) queda así condensada en una sola imagen. Una tercera indicación —la de que Kane está redactando la continuación de la desfavorable crítica teatral de Leland— nos es suministrada por la puerta de cristal entornada y el teclear de la máquina de escribir como ruido de fondo (foto 32).

— En el intento de suicidio de Susan Alexander, todas las determinaciones visuales del mismo (frasco de comprimidos, vaso y cucharilla) están condensadas en el primer término del encuadre, mientras Kane y el mayordomo entran por la puerta de la alcoba (foto 33). Si pensamos, por ejemplo, en la secuencia del suicidio del protagonista masculino de *Vaghe stelle dell'Orsa* (Luchino Visconti, 1965), en una redundante e innecesariamente larga serie de planos, y lo comparamos con el escueto plano único en el film de Orson Welles, entenderemos hasta qué punto la *puesta en escena espacial* puede sustituir a la *puesta en serie temporal*, típica del discurso narrativo

En 31 y 32 percibimos, igualmente, otra innovación técnica: el uso de techo en los decorados. Concebidos, en principio, como *naturalización del espacio*, su valor simbólico de *aplastamiento de los personajes* queda evidenciado en algunos planos, como el correspondiente a una situación tensa entre Kane y Leland (foto 34), subrayándose el efecto por una angulación de cámara muy baja, en contrapicado, angulación que realzará, en otro momento, el poder político de Kane, durante su discurso electoral (foto 35).

Como toda *escritura moderna,* la de *Ciudadano Kane* problematiza y cuestiona las nociones de narrador omnisciente y de sujeto de la enunciación. La peculiar estructura del film nace de la propia heterogeneidad de sus opciones estilísticas, del *enfrentamiento y oposición* existente entre sus diferentes segmentos. Michel Marie señala que todo el funcionamiento textual del film descansa en la articulación entre un prólogo (sin narrador), un noticiario documental (con comentador), las historias de los narradores y un epílogo, igualmente sin narrador, que supone un retorno al sistema del prólogo. Para Marie, toda la obertura del film pone a prueba la posición clásica del espectador ante la pantalla. La manera en que es interpelado por la película se vincula con los diferentes registros de su escritura.

Podemos delimitar en el film —entre su prólogo y su epílogo— seis diferentes segmentos que explícitamente se manifiestan como tales al inscribirse en su textura con marcas específicas que los delimitan. Dichos apartados corresponden al noticiario documental (D) y a las diferentes narraciones de personajes que intervienen en la acción (N1 - N2 - N3 - N4 - N5):

N1: Thatcher (Diario).
N2: Bernstein.
N3: Leland.
N4: Susan.
N5: Raymond.

Tanto el prólogo como el epílogo carecen de *mediador narrativo*. En ellos habla el narrador, *donante del relato,* el *autor implícito* del mismo, tal y como éste es producido por el espacio textual: esa mirada todopoderosa de la cámara que, a su vez,

147

introduce la mirada del espectador desde el exterior al interior del castillo de Xanadu y viceversa, en una perfecta simetría visual. En el prólogo y el epílogo, las imágenes adquieren una singular carga expresiva: el *autor implícito* deja en ellas las *marcas enunciativas* [m. e.] de su *discurso,* a través de metáforas (una palabra plena, *Rosebud,* plasmación simbólica de toda la vida de Kane) y metonimias (el trineo como *parte* que representa a *todo* el conjunto del film). En oposición al discurso del autor implícito, se situaría el registro del *relato* (diferentes puntos de vista de los personajes) con valores esencialmente narrativos y descriptivos.

Gérad Genette define el discurso subjetivo como aquel discurso donde se indica, explícitamente o no, la presencia de (o la referencia a) un yo, pero este yo no se define sino como la persona que pronuncia este discurso, así como el presente, que es el tiempo por excelencia del modo discursivo, sólo se define como el momento en que se pronuncia el discurso, marcando su empleo «la coincidencia del acontecimiento descrito con la instancia del discurso que lo describe». Inversamente, la objetividad del relato se define por la ausencia de toda referencia al narrador: «a decir verdad, ya ni siquiera hay narrador. Los acontecimientos aparecen como se han producido a medida que surgen en el horizonte de la historia. Nadie habla aquí; los acontecimientos parecen narrarse a sí mismos».

No debemos, empero, maximalizar el comentario que Genette hace de Benveniste a propósito de los conceptos de relato y discurso. Si el prólogo y el epílogo del film son dominio del yo enunciador, en el eslabonamiento de las diferentes narraciones, Welles es *más o menos* riguroso con la lógica del punto de vista. Lo es, por ejemplo, cuando Leland habla de la *première* operística de Susan Alexander. El punto de vista de su mirada se sitúa en posición frontal al escenario. Cuando es Susan quien narra este mismo acontecimiento, la cámara se ubicará al fondo del escenario, ante el apuntador y el público (a los que vemos de frente). No lo es cuando dentro de uno de los relatos se introducen puntos de vista ajenos al narrador o, incluso, cuando éste desaparece de lo que está contando. Por otra parte, en cada una de las narraciones emerge —mediante el juego de las angulaciones de cámara, la iluminación, el uso de los objetos...— esa *voluntad de dominio* del autor implícito. Podemos decir, pues, que la diferencia entre la subjetividad del discurso y la objetividad del relato estaría centrada en las diferentes gradaciones de intensidad que en ambos requiere el «yo» de la enunciación.

148

PRÓLOGO [m. e./YO] — D — N1 — N2 — N3 — N4 — N5 — EPÍLOGO [m. e./YO]

Tras la visión del documental sobre la vida de Kane, el inicio de la investigación de Thompson en torno a la palabra *Rosebud* viene subrayado por un torrente de luz blanca que sale de la cabina de proyección (foto 36). Sobre la pantalla en blanco debe inscribirse, pues, un *significante* que todavía desconocemos. Frente a la abundancia de signos gráficos a lo largo del film —cartas, titulares de periódicos, carteles...—, el único que no puede ser leído es, precisamente, el que ha motivado la investigación: ese objeto de la infancia, irrecuperable y desprendido para siempre del sujeto. Símbolo de una ausencia —de la madre, de la supuesta inocencia de la niñez—, no aparecerá en el film más que para ser quemado, convirtiéndose así en humo y cenizas la palabra del misterio y la revelación.

Como ha escrito Marie-Claire Ropars (1984), «el retorno al sentido no puede engañarnos: lo que denuncia es su ausencia misma. No existía el secreto de Kane, ése es el único secreto revelado por el narrador: porque para la infancia perdida no hay tiempo recobrado. El enigma sí que ha engendrado el relato, pero para destruirse a sí mismo; una vez desvelado, remite a su propia irrisión, como a la irrisión de su búsqueda: aquí se sitúa lo que separa el prólogo del epílogo, es decir, de hecho, todo el film —este espacio abierto, progresivamente abandonado por la voz del narrador, y dejado libre para una investigación de la que sólo organizará, por la disposición de los diferentes relatos, el cierre y el fracaso».

Dice Michel Marie (1980) que lo propio del sistema textual de *Ciudadano Kane* es jugar sobre la oposición de registros secuenciales contradictorios. Así, el noticiario documental propone, en su discontinuidad, tan sólo una reafirmación tautológica del título del film: «soy un ciudadano americano». Nos encontramos en un *nivel simbólico* de representación, ejemplificado en esa gigantesca *K* de hierro forjado que corona la verja de Xanadu. Frente a esto, los diferentes relatos de los narradores establecen, entre sí, una perfecta continuidad —se inician donde el narrador anterior lo dejara— y, al traducir una imagen privada de Kane (la dualidad especular entre éste y sus amigos, colaboradores, amante, mayordomo...), plantean un *nivel imaginario* de acercamiento al personaje. Finalmente, lo único que no puede ser aprehendido por nadie es el objeto perdido de la infancia, *real* (por imposible) que se desprende como puro resto incinerable. El film, cerrándose con la visión del inexpugnable castillo de Xanadu —bastión que encierra al personaje en los abismos de su soledad— también nos habla de esa imposibilidad de acceder al conocimiento de un destino individual y de la escisión entre el sujeto y el «yo», claves esenciales ambas de la escritura contemporánea.

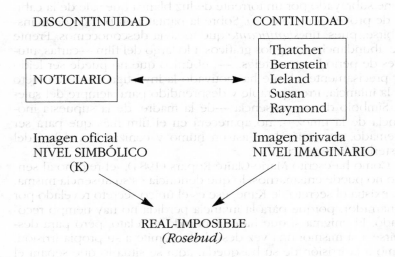

DISCONTINUIDAD   CONTINUIDAD

NOTICIARIO

Thatcher
Bernstein
Leland
Susan
Raymond

Imagen oficial
NIVEL SIMBÓLICO
(K)

Imagen privada
NIVEL IMAGINARIO

REAL-IMPOSIBLE
(Rosebud)

6.2. *Segundo comentario:*
La puesta en escena de la mirada en Vértigo

Veamos ahora otro ejemplo de puesta en escena de la narratividad. En este caso nos centraremos en uno de los más conocidos films de Alfred Hitchcock, *Vértigo* (1958), retitulada en la época de su estreno español como *De entre los muertos,* a partir del análisis realizado por Company/Sánchez-Biosca (1986).

Film que narra la historia de una fascinación, *Vértigo* utilizará el ojo como eje vertebrador, en tanto inscripción de una función (la mirada) y en tanto metáfora del dispositivo que regula la puesta en escena cinematográfica. Frontera entre el vacío que constituye al sujeto y el exterior hacia el cual se proyecta, el ojo es en Hitchcock una especie de *«No trespassing»* tras el cual es peligroso indagar, pero continuamente vulnerado. Por ello, es al ojo inyectado en sangre adonde se dirige la cámara mientras suena el tema musical con que da comienzo el film, y es de su interior de donde surgen dos rótulos: *Vértigo* y Alfred Hitchcock. Punto de convergencia, pues, de los dos movimientos inaugurales, el ojo aterrori-

150

zado (el izquierdo) va a ser el tema del film. Más allá de él, las concéntricas y obsesivas espirales que dibuja la banda de Moebius; mas acá, el contracampo denegado, la superficie de una ilusión. ¿De dónde nace el terror de esa mirada? ¿De dentro o de fuera? ¿O es acaso el objeto en que se pose quien va a desvelar el terror originario? Historia de una fascinación, *Vértigo* es también, y sobre todo, el relato de un descenso (hacia la negrura fundacional) y de un ascenso (a la posición erecta, como ha señalado Eugenio Trías, 1982). Es, pues, esa basculación de la mirada entre el terror y la ilusión donde el film se constituye, lo que permite leerlo como expresión de la aventura espectatorial hacia el vacío esencial, constitutivo del sujeto.

La clave del film reside, efectivamente, en la mirada, en sus simetrías y disimetrías, en sus deslizamientos y convergencias. A la mirada fija de Scottie durante la primera parte del film, responde Madeleine con otra mirada perdida, como perdida estará la del protagonista ante la demanda de Judy en la segunda parte. Veámoslo con detenimiento.

Scottie (James Stewart), atraído por Madeleine (Kim Novack), intenta relacionar todos los elementos del relato (ficticio, aunque él lo ignora) de su vida en busca de sus posibles referentes reales (historia de Carlota Valdés, sueños de Madeleine). Sin embargo, su búsqueda se estrella contra un espacio inmóvil, bidimensional, petrificado para la vision (pictórico o pictorizado). Elocuente y modélica al respecto es la primera secuencia del museo: los objetos —ramo de flores, peinado—, guiados por el ojo de Scottie, quedan apresados en la superficie plana, ilusoria, de un cuadro, tornándose signos de signos, cuyo referente último no le es dado descifrar.

Pero también hay aquí disimetría. Si la mirada de Scottie busca insistentemente a Madeleine, ésta no se la devuelve. Su mirada, vacía como la de una visionaria en ocasiones, reclama en otras un punto de fuga que escapa a la vision de Scottie. De este modo, en las secuencias dialogadas, Madeleine no mira al vacío (hacia su interior), tampoco a Scottie (lo que cerraría el círculo), sino fuera de campo. Este «off» sin continuidad, reiteradamente evocado, es sin duda el lugar del espectador. Denegada la estructura profunda de la alternancia plano-contraplano (no la superficial), el espectador es el único destinatario, mucho antes de su capacitación para la lectura, de las miradas sobreactuadas de Madeleine, porque la mirada desviada, descentrada, no puede ser atrapada por el personaje, pero tampoco por nosotros. Asistimos, así, a una puesta en escena de las claves de un enigma para cuya solución no estamos, por el momento, capacitados.

Lo dicho viene a subrayar, una vez más, la no identidad *mirada fílmica/punto de vista,* pues, aunque hemos adoptado el de Scottie, la enunciación proclama siempre su autonomía. Véase, a título de ejemplo, la mirada desprendida, una mirada que no remite rigurosamente a un punto de vista, en la primera escena de *Ernie's,* momento de la aparición triunfal de Madeleine como un puro objeto de representación, mostrado en su condición de tal; o el plano de la floristería, en el que la superficie del espejo rompe la unidad de visión Scottie/espectador y denuncia el carácter fraudulento de la imagen de Madeleine.

La segunda parte del film se articula como inversión de la primera parte a través de una discordancia entre la mirada demandante de Judy y la mirada absorta de Scottie. El patetismo de ambas aparece reflejado durante la cena en *Ernie's,* en donde Scottie *alucina* a Madeleine a partir de la imagen de una de las comensales entrando en la sala. Aquí el espectador conoce ya, de un modo privilegiado, el significado último y la funcionalidad de dichas miradas, gracias a la enorme concesión con que, momentos antes, ha sido obsequiado: un insólito *flashback,* desvelador del enigma; un *flashback* que construye un tipo de intriga distinto— pasional, deseante— sobre las cenizas de la trama policíaca y criminal.

6.2.1. Interiorización de la ficción

Refiriéndose a la pintura romántica, decía Jean-Pierre Oudart (1971) que en ella se produce una especie de *exclusión/inclusión* del sujeto en la representación, por medio de una lectura fantasmática de los cuadros-paisaje como transformación continua de la posición que la escena frontal primitiva le asignaba. Reproduzcamos una cita nada gratuita: «...excluido de la representación, el espectador está implicado fantasmáticamente en ella en tanto se inscribe como sujeto mediante un dispositivo escénico que enmascarará cada vez más su origen teatral en un sistema figurativo que inscribirá sus efectos de real como efectos de realidad óptica (reflejos, luces y sombras, desglose de planos, etc.), constituyendo los trazos de la inscripción del sujeto bajo la forma de una falta».

Éste y no otro es el tipo de inscripción de Scottie en el abismo pictórico que se abre ante él, porque su ojo ha quedado electrizado, poseído por el vértigo y el abismo, y reclama a voces su materialización. Por ello, el sueño que secciona la narración posee las marcas de una inclusión proyectiva en la que la identificaciónalienación *con/en* el objeto amado se manifiesta como vuelta al lugar de origen, a la falla, al vértigo. Resulta elocuente que dicho sueño aúne el relato que hiciera Madeleine de una tumba abierta, la caída del torreón, el ramo de flores de Carlota Valdés y el tema del vértigo como corolario, concluyendo con la absorción de la silueta del protagonista por el vacío de la propia pantalla en blanco.

En todas las fases condensadoras de la pesadilla, sin embargo, Scottie inserta dos detalles que no pueden por menos de extrañarnos: por un lado, el medallón de Carlota, ubicado en el centro de la imagen y privilegiado sobre el resto de los objetos mediante un *travelling* de acercamiento; por otro, una suerte de *collage* de efecto metonímico por el cual la escena que desfiló ante nuestros ojos poco antes (junto a la ventana, Scottie y Elster) queda modificada por la interpolacion de la imagen de Carlota, en lugar —evidentemente— de Madeleine, abrazando a Gavin.

Esta extrañeza aumenta al comprobar su justeza en la resolución de la trama argumental, ya que los dos planos citados apuntan a la clave interpretativa del film. En el primero, porque el medallón es el dato que permitirá a Scottie identificar a Judy con Madeleine y comprender el enredo en que se ha visto envuelto. En el segundo, porque Carlota Valdés es, además del fantasma de Madeleine que Scottie asume como suyo, el producto de una ficción, la de Gavin Elster y el símbolo que la representa. Por lo demás, en la primera secuencia del museo, los detalles en que aquél fijaba su atencion establecían una binaridad *objeto real/ objeto representado,* de la cual quedaba excluido dicho medallón: presente en el conjunto, nada hacía que nuestra mirada se dirigiera hacia él; sin embargo, es el único dato que retiene Scottie en su pesadilla. Nada del ramo de flores ni del peinado (desvanecidos en el conjunto): sólo el medallón, objeto que permitirá la apertura a un desenlace cuando el lapsus sentimental de Judy le lleve a lucirlo ante un Scottie que *ahora es suyo, y no del personaje que se vio forzada a representar.* La pesadilla se ha convertido en una trampa: como discurso que emerge del inconsciente, no plegado a las convenciones narrativas del punto de vista, el sueño permite emitir marcas de enunciacion y, al mismo tiempo, atribuirlas al personaje (a su inconsciente), encubriéndolas en el desdoblamiento del sujeto que lo caracteriza. Mirada y punto de vista no coinciden nunca mecánicamente en el cine de Hitchcock. ¿Qué mejor manera, pues, de encubrir la mirada que asignársela, mediante el subterfugio del sueño, al propio personaje? Ejemplos no faltan en la filmografía hitchcockiana. Pensemos en el sueño de

Recuerda (1945). Por el contrario, el sueño de *Marnie* (1964) sólo adquiere forma en el trance de la curación, ya que previamente ha sido censurado por el sujeto. (Véase lo que decimos a propósito de este film en el capítulo sexto de este libro.)

6.2.2. El (des)enmascaramiento de la ficción

Todas estas audacias parecen confirmar que *Vértigo* es un film atrevido. No por su desprecio de la verosimilitud, ni tampoco por revelar la identidad real de Judy casi una hora antes de concluir la proyección. Su osadía radica particularmente en la planificacion, cuyo lema es poner en escena aquello que el espectador no puede interpretar, sembrar el texto de signos cuyo sentido el espectador deberá de producir operando de manera retrospectiva. Tal vez por ello sea éste el modelo de film que reclame una segunda visión. *Psycho* (1961) y, particularmente, la secuencia de traspaso de funciones de M. Crane a N. Bates constituiría otro ejemplo, así como el famoso segmento 10 de *Con la muerte en los talones* (1959) que se desarrolla en las oficinas del FBI. En esa dirección apuntan las miradas desviadas de Madeleine a las que hemos hecho referencia antes o el espacio pictórico que desmiente la corporeidad de la ficción; del mismo modo lo hace también el sueño-pesadilla del protagonista y sus marcas o «instituciones». Hay, con todo, una secuencia que presenta un interés central, ya que no sólo señala la puesta en escena de la ficción desde su comienzo, sino que incluye, representándolo en su interior, a su propio artífice, Gavin Elster. Personaje marginal en cuanto a su aparición en el relato, él es quien mueve los hilos de lo que va a desfilar ante nuestros ojos (y los de Scottie) durante una hora de película. El film, a través de una sutilísima puesta en escena, explicitará la dimensión teatral del discurso que lo constituye, al mismo tiempo que sugiere el papel asignado al protagonista mismo en una magistral secuencia de la que nos ocuparemos enseguida. Los parámetros que organizan esta secuencia del primer encuentro de los dos viejos amigos se basan en la dialéctica abierta entre las soluciones cambiantes de montaje y el contenido explícito de los diálogos, que van barriendo diversos temas hasta desembocar en el que ha de disparar la historia. En síntesis, dos son las variantes de montaje utilizadas, con todas sus posibles transiciones: la alternancia plano-contraplano y la inclusión de ambos personajes en campo; su diferencia será tanto más significativa por cuanto la organización formal de la banda sonora es invariable (podría haberse adoptado un sólo procedimiento, ahorrando con ello tiempo, dinero y comodidad del espectador), y los saltos de un modelo a otro están rigurosamente formalizados. Glosemos rápidamente la secuencia, ya que su gran extension haría farragoso un *découpage*.

La secuencia se inaugura con un tema banal de conversacion (banal para la intriga): el negocio de Gavin. La planificación incluye sistemáticamente a ambos personajes en el encuadre. La referencia al antiguo San Francisco, en donde existía color, emoción, poder, etc., señala un cambio brusco a la alternancia plano-contraplano, considerablemente suavizada por el desplazamiento físico de Scottie por la habitación. Nuevo tránsito: una frase de este último lo desencadena (*«Ahora, dime lo que quieres»*). La cámara describe una panorámica de acompañamiento al movimiento de Elster que concluye con un encuadre en profundidad de campo, en el que Scottie ocupa el primer plano mientras su amigo evoluciona por el fondo, sobre un entarimado, y reencuadrado por el marco de la habitación (foto 37). Ubicado como en un escenario teatral, Elster narra la historia de su esposa anunciando su temor de que alguien le haga daño. A la pregunta de rigor de Scottie, el marido pronuncia la frase: *«Alguien que murió»*. Dicha frase está refrendada con un doble movimiento —de Elster hacia la cámara y de la cámara hacia Elster—, creando un efecto contrapuntístico que señala su nuclearidad, aislando así al personaje (foto 38) de un encuadre que los incluía a ambos y forzando a un salto posterior a Scottie solo. El elemento tensional ha sido creado precisamente por la conducción compleja de los variantes, rompiendo la binaridad inicial. Un *travelling* de retroceso los encuadra de nuevo juntos (foto 39) cuando Elster introduce un tono amistoso en el dialogo (*¿Tú crees que una persona que ha muerto...?*). La desconfianza de Scottie está de nuevo puntuada por la alternancia plano-contraplano. Cuando parece que la propuesta que ha de hacer Elster sobre la base de su ficción no tendrá lugar, una segunda panorámica, acompañando su movimiento, vuelve a introducir a Scottie en un campo compartido. (*«Sin duda crees que es una invención mía»*, dice Elster.) Otra nueva panorámica, invirtiendo el movimiento anterior, lo lleva al entarimado, sacando a Scottie de campo. Entonces, cuando la aceptación de la historia por parte de Scottie está garantizada, Elster se despacha a su gusto relatando los trances y ausencias de Madeleine, siempre reencuadrado y rodeado de una escenografía pictórica que reproduce escenas del antiguo y bohemio San Francisco, mientras el montaje alterna planos de ambos personajes, permitiéndonos comprobar la reacción que producen las palabras del marido, así como su discurso teatralizado sobre el amigo. Elster cree llegado el momento de reclamar la ayuda de Scottie, y, cuando éste pretexta haberse retirado, el primero pronuncia una frase («*Necesito un amigo*»), coincidente con una nueva panorámica de acompañamiento de derecha a izquierda, que inscribe en el mismo *campo* ficcional a ambos personajes. «*Esto es muy delicado*», añade Elster (foto 40).

Hemos podido ver de qué modo el sistema convergencia/divergencia de ambas figuras en el encuadre resaltaba la implicación del protagonista en un relato que, con sutileza, el film nos ofrecía como explícitamente teatralizado, ficticio y fraudulento.

6.2.3. La puesta en escena de lo siniestro

Eugenio Trías explicaba, en su trabajo citado, que el tema central de *Vértigo* era lo siniestro, llegando incluso a demostrar por su análisis que el arte moderno apura en su uso las fronteras del asco, único límite impuesto a la creación. Vamos a ver, a continuación, de qué modo están planificadas dos secuencias del film en función rigurosa de dicho concepto, convirtiendo a la segunda de ellas en versión siniestra de la primera.

Se trata de los dos viajes a la misión. En el primero de ellos, Scottie conduce a Madeleine para lo que cree su «*curación*»; en el segundo, Judy ha de servir para consumar la operación de Scottie, ofreciéndose como segunda oportunidad. Ambos viajes bien pudieran ser elididos sin por ello debilitar lo verosímil del relato, e incluso beneficiándose con ello su fluidez narrativa. Sin embargo, no sólo no se eliminan, sino que están planificados de modo idéntico: mismo número de planos y mismo emplazamiento de la cámara, aunque con desembocadura distinta (a un cruce en el primero; a la misión, con su amenazadora torre, en el segundo). Hay algo, no obstante, que varía sustancialmente de uno a otro. Una primera diferencia residiría en el brusco desplazamiento que nos hace reconocer el espacio por el que transitamos: la nocturnidad. En efecto, incluso el comienzo de ambas secuencias es significativo: surgiendo de una virginal pantalla en blanco y fundiendo en encadenado con la puerta del apartamento de Scottie en el primer caso, la oscuridad del segundo encadenado nos aterroriza por su diferencia en la repetición. Entre la luz y la oscuridad, entre una secuencia y su doble demoníaco, la sombra de un crimen, de una metamorfosis, de un mito. Las diferencias no acaban ahí. Segunda diferencia: el primer viaje está acompasado con el tema musical de la bahía, tema ligado a la pintura de Madeleine y a las *Puertas del Pasado;* el segundo, con una crispante música que no encuentra eco alguno en el film. Tercera diferencia: los diálogos. Inexistentes en el primer viaje, en el segundo remiten insistentemente al pasado *(«¿A dónde vas?»,* pregunta Madeleine; Scottie responde: *«Aún he de hacer una última cosa... y me veré libre del pasado»),* haciéndolo gravitar sobre el presente. Cuarta y última divergencia: ligera variación en el montaje de los planos, que apunta hacia el desplazamiento del punto de vista que tiene lugar entre las dos mitades del film. Reproduzcamos el *découpage* de la primera secuencia:

1. Plano general en picado sobre la carretera. Fundido encadenado a
2. Plano medio frontal de Scottie y Madeleine.
3. Corte directo a carretera, vista desde el coche.
4. PM corto de Madeleine.
5. Contrapicado de los árboles en plano subjetivo.
6. Como en 4.
7. PM corto de Scottie (frontal).
8. Como en 4.
9. Como en 7.
10. Como en 4. Fundido encadenado a
11. PG. Llegada a un cruce.

En la segunda secuencia, observamos las siguientes variaciones: la escala del plano se acorta de plano medio corto a primer plano, connotando una mayor implicación dramática de los personajes y responsabilizando a sus intenciones del drama que viven (los dos lo saben todo, sólo que Judy no sabe que Scottie lo sabe). Los planos 4 y 6 encuadran a ambos personajes, y no sólo a Madeleine, en la segunda versión. De este modo, el peso de la secuencia se desplaza hacia ambos, puesto que las claves del enigma ya no las posee (a diferencia de la primera vez) sólo Madeleine. Por último, parece evidente que lo que ahora es de temer son las intenciones no verbalizadas de Scottie, que acaba de comprender el engaño. Es el plano 9 el que imprime la más radical transformación a la secuencia, desplazándola al punto de vista de Judy con criterio de exterioridad hacia la conducta de Scottie. Este punto de vista connota su temor a ser descubierta, su horror al reconocer el trayecto que una vez hizo. Así pues, el plano que comentamos refleja exactamente la posicion de Judy, señalando una variación de 90 grados con respecto al de la primera secuencia (plano lateral, no frontal, foto 41). Dicho *raccord* aparece justo cuando Scottie pronuncia la frase fatídica: «*Y me veré libre del pasado.*»

6.2.4. Escisión del sujeto, vacío de la ficción

En su recreación del fantasma de Madeleine —a través del maquillaje, peinado, vestuario, etc. de Judy—, Scottie pretende acceder a un puro objeto de deseo que se revelará como tal más allá de su metalenguaje imaginario y de la parcializadora pulsión fetichista que lo constituye. Ese anhelo del objeto total es cifra de un deseo aniquilante —por lo absoluto—, frente al cual la puesta en escena del film revela, con extrema crueldad y lucidez, la futilidad de unas demandas afectivas instauradas *en/desde* la cotidianeidad: desolada ternura de Midger, vacío tras la máscara de la propia Judy. Con ello, accedemos a la que, tal vez, sea la principal verdad de la película, enunciada a partir del sistemático vaciado de la ficción que la sustenta. Sabemos, al final, que lo único que consigue Scottie, tras tanta compleja peripecia, es curar su vértigo. En otras palabras, cobra conciencia de la escisión que lo constituye como sujeto. No de otra forma cabe leer esa frase, patética hasta el dolor, pronunciada por Scottie en la última escena del film: «*¡Cuánto te he llorado, Madeleine!*». No nos lamentamos, junto con el protagonista, por la pérdida de lo que creímos nuestro para siempre y fue tan sólo sombra emanada de nosotros mismos, sino por esa *absoluta falta de un objeto* que caracteriza el deseo inconsciente y constituye esencialmente al sujeto. En la mascarada sexual de las llamadas relaciones hombre-mujer, a éste no le faltan los objetos —catalogables, incluso, en buenos y malos según las categorías kleinianas—, pero quien carece de objeto es el deseo inconsciente en cuanto tal.

«*Es demasiado tarde, ella no puede volver*», dice Scottie. La definitiva pérdida de Madeleine —fantasma y recuerdo— deja al protagonista absorto en su propio vacío, tras la invocación a Dios por parte de una ominosa monjita. La mirada lanzada hacia el objeto de deseo, además de imposible, estaba hecha con unos ojos que no le pertenecían.

6.3. Tercer comentario:
La puesta en escena como denegación de la mirada en Falso Culpable

Veamos ahora un ejemplo de lo que Zunzunegui (1986) ha llamado, «microcircuitos del sentido», a través, nuevamente, de una secuencia de un film de Alfred Hitchcock, *Falso culpable* (1957).

Uno de los temas de mayor interés suscitados por el análisis de los textos cinematográficos lo constituye aquel que hace referencia al conjunto de problemas que suelen englobarse bajo la denominación de la *construcción del punto de vista,* a través del cual la estrategia de la enunciación se desarrolla para conducir al espectador del film por caminos variados y múltiples, hacia la nada inocente operación de interpretación de lo mostrado por las imágenes. Este punto de vista, a menudo, se constituye y se presenta como filtrado a través de un personaje que se coloca en posición de intermediario entre cámara y espectador, ofreciendo una posición estructural que este último es susceptible de ocupar durante un intervalo determinado de tiempo —y que puede variar desde un breve lapso temporal hasta la totalidad del desarrollo de un film—, otorgándole un *lugar* desde el cual contemplar la escena. Este supuesto «lugar de la inocencia», que le permitirá acceder a la visión de unos acontecimientos debidamente travestido de participante inmerso en el desarrollo de los mismos, es, por ello, al mismo tiempo, un «lugar de manipulación» para el sujeto enunciativo. En efecto, dicho sujeto enunciativo —presentando el plano como resultado de la mirada del actor, del personaje— busca ocultar la estrategia de la enunciación, las operaciones que convierten el film en objeto de sentido, en máquina de significación, en definitivo lugar de una verdad que sólo accede a esta categoría en tanto es, simultáneamente, una mentira.

Conviene precisar que esa posición estructural no sólo se configura a partir de planos que, tomados desde el mismo lugar que ocupa el sujeto de la mirada, vendrían a confudirse con su campo de visión. De hecho, posiciones de cámara no identificables directamente con la visión de tal o cual personaje, pueden desempeñar similar papel, con tal que se inscriban en un contexto de legibilidad que permita la imputación de ese plano como *designación* de un sujeto que de una u otra forma lo sustenta. Abundantemente utilizados por el cine clásico institucional, los planos que se presentan a sí mismos como resultado de la mirada de un actante no

159

deben ser asimilados demasiado rápidamente con una forma privilegiada de identificación afectiva con el personaje que mira. Dar a ver, en efecto, supone, muchas veces, la cruda manifestación de la profunda escisión que se abre entre quien mira y lo mirado. Mostrar se convierte, así, en una doble operación; por una parte, coloca físicamente al espectador en el lugar del que mira; por otra, tiende un lazo significativo que nos permita identificarnos con lo mirado, antes que con el personaje desde cuyo *locus* se observa la escena. El espectador se mueve en una tensión permanente entre el hecho de mirar y el hecho de ver, y es, principalmente, lo que *ve*, aquello que ocupa la pantalla, lo que es capaz de suscitar su capacidad de identificación. Por eso, podemos decir que la identificación, entendida en un sentido amplio, tiene que ver, sobre todo, con el hecho de que el espectador sea capaz de encontrar *en el relato* un lugar habitable, que le permita cubrir la función que Barthes definía con el aforismo siguiente: *Soy aquel que ocupa el mismo lugar que yo.*

Para constituirse, la mirada del espectador pasa por el vacío de la cámara subjetiva —el caso extremo sería *La dama del lago*, de Robert Montgomery (1946)— como vía de anclaje en la mirada de tal o cual personaje. Pocas experiencias, en efecto, son más subyugantes que la de *mirar,* dejándonos conducir en nuestro escudriñamiento de la pantalla por el irrefrenable flujo de unas miradas capaces de marcar un recorrido al que resulta difícil escapar y dotadas del poder no sólo de señalar un lugar en el campo de la imagen en la que se muestran, sino también de generar, por su propia fuerza magnética, el surgimiento de un nuevo campo, de una nueva imagen que prolongue el texto cinematográfico en una expansión imparable.

Sentadas las bases anteriores, diremos rápidamente que, en sentido estricto, desde el punto de vista de la inscripción de la mirada, todo film combina diversos tipos de planos: desde los denominados planos subjetivos, hasta aquellos que sólo son predicables de la omnipotencia del sujeto enunciativo, pasando por los que Jean Mitry denominó «planos semi-subjetivos». Pocos cineastas han comprendido tan bien como Hitchcock el hecho de que, como dice Mitry, *«la expresión cinematográfica es la constante complementariedad del objeto y del sujeto, la visión descriptiva a la que las imágenes subjetivas vienen a prestar una incidencia personal».* De hecho, en su cine pueden encontrarse numerosas escenas construidas sobre el principio de la alternancia A-B-A-B, donde A supone la descripción del personaje que mira y B la de los objetos o personajes mirados. Esta estrategia de enunciación sirve tanto para que el espectador se identifique con el actor que mira, como para que las miradas de éste se constituyan en *índice* de una realidad que va a constituirse en espectáculo para quien observa, aunque esa formación tenga lugar, más adelante, desde un punto de vista que, a lo largo del desarrollo fílmico, puede descomponerse en una dispersión que termina por escapar al control de la mirada que generó el surgimiento de la realidad fílmica en tanto objeto espectacular.

Las miradas de los actores, por tanto, son vectores de sentido, designaciones significativas. La elección de tal o cual punto de vista, de tal o cual lugar desde el cual visualizar cada momento de una escena es, en consecuencia, fruto de una estrategia, mediante la cual el film nos arrastra a través de un camino, de un recorrido de lectura donde la libertad de espectador es definitivamente anulada o, al menos, considerablemente anestesiada.

La secuencia de la segunda visita al abogado en *Falso culpable* ofrece una ilustración ejemplar de no pocas de las estrategias fundadoras del sentido en buena parte del cine que lleva la firma del cineasta británico. A lo largo de treinta planos y catorce posiciones de cámara, se construye un microcircuito a través del cual la propuesta de significado de la secuencia es filtrada de una manera muy precisa. Recapitulemos brevemente la historia que nos narra el film: Christopher Emmanuel Balestrero (Henry Fonda), modesto músico de club nocturno, se ve acusado de haber perpetrado una serie de atracos de los que es completamente inocente. Detenido y posteriormente puesto en libertad provisional, entra en contacto con un abogado (Anthony Quayle). La escena que nos ocupa recoge el segundo encuentro entre «Manny» Balestrero y Rose, su mujer (Vera Miles), con dicho abogado.

Plano 1-Posición de cámara A.
  Henry Fonda (H. F.): No sabe la impresión que nos ha hecho saber que Lamarca y Mollinelli habían muerto. Parece que estuviesen conspirando contra nosotros...
      (Ruido de fondo del Metro que pasa en el exterior.)
Plano 2-Posición de cámara B.
  H. F.: ... pero así ha pasado y no hay remedio. Había otro muchacho jugando aquella tarde y los señores Ferrero nos ayudarán a encontrarlo. Lo encontraremos. ¿Verdad, Rose?
      (Rose Balestrero [Vera Miles] asiente, ausente, con la cabeza.)
Plano 3-Posición de cámara C.
  Anthony Quayle (A. Q.): Sí, mala suerte. Pero no hay que desa-

nimarse. Sigan recordando hasta que puedan encontrar otros testigos. Hay que dar con el boxeador si es posible.

Plano 4-Posición de cámara B.

A. Q.: Y en último extremo están los Ferrero que pueden servirnos de testigos.

Sí, han prometido que nos prestarán la ayuda que puedan utilizando el registro del hotel y lo que recuerden. ¿Verdad, Rose?

V. M.: Sí.

Plano 5-Posición de cámara C.

A. Q.: Como es lógico y natural el fiscal procurará echar abajo su coartada por todos los medios. Cuenta con la identificación de los testigos y todos aseguran que es usted el atracador. Es posible que tengan que volver a Cornwall en busca de más pruebas a su favor.

Plano 6-Posición de cámara D.

A. Q.: Ahora, el segundo día. El 18 de diciembre. (en off).

> *(Balestrero, al inicio del plano, mira a Rose [V. M.] volviendo la cabeza.)*

Plano 7-Posición de cámara C.

A. Q.: ¿Ninguno de los dos recuerda algún hecho o circunstancia que pueda sernos útil?

Plano 8-Posición de cámara D.

> *(Balestrero [H. F.] piensa en ello.)*

Plano 9-Posición de cámara C.

A. Q.: 18 de diciembre.

Plano 10-Posición de cámara D.

H. F.: En vísperas de Navidad yo salía un poco. Tenía dolor de muelas y se me hinchó tanto la cara que no me gustaba salir de aquella manera.

Plano 11-Posición de cámara C.

H. F.: Trabajaba en el club pero en las horas libres no salía de casa.

A. Q.: ¿La hinchazón se notaba?

Plano 12-Posición de cámara D.

H. F.: Sí, mis compañeros me gastaban bromas continuamente.

Plano 13-Posición de cámara C.

A. Q.: ¿Cuándo fue eso?

H. F.: Dos semanas antes de Nochebuena.

A. Q.: ¿Fue al dentista?

H. F.: Sí, varias veces.

A. Q.: Ya... Entonces él puede...

Plano 14-Posición de cámara D.

A. Q.: ... declarar. Y si hubiese cometido el atraco el 18... (off)

Plano 15-Posición de cámara C.

A. Q.: ... de diciembre la hinchazón se habría notado.

H. F.: Naturalmente

A. Q.: Ajá. Pero no ha hablado de eso ninguna de las señoritas que le han identificado....

(Balestrero [H. F.] niega levemente con la cabeza.)

A. Q.: ... Sí. Creo que nos dará una buena base para apoyarnos. Y Rose puede confirmarlo.

(Comienza a oírse de fondo el ruido del Metro)

Plano 16-Posición de cámara E.

V. M.: Sí..., supongo.

Plano 17-Posición de cámara F

(Comienza la música, hasta ahora ausente de la secuencia. Sonido agudo continuo que más adelante modulará para convertirse, en combinación con unos pizzicatos, en una interrogación angustiosa. Continuará hasta el fin de la secuencia.)

Plano 18-Posición de cámara G.

(Balestrero mira hacia su esposa).

Plano 19-Posición de cámara H.

(Crece en intensidad el sonido del Metro que pasa en el exterior de la oficina.)

Plano 20-Posición de cámara F.

A. Q.: El detalle de la cara hinchada...

Plano 21-Posición de cámara G.

A. Q.: ... nos va a ser muy útil. (off)

(Balestrero, tras mirar a su esposa, vuelve la cabeza al frente.)

Plano 22-Posición de cámara F.

(A. Q. inicia el gesto de incorporarse.)

Plano 23-Posición de cámara I.

[Panorámica de acompañamiento de derecha a izquierda]

(A. Q., del que vemos, en primer término, la espalda, se levanta de la silla y, abandonando su lugar tras la mesa, va a colocarse detrás de Balestrero y Rose)

A. Q.: ¿Tiene el nombre del dentista?

H. F.: Debo tenerlo en casa. Le llamaré en cuanto llegue.

A. Q.: También voy a llamar a un perito calígrafo porque...

Plano 24-Posición de cámara J.

A. Q.: ...su letra...

Plano 25-Posición de cámara K.

[Panorámica vertical de arriba abajo]

A. Q.: ...y la del hombre que cometió el atraco tienen que ser comprobadas.

Plano 26-Posición de cámara J.

[Música]

Plano 27-Posición de cámara K.

[Música]

Plano 28-Posición de cámara L.

A.Q.: Bueno, ahora les aconsejo que piensen en los días de Cornwall detenidamente. Consigan el nombre del boxeador. Recuerden algún detalle. Nos veremos pasado mañana. ¿Eh?

H. F.: Sí, señor.

A. Q.: Bien.

(Balestrero se levanta y se encamina hacia la puerta acompañado por O'Connor. Rose permanece sentada, perdida en sus pensamientos.)

H. F.: ¡Rose!

(Rose se incorpora dirigiéndose hacia la puerta.)

Plano 29-Posición de cámara M.

A. Q.: Adiós, señora Balestrero. Ganaremos el caso. Se lo aseguro.

V. M.: Adiós.

(Rose, tras cruzar por delante de su marido y de O'Connor, sale por la puerta.)

Plano 30-Posición de cámara N.

A. Q.: ¿Es su carácter?

H. F.: No, no lo entiendo.

A. Q.: Sería conveniente que la viera un médico.

H. F.: La llevaré, ¿le parece urgente?

A. Q.: No lo sé, no soy médico. Pero juraría que está bastante mal.

La escena, como tal, se divide en dos partes bien diferenciadas. Una primera, formada por los planos primero, segundo y cuarto, en la que nos situamos en la oficina del abogado y comprobamos la disposición espacial de los personajes; y doce planos más, en los que la alternancia entre dos posiciones de cámara convierte la escena en un toma y daca, en un campo-contracampo cuya sucesión rítmica se lleva a cabo en función de las reflexiones en voz alta del abogado y Balestrero, en busca de pruebas que eximan a este último de su presunta culpabilidad. Esta cadena de campos-contracampos es puesta en escena en torno a una simetría que no debe nada al azar. Si en el campo observamos al abogado encuadrado entre las espaldas de Henry Fonda y Vera Miles, en el contracampo, la cámara se situará en el lugar del abogado, de tal manera que el espectador es conducido a mirar, o bien desde el punto de vista de este último, o bien desde otra posición simétrica a la anterior. Esta doble posición le coloca en una especie de lugar imaginario, que duplica el que corresponde al actor privilegiado de la escena. Anthony Quayle queda así definido como una especie de doble o delegado del espectador. De esta manera, el espectador ocupa el puesto de Anthony Quayle, o su simétrico con respecto a los personajes centrales del film, en los sucesos que se desarrollan ante sus ojos. La posición de Anthony Quayle se sitúa, pues, como *condición de legibilidad* de la escena. Este mecanismo tiene por finalidad desposeer en toda la secuencia a Henry Fonda de su papel neurálgico de lugar a través del cual pasa el conocimiento del espectador. La puesta en escena de esta mirada es importante en el film por cuanto, por primera vez a lo largo de su desarrollo, abandonamos la posición privilegiada ofrecida por el protagonista para mirar *con y desde otro personaje*. En efecto, en un film construido en torno a un personaje, y tan férreamente atado a su punto de vista que incluso las escenas que suceden fuera de su ámbito de conocimiento se justifican mediante intervenciones milagrosas —la secuencia de la detención del verdadero culpable, cuyo rostro sustituye progresivamente al de Henry Fonda mientras éste reza—, la elección de un desplazamiento de la mirada no es nada gratuita, por cuanto el cambio de punto de vista permite al espectador compartir el descubrimiento de la locura de Rose desde una situación capaz de resaltar su novedad. El espectador es invitado a descubrir, por persona interpuesta y, lo que es más importante, a través de una mirada virgen, una situación que resultaría mucho más inverosímil narrativamente de haberse imputado al punto de vista de Henry Fonda. Lo que es nuevo para un personaje (nivel de lo verosímil) es también nuevo para el espectador (nivel del espectáculo). De este modo, *Falso culpable* funde de modo ejemplar el enunciado y la enunciación en la transparencia del fluir fílmico. Esta primera parte de la secuencia posee, sin embargo, más puntos de interés. A medida que crece el entusiasmo del abogado ante la posibilidad de encontrar pruebas exculpatorias (el flemón de Henry Fonda), se hace más llamativo el mutismo de Vera Miles, de tal manera que, en un primer nivel superficial le corresponde, en paralelo, un texto, primero latente y luego dominante, que se pone de manifiesto por la creciente inquietud de Anthony Quayle ante la indiferencia de la mujer. La escena comienza a cambiar de sentido y, progresivamente, la atención del espectador es conducida, a través de la sucesión implacable de planos y contraplanos, hacia el verdadero tema de la secuencia: la locura de Rose (Vera Miles).

Si en determinados films, como, por ejemplo, *Muriel* (Alain Resnais, 1964), la velocidad de los cambios de plano en la primera secuencia impide la comprensión de lo que los diálogos explicitan, puesto que la atención solicitada por la imagen es diferente de la exigida por la banda de sonido, en esta secuencia de *Falso culpable,* es la insistencia de la mirada, la repetición del encuadre (los quince primeros planos sólo contienen cuatro posiciones de cámara, de las que dos de ellas ocupan doce planos), la que impide seguir los razonamientos del abogado. La disociación del sentido, producida por la diferenciación entre el sonido —la conversación sobre la posibilidad de conseguir testigos que prueben la inocencia de Fonda— y la imagen —la presencia ausente de Vera Miles—, respeta las leyes del cine institucional, sin fragmentar el espacio de la narración, al contrario, estructurándolo en torno a una mirada y a su doble. El espectador es así confrontado a un descubrimiento que sólo es posible en la medida, justamente, en que el juego de plano-contraplano le coloca, a la vez, ante una realidad —la locura de Vera Miles— y su comprobación por un personaje —Anthony Quayle—, que la enunciación ha elegido para justificar su acceso a la escena.

De hecho, en toda esta primera parte de la secuencia, Anthony Quayle mima, ante los ojos del espectador, el acceso al conocimiento de aquello a lo que éste es invitado a descubrir, desempeñando el papel de conductor de sentido que el film produce para el público. Nuestra inquietud, primero, y reconocimiento posterior de la situación anormal de Rose, surge materialmente de la de Anthony Quayle, de tal manera que somos llamados a compartir, mediante la estructura simétrica de la planificación, dos tipos de hechos: la locura de Rose y la comprensión de dicha locura por parte de un personaje. Este último hecho es el que permite que el espectador acceda, sin género de dudas, al carácter nodal que posee el hecho de la locura de Rose, por encima de las primeras direcciones a que la escena parecía apuntar (una mera conversación profesional).

El último plano de la primera parte de esta secuencia nos instala definitivamente en el corazón del discurso. Anthony Quayle interpela directamente con la mirada a Vera Miles: *«Tenemos testimonio de su esposa.»* Por primera vez, un primer plano hace su aparición en el tejido fílmico: Vera Miles contesta con un dramático *«¡Claro!, ¿por qué no?»,* que parece brotar desde la indiferencia absoluta ante el drama de su esposo (plano 16). El siguiente encuadre, que nos mostrará al abogado en primer plano, cierra para el espectador el círculo de las sospechas, al permitirle visualizar no sólo lo que Anthony Quayle ve, sino obligándole a participar de su reacción. La fractura que introduce en la escena el primer plano de Vera Miles deniega definitivamente el camino de solución al problema de Balestrero, que el desarrollo de la secuencia parecía ir diseñando. La emergencia del verdadero discurso se presenta irremediablemente haciendo bascular todo el significado del relato del lado de la locura de Vera Miles, mostrando, casi de pasada, que el precio de la inocencia de Balestrero pasa por la ya inevitable pérdida de la razón de su esposa. Éste será el momento elegido por la puesta en escena para devolver, por un breve espacio de tiempo, el punto de vista a quien lo había capitalizado con anterioridad a lo largo del film, Henry Fonda. A un primer plano de éste —visto desde la posición de Anthony Quayle—, en el que a instancias de la mirada del abogado vuelve la cabeza para mirar a su mujer por primera vez en la secuencia, le sigue un primerísimo plano de Vera Miles, visualizado desde un ángulo tal que se convierte en automática materialización de la mirada de Fonda. De esta manera, el film autoriza a Balestrero a reconocer la locura de su mujer, pero sólo cuando el espectador ya lo ha realizado con anterioridad. Terminada la secuencia, el punto de vista podrá reconducirse de nuevo sin fallas hacia el protagonismo de Henry Fonda.

Por segunda vez en la secuencia, el campo sonoro viene definido por el paso de un tren fuera de campo —el despacho del abogado parece estar situado en las proximidades de un paso elevado del Metro, tal y como se puede apreciar en términos visuales y sonoros en el plano de apertura de la secuencia—, dramatizando el brevísimo intercambio de miradas. Tanto la de Anthony Quayle, como la que éste provoca posteriormente en Henry Fonda, parecen expresar una de las verdades fílmicas que articulan la secuencia: cualquiera que sea el ángulo que se elija para mirar, el resultado será el mismo: la inevitable comprobación de la locura de Vera Miles. Un círculo visual se ha tejido en torno a esta última, definiéndola como objeto central del discurso que surge bajo la historia.

Cuando, tras un breve cruce de réplicas entre Henry Fonda y Anthony Quayle (planos 20,21,22), el plano 23 nos muestre cómo el abogado, levantándose de su asiento y rodeando la mesa, se coloca a espaldas de sus clientes, el film nos sitúa ante uno de sus momentos centrales: Anthony Quayle abandona su silla, *que permanece ocupada por la cámara,* para acabar situado frente a esta última. De esta manera, el espectador asiste al desdoblamiento del personaje a través del cual ha venido mirando la escena, al que ve abandonar su lugar, que queda, así, convertido en lugar confesado de la enunciación. De idéntica manera que en el juego comentado de campos-contracampos (posiciones C y D), este plano 23 supone una nueva formulación de la dificultad de reunir el punto de vista y la identificación afectiva: para que ésta se produzca, el punto de vista del actante deberá ser abandonado para mostrar al personaje como objeto de la mirada del sujeto enunciativo. La enunciación es, entonces, puesta al desnudo, mostrando cómo los planos que parecen originarse en la mirada de un personaje pueden terminar incluyéndolo. Es imposible, por tanto, predicar la justificación de lo que vemos de tal o cual sujeto de lo narrado. Sin embargo, esa puesta al desnudo no dura más allá de un plano. Desde el plano 24 al 27 vuelve a surgir la alternancia entre la mirada de Anthony Quayle y el objeto de esa mirada: la locura de Vera Miles se impone como única realidad capaz de colmar satisfactoriamente el significado de lo que vemos. El circuito se recompone y el espectador vuelve a encontrar el acomodo debido en el interior del campo del discurso, tal y como éste se define para el personaje nodal de la secuencia. Los tres últimos planos acaban de cerrar —bajo el ruido del Metro que pasa nuevamente— la operación de construcción de una propuesta de sentido. De la composición triangular que cierra el plano 28, aún podemos esperar que los dos personajes masculinos sean capaces de rescatar de su locura a Vera Miles. Dicha consolación será negada, radicalmente, por los planos siguientes. Cuando, en el plano 29, Vera Miles cruce ante los dos hombres para perderse definitivamente fuera de campo, su salida física marcará su expulsión del campo significativo del film hacia un espacio exterior en el que no hay salud posible. Las dos miradas de los hombres se anudan, finalmente, en un fuera de campo constituido, así, como lugar ajeno al sentido que ha venido siendo representado, a lo largo de toda la secuencia, por la presencia objetal y monolítica de Vera Miles. En efecto, lo que el film ha mostrado en este breve fragmento no ha sido sino la existencia de algo irreductible que aquél debe terminar excluyendo de su propia materialidad. Algo en torno a lo cual se crea el significado, pero que no alcanza a producirlo por sí mismo. De ahí, la particular estrategia enunciativa escogida por el film para esta secuencia. No debe nada al azar el hecho de que, a lo largo de su desarrollo, *todos los planos puedan, o bien referirse a la mirada de Anthony Quayle, o contenerlo a él mismo en el encuadre*. Tampoco es azaroso el que la única excepción a esta regla de oro (el plano 19, que corresponde al punto de vista de Henry Fonda), lo sea en tanto permite encajar esta secuencia dentro del desarrollo global del film y, lo que es decisivo, otorgar la capacidad de mirar y, por tanto, de producir sentido, al otro personaje activo de la escena.

Así, la locura de Vera Miles, su exclusión del campo fílmico y del territorio del sentido, viene expresada de la forma más cinematográfica posible. Nos encontramos ante un personaje a través del cual no se vehicula el desarrollo de la ficción. Para ella, no se constituye ningún espectáculo. Lo que el film le deniega —pobre mujer perdida en el pozo de su locura— no es otra cosa que el *derecho a mirar*.

6.4. *Cuarto comentario:*
La puesta en escena y el efecto referencial

Por último, abordaremos el problema de la puesta en escena en un caso referido a la reconstrucción de un espacio referencial aparentemente idéntico, la guerra civil española, desde la perspectiva abiertamente ficcional y desde el llamado «documental» (Talens 1985; 1987).

Aunque pueda parecer que la memoria filmada de la guerra civil española se caracteriza por su escasez, pocos acontecimientos han atraído más la atención de los cineastas de todo el mundo que la absurda tragedia que convirtió España, durante tres largos años, en un laboratorio estratégico dedicado a contener el avance del comunismo. Tal circunstancia hace especialmente importante el análisis de los films dedicados a tal acontecimiento, no solamente por razones históricas —que ya lo justificarían de por sí—, sino también por la capacidad de brindar textos a los estudiosos de la historia y de la evolución del discurso cinematográfico.

La Primera Guerra Mundial había ya atraído a un gran número de realizadores interesados en el nuevo medio, dado el carácter de inmediatez y realismo que la imagen era capaz de ofrecer a los medios tradicionales del periodismo escrito y de la radio para comunicar los acontecimientos que estaban sucediendo en Europa. No obstante, fue con la guerra civil española, tras la invención de cine hablado, cuando tales posibilidades pudieron ser explotadas. Por primera vez en la historia del cine gentes de todas partes del mundo, los unos directamente en el escenario de la guerra con sus cámaras al hombro, y los otros físicamente lejos de éste, decidieron invertir sus energías ocupándose sistemáticamente del tópico de la guerra civil española. Sus intenciones eran tanto informativas (elaborando reportajes) como abiertamente industriales (produciendo films para la distribución comercial en salas).

Desde nuestro punto de vista actual, este material muestra hasta qué punto ambas posibilidades no eran absolutamente alternativas, sino complementarias, de tal manera que hicieron explícitas la arbitrariedad de la oposición entre film documental y film de ficción, lo cual nos permite integrar las dos prácticas, no tanto como dos discursos diferentes, sino como dos modalidades distintas de operar desde el interior de un solo discurso.

Los inventores del cine fueron legión, si bien los honores y la gloria han sido atribuidos casi exclusivamente a los hermanos Lumière. Algunos de estos inventores no pertenecían a la industria del espectáculo, y estaban interesados por encima de todo en documentar los acontecimientos. Tales son las experiencias de Pierre Jules César Janssen y su «pistola fotográfica» para captar con la cámara el planeta Venus moviéndose a través del Sol. Tal es también la «linterna mágica» de Earweard Muybridge, que creó la ilusión de los caballos en pleno galope. Si bien estos casos no nos permiten hablar de cinematografía de forma estricta, no cabe duda que fueron la base para su nacimiento posterior, con una finalidad y una dirección bien definidas: el reproducir la realidad en movimiento. Los primeros rollos de los hermanos Lumière no ocultaron un principio constructivo tan obvio. De hecho, fueron los primeros —incluso en ausencia de planificación, sin usarla como un procedimiento explícito de composición— en inscribir en la materialidad de la pantalla la presencia invisible de un ojo exterior que, ocupando un espacio desde fuera, suplantaba nuestro ojo, seleccionando qué ver y desde dónde. Recordemos la famosa secuencia de los los fotógrafos saludando con el sombrero y mirando directamente a la cámara en el Congreso de fotografía de Neuville-sur-Saône (1895). La funcionalidad que Edison y Nickelodeon le dieron al nuevo invento desplazó el punto articular desde una operación mecánica —reproducir la imagen— a un efecto significante —presentar la imagen como realidad. No solamente esto originó lo que Noël Burch (1987) ha llamado «Modo de Representación Institucional», sino que también estableció las bases para el nacimiento de una dicotomía potencialmente más peligrosa: la que existe entre lo que se ha llamado film de ficción y film documental. De hecho, la ruptura de la enunciación que comienza con Edison y, a través de Porter, alcanza su consagración definitiva con la técnica de montaje de Griffith, no puede ser asimilada al modo de representación nacido con Lumière-Meliès.

En éste, la explicitación del proceso de producción, su puesta en escena, injerta dentro del discurso mismo una mirada metadiscursiva capaz de discernir en el objeto qué es lo que lo constituye como tal: el ser no un hecho, sino una interpretación (Sánchez-Biosca, 1985; González-Requena, 1986; Talens, 1986).

Desde la perspectiva epistemológica subyacente al modelo de Porter-Griffith, podríamos hablar de ficcionalidad frente a no ficcionalidad, no a partir de los mecanismos de composición, sino desde la referencialidad pura y simple. No se debe al azar el que el concepto de documental —y su caracterización implícita como discurso directo, supuestamente sin *mise-en-scène*— se originara en los años veinte desde el interior del M.R.I., para clasificar y explicar un tipo de films iniciado con *Nanook of the North* (Robert Flaherty, 1922). Resulta curioso que el propio Flaherty rechazara siempre la calificación de documental, aplicada a su trabajo. En efecto, su film no buscaba tanto filmar el estado de decadencia de los Inuit bajo la dominación blanca, sino restituirles su originalidad y majestad mientras aún era posible. Para ello utilizó todos los trucos y subterfugios que el nuevo medio le permitía, construyendo una puesta en escena tal, que el espectador viera a estos personajes como seres próximos y «vivos». En fecha relativamente reciente, un cineasta canadiense, Claude Massot, ha intentado, con su cámara al hombro, reconstruir, en la medida de lo posible, el proceso de elaboración del film de Flaherty, acudiendo a la memoria del rodaje, existente entre los más ancianos de la comunidad que aún sobreviven. El resultado es un film, *Saumialuk, «le grand gaucher»* (1980) —alusión al apodo con que los Inuit bautizaron a Flaherty por su condición de zurdo y por su enorme estatura—, donde si algo queda claro es, precisamente, el enorme trabajo de ficcionalización que el realizador hubo de llevar a cabo para poder producir un efecto aceptable de realidad. Con la ayuda y la aquiesciencia de sus improvisados actores —entre los que se encontraba, dicho sea de paso, su propia mujer en el papel de la falsa esposa del protagonista—, recreó medio igloo para permitir la colocación de las luces, y contó una historia llena de humor, acorde con el carácter de divertimento que la filmación tenía para él y para los Inuit. Que *Nanook of the North* se haya convertido en el punto de referencia para el llamado cine «documental» no deja de ser, por ello, sino un síntoma del carácter ideológico implícito en dicha noción; una noción que, estableciendo la dicotomía ficción/documentalidad, explica el que, en el interior del M.R.I., sea posible hacer una distinción entre *Broken Blossom* (Griffith, 1922) y el film de Flaherty. No obstante, en la Unión Soviética, por ejemplo, la diferencia entre *El acorazado Potemkim* (Eisenstein, 1925) o *La madre* (Pudovkin, 1926) por un lado, y *El hombre con la cámara* (Dziga Vertov, 1930) o *The extraordinary adventures of Mr. West in the Bolsheviks Land* (Lev Kuleshov, 1924) por otro, pueden ser descritas en términos no necesariamente relacionados con el binomio citado. Es importante mencionar, no obstante, lo significativo que resulta el que Eric Barnow (1974) titulara *Documentary, a History of the Non-fiction film* su conocida monografía sobre el tema.

El problema que plantea este desplazamiento no es nuevo. Pierre Bordieu había ya especulado sobre la relación existente entre el surgimiento del modo capitalista de producción en la sociedad burguesa y la institucionalización de la ficción en el arte. En efecto, si la decodificación de los elementos discursivos de base depende de la decodificación de su uso artístico, la práctica artística se convertiría en el feudo de una minoría privilegiada —la única que poseería el suficiente conocimiento para imponer el control de los códigos—, lo cual reproduciría en este terreno su dominación de clase.

El intento contemporáneo de romper con este estado de cosas condujo, no obstante, a una salida ambigua: la incidencia «realista» sería posible únicamente a través de la eliminación de la ficcionalidad. Este principio, que se había originado a partir de una reducción del mucho más complejo naturalismo de Zola (Company, 1986), estableció la distinción entre un estatuto de naturalidad verdadero (documental) y otro falso (ficcional), que da validez a una supuesta transparencia discursiva. El cine no ha sido una excepción. No obstante, no existe film sin montaje, ya sea intencional en términos de puesta en serie, o de *mise-en-scène*. El montaje implica intervención y manipulación del material para poder elaborarlo. Un noticiario es considerado verdadero si es creíble. La verdad, en consecuencia, es el resultado de un efecto producido en el espectador mediante un proceso constructivo retórico, a través del cual la articulación de imágenes y sonidos adquiere estatuto de verosimilitud. En su negación de la supuesta transparencia discursiva, este proceso parece poner en entredicho la existencia del «documental» mismo.

No obstante, el afirmar que cada discurso forma parte de la ficción, puesto que está estructurado para convencer de algo mediante una historia —verdadera o no en el nivel referencial—, no resuelve nada. Las diferencias entre el llamado «film documental» y un film de ficción son evidentes. Sin embargo, es preciso analizar en dónde se sitúan esas diferencias. Esto, que no es tanto un presupuesto anterior y externo como un producto discursivo, nos conduce inevitablemente a hablar no del referente (con existencia autónoma fuera del discurso), sino de un efecto referencial (producido), cuando buscamos un elemento de validación analítica.

Esta perspectiva tiene la ventaja de transformar la vieja oposición entre diferentes realidades referenciales por la oposición entre formas de producir diferentes percepciones a través de diferentes efectos. De esta manera puede entenderse cómo es posible hacer un documental con materiales que son referencialmente ficcionales, y un film de ficción con materiales que son referencialmente verdaderos. En ambos casos, el sentido del texto no depende de los materiales, sino de la operación que los articula como globalidad.

La consecuencia más inmediata de esta transformación consiste en que somos conducidos a la necesidad inevitable de aplicar un análisis textual a los dispositivos fílmicos, en vez de tratar los temas en el nivel del argumento o de sus horizontes histórico-sociológicos. Esto no niega la importancia del estudio de los temas o de estos horizontes, al contrario, hace que su estudio sea más productivo. Es la articulación específica de la estructura lo que produce los temas y los horizontes.

Si asumimos estos presupuestos teóricos con respecto al gran número de films hechos durante, o a propósito de la guerra civil española, la primera cosa que descubrimos es hasta qué punto la guerra, a primera vista (en apariencia) el argumento principal de los films, no es más que un pretexto para hablar de otras cosas, que son las que los estructuran y les otorgan un significado. Lo contrario es también válido: la mayoría de las comedias hechas en el lado de la España controlada por el ejército rebelde, aunque se presentan a sí mismas como de entretenimiento, están estrechamente asociadas al tema de la guerra, incluso aunque no suelen hablar de él. Es lo que ocurre con muchos de los films realizados en la zona del gobierno de Burgos durante el periodo 1936-39, como *La canción de Aixa* o *Carmen de Triana*, ambas de Florián Rey, o *Suspiros de España* y *El barbero de Sevilla* de Benito Perojo. Esta tipología de films pseudopopulistas desarrolló un modelo ya establecido antes del comienzo de la guerra civil con títulos como *Morena Clara* (Florián Rey, 1835) o *La verbena de la paloma* (Benito Perojo, 1935). Tras el término de la contienda, y durante la década de los años cuarenta, este modelo coexistió con el más explícito «modelo cruzada». En efecto, una gran parte de las llamadas «comedias de evasión» del periodo son incomprensibles si no se relacionan con la ausencia omnipresente de la guerra civil. Veamos algunos ejemplos de ambas tipologías.

Spanish Earth (1938), dirigida por Joris Ivens y producida con fondos norteamericanos, está considerada como uno de los «documentales» más fieles al conflicto desde el punto de vista histórico.

El film fue hecho, no obstante, no tanto para «informar» del conflicto al público y al gobierno americanos, mostrando los horrores de la guerra, sino para «convencerlos» de participar en favor de la República española contra la rebelión militar iniciada por el general Franco. Se esperaba este apoyo a pesar de la existencia del «American Embargo Act of 1936», que siguió al «Neutrality Act of 1935», basándose en que el Senado y el Congreso habían decidido una política de no intervención.

Este punto de partida explica por qué Ivens tuvo necesariamente que usar algunos aspectos del modelo discursivo del cine institucional americano, en algunos de sus presupuestos estéticos de base, a la hora de realizar el film. Para ser comprendido, uno debe hablar un lenguaje comprensible, adecuado al horizonte de las expectativas de la audiencia. En efecto, *Spanish Earth* escoge un argumento ficcional sencillo, pero significativo, para poder funcionar como vehículo de su discurso documental: Juan, un soldado del ejército republicano, vuelve por un corto periodo de tiempo a su pueblo, lejos del frente. Esta anécdota mínima permite a Ivens mostrar la vida de cada día de las gentes que, incluso viviendo cerca de los horrores de la guerra, trabajan la tierra con energía y coraje, y creen en la posibilidad de un futuro mejor, a pesar de las bombas y de la destrucción.

El valor simbólico atribuido a la tierra influiría favorablemente a los espectadores norteamericanos, cuyo inconsciente colectivo ha solido atribuir a la tierra un estatuto fundamental como elemento mítico de su propia constitución en tanto país. De otra manera no sería posible comprender esa especie de parahistoria americana, vía Hollywood, que es el *western*, en el que normalmente las luchas y los enfrentamientos entre ganaderos y familias sedentarias que cultivan su pedazo de tierra, que suelen de servir de línea argumental, son resueltos a favor de los últimos. Desde esa perspectiva resulta coherente que trabajar la tierra y vivir de sus frutos se convirtiese en categoría fundacional. Recordemos cómo uno de los *best sellers* más populares de aquellos años, *Gone with the wind*, de Margaret Mitchell —convertido en 1939 en un film de éxito por Victor Fleming— establecía Tara como el punto central de su mitología.

Por otro lado, la presencia de Juan en *Spanish Earth* como personaje-eje subraya la necesidad de individualizar una historia colectiva, inscribiendo en su desarrollo un solo protagonista, una especie de antihéroe —es decir, un héroe—, capaz de simbolizarla.

Lo que, como documento, trataba de ser el testimonio de un conflicto explicable en términos políticos, tenía que ser camuflado como una historia con un argumento y un protagonista, desplazando de esta forma su énfasis al modelo «comprensible» de un film de ficción. No tiene importancia el que en este caso el héroe fuese el símbolo de una colectividad. Tal como Marx había teorizado, el problema de la Historia no es conocer quién es el sujeto, individual o colectivo, sino cuál es el motor que la mueve.

El film, hecho en 1937, ofreció una imagen optimista del desarrollo de la guerra, de tal manera que la victoria de los republicanos parecía posible. Esta perspectiva hubiese sido imposible de mantener en 1938. El inteligente trabajo de Ivens no alcanzó su objetivo por razones que son suficientemente bien conocidas. No obstante, esto no debería hacernos olvidar que *Spanish Earth* era, de hecho, un film articulado subliminalmente en torno a algunos conceptos y a un sistema de valores que eran ajenos al público español, puesto que pertenecían a la tradición cultural americana. Así, ésta era probablemente la única posibilidad que tenía Ivens para hacerlo sin ser acusado de bolchevismo y propaganda política —que es lo que finalmente sucedió. Ivens hizo referencia a un sistema de valores, asumidos por la sociedad americana como suyos, que estaban en juego en España en aquel momento preciso. De esta manera, en *Spanish Earth*, a causa de su estrategia ideológica para convencer al público americano, la guerra civil española, como tema argumental, no pasa de ser un elemento marginal.

Lo mismo puede decirse de *Spanija*, film editado en la URSS por Esfir Shub, durante la Segunda Guerra Mundial, en parte con materiales tomados de archivos y en parte con material filmado por Roman L Karmen. El film, presentado en la URSS de Stalin, articula su discurso en torno a las diferentes posiciones tomadas por los anarquistas, trotskistas y comunistas con relación a la guerra civil española. Curiosamente, su narración acaba abruptamente con la salida de las Brigadas Internacionales del puerto de Barcelona en 1938, dejando sin tocar la última parte de la guerra. Una vez que los protagonistas que interesaban al público soviético desaparecían de la pantalla, la guerra desaparecía con ellos.

Al igual que en el ejemplo anterior, *Spanija* utiliza la guerra civil española como un pretexto para hablar de una problemática diferente, en este caso el conflicto entre la Tercera y la Cuarta

Internacional, y a favor de la primera de las dos. Es evidente que la diferencia de público para el cual fue hecho el film, y la diferente tradición fílmica en la que se inserta como dispositivo textual —Esfir Shub había trabajado como editor en films de Dziga Vertov—, determina la distinción de su estructura en relación con el film de Ivens. Pero esto no cambia nuestra argumentación general. El hecho de no haber protagonistas individualizados articulando la historia que se está narrando, contrariamente al modelo narrativo de Hollywood, no implica que no haya protagonistas como sujetos de la historia en el film. A la vez de seres humanos, hay opciones políticas específicas. Más que un film sobre la guerra civil española, *Spanija* es un film sobre las razones oficiales que enarboló el estalinismo para justificar su condena del trostkismo en el terreno internacional.

En este sentido, *Sierra de Teruel* (André Malraux/Max Aub, 1937), *The Good Fight* (EE.UU., 1984) y *Espíritu de raza* (José Luis Sáenz de Heredia, 1940) son, quizá, tres de los films que hacen explícito el carácter pretextual de la guerra civil española como tema argumental.

El primero es conocido también con el título *L'Espoir* —curiosamente «humanizado» e «individualizado» en la versión inglesa, titulada *Man's Hope*. Aunque la autoría se le otorga generalmente a André Malraux, el film fue, de hecho, el resultado de un trabajo de colaboración entre Malraux y Max Aub, cuya impronta ideológica en el resultado final no puede ser olvidada (Company/ Sánchez-Biosca, 1985). Basado en un fragmento de la novela *L'Espoir* de André Malraux, el film se articula en torno a una pequeña anécdota, casi marginal en la novela. En la primera parte, un grupo de aviadores de las Brigadas Internacionales tienen que bombardear un campo de aterrizaje del ejército rebelde. Después del bombardeo, uno de los aviones es derribado por el fuego enemigo, y se estrella en una montaña de la Sierra de Teruel. La segunda parte del film narra la recuperación de los cuerpos por miembros de la milicia republicana. La impresionante secuencia final del descenso de los soldados heridos por los caminos empinados de la Sierra, y su entrada en el pueblo, es quizá el mejor ejemplo de cómo diluir la noción de protagonista-sujeto —individual o colectivo— en un punto de vista popular, es decir, cómo desplazar el punto de articulación discursiva desde la mera *pronunciación* a la *enunciación*. Éste es probablemente el único caso en el cual un film sobre la guerra civil española plantea, de modo abierto, las motivaciones reales de la guerra, a pesar del carácter ficcional del guión. A través del desplazamiento que opera en la historia, mediante la disolución de una narración centrada en el individuo en la situación social que lo enmarca y contextualiza, el objetivo discursivo del film se ve desplazado hacia un terreno político desde el cual poder ofrecer una visión ideológica correcta de qué es lo que estaba en juego en el conflicto armado. No obstante, cuando el film fue montado, al final de la Segunda Guerra Mundial, se le añadió un prólogo —supuestamente con el consentimiento explícito de Malraux—, que cambia completamente su significado. Alguien, mirando a la cámara, habla a través de un micrófono de radio, elogiando la acción de los protagonistas, relacionándolos con los resistentes franceses en su lucha contra Hitler y el gobierno de Vichy. Este extraño prólogo convierte *Sierra de Teruel*, en su versión estándar, en un film sobre la Resistencia, en el cual la guerra civil española no es más que un trasfondo metafórico.

The Good Fight, hecho por los supervivientes de la Brigada Lincoln durante la presidencia de Richard Nixon, mezcla imágenes de archivo de la guerra civil española con entrevistas actuales a los brigadistas. Si bien la mayor parte del film está dedicada a mostrar escenas de la guerra civil, se hace obvio que, tal como indica el título, no trata tanto de la guerra como de las razones ideológicas que justificaron la participación de varios miles de norteamericanos en las filas del gobierno republicano español. En efecto, el film termina con las imágenes de una manifestación de protesta de los brigadistas frente a la Casa Blanca durante la década de los años setenta. Más que un film sobre la guerra civil, *The Good Fight* narra la supervivencia de una cierta tradición de izquierdas en Estados Unidos hoy día. Noël Bucker, Mary Dore, David Paskin y Sam Sills, responsables del film, lo exponen claramente al responder a las críticas lanzadas por Robert Rosenstone en su artículo «History. Memory. Documentary: A Critique of *The Good Fight*» publicado en la revista *Cineaste*. Al contestar a los ataques de Rosenstone —quien afirma que el film pretende no perder una audiencia condicionada por la estética de Hollywood, una audiencia que, en general, prefiere la nostalgia a la historia y la emoción al pensamiento— afirman explícitamente haber trabajado para un público americano: «Por supuesto el público condicionado por la estética de Hollywood es el público al que queríamos dirigirnos (...) Al proyectar el film por diversos lugares del país, espectadores no de izquierdas expresaron su consternación por la imagen que el film ofrece de los radicales. "¿Pretenden decir, nos preguntaban a menudo, que apoyábamos a la parte equivocada y los comunistas a la parte correcta?" Un film no puede nunca revisar la orientación política de una persona, pero si plantea un problema a una mente honesta, puede al menos romper la amnesia colectiva americana.»

El tercero de los films mencionados es, desde esta perspectiva, de un interés particular, a pesar de su carácter abiertamente reaccionario y manipulador. La complejidad fílmica que Sáenz de Heredia incorpora a un guión bastante simple y maniqueo, escrito por el general Franco —que aparece en los créditos bajo el seudónimo de Jaime de Andrade—, hace de *Espíritu de una raza* un texto apropiado para el análisis de los mecanismos estrictamente formales que el cine puede utilizar para poner en escena la mistificación de la Historia.

El carácter emblemático que el film reclama para sí se hace explícito no sólo a través del texto que aparece en transparencia al final de los créditos —«La historia que vais a presenciar no es un producto de la imaginación. Es historia pura, veraz y casi universal, que puede vivir cualquier pueblo que no se resigne a perecer en las catástrofes que el comunismo provoca»—, sino, fundamentalmente, con las fotos fijas que abren y cierran el film, y por la imagen de un paisaje bucólico al amanecer, saliendo materialmente de los planos que le sirven de apertura. Las fotos fijas reproducen cuadros de españoles descubriendo el Nuevo Mundo en 1492 y de barcos de la Marina imperial española. Como resultado de la posición interconectada de ambas imágenes, parece que la idea de quietud, idilio y bucolismo está relacionada con el mundo de la grandeza imperial, simbolizada por los cuadros de los descubridores y de los barcos. El paisaje tiene también su complemento simétrico al final del film en la imagen de la bandera franquista. Entre esta pareja de emblemas que se relacionan entre si:

Mundo imperial = campo bucólico y tranquilo = bandera franquista

el film desarrolla su argumento: la historia de la reconquista de un pasado glorioso, supuestamente amenazado por las nuevas ideas democráticas.

Para nuestro propósito aquí, es necesario dejar de lado las connotaciones explícitamente freudianas que ofrece el argumento para analizar la «historia familiar» del guionista —tema estudiado en varias ocasiones por Román Gubern. No es que el tema no sea abordable ni interesante desde el punto de vista histórico o clínico, sino que, al hacerlo, se confunde el guión literario con el film, y se solapa la estricta funcionalidad ideológica del trabajo cinematográfico. De hecho, gran parte del efecto manipulador del film radica en la forma en que una puesta en escena más o menos correcta otorga una cierta credibilidad subliminal a los simplismos del guionista. Lo importante en el film, como tal, es la manera en que la guerra civil es utilizada como pretexto para construir una metáfora definitoria de la Historia de España en términos generales, una Historia que es vista, desde esta perspectiva, como la de una familia en desacuerdo continuo. En ella las peleas constantes entre dos hermanos pueden ser controladas únicamente mediante la intervención de la madre, que abraza amorosamente al hijo bueno y al malo.

La anécdota familiar con la que comienza el film está conectada con el tema de la guerra civil mediante dos series de fundidos encadenados y *collages*, en los que una voz en off habla sobre la «tormenta comunista y atea» que, «amenazando la familia, podría eventualmente destruir la nación». El inicio bucólico del film, tras el ya citado cartel, es muy similar al que abre *Blockade* (William Dieterle, 1938). Es interesante subrayar cómo el mismo dispositivo de usar un tema para hablar, indirectamente, de otra cosa diferente no explicitada en el plano argumental, aparece también en otro famoso film del mismo productor de *Blockade*, Walter Wanger. Ese otro film, hecho durante la guerra fría, es *La invasión de los ladrones de cuerpos* (Don Siegel, 1955). En él, el argumento de ciencia ficción no es sino un pretexto para desarrollar de manera subliminal un discurso acerca del peligro de infiltración comunista en la sociedad norteamericana, es decir, el mismo razonamiento usado como base de las argumentaciones del maccarthysmo.

Volviendo a *Espíritu de una raza,* la primera serie de *collage*-fundidos encadenados termina con la boda de la hermana del protagonista, tomada mediante un plano general del interior de la iglesia. Un *travelling* lateral, que avanza de derecha a izquierda de la pantalla, muestra a la madre, a la novia y al novio sumidos en una especie de rapto místico, y al padrino (identificado en la siguiente secuencia como un republicano), aburrido y mentalmente ausente. La cámara corta a una toma en plano medio lateral de los hermanos: José y el pequeño, vestidos ambos de soldados, siguen los acontecimientos con un rapto místico similar al de la novia, la madre y el novio. Pedro, el republicano, vestido de frac, se abanica descuidadamente con su sombrero de copa y muestra el mismo gesto de aburrimiento que el padrino. Cuando, unos planos más adelante, el padrino se dirija a Pedro y le pregunte si es difícil vivir en una familia como la suya, éste responde: «No crea que mucho; los hermanos, el uno en Cádiz, el otro destinado en África o en provincias, rara vez coincidimos en Madrid. Respecto a mi madre, el problema se anula. Ya sabe que las madres son un poco el poder moderador.»

La segunda serie de *collages*-fundidos encadenados nos conducen al principio de la rebelión militar. Coincidiendo con la imagen borrosa de la madre recibiendo la extremaunción, la voz en off relaciona la anécdota familiar con la Historia de España —«En los años que siguieron, el vendaval político arrastraba irremisiblemente a la nación hacia el abismo comunista. Como si el reto de los dos hermanos tuviese un signo profético y fatal, *así iba a dividirse la familia española.*» (cursiva nuestra). La muerte de la madre, emblematizando aquí la más amplia y más general noción de España, es lo que da origen, simbólicamente, a nivel textual, a la guerra civil.

Todo lo que sigue, hasta la secuencia final, con la llegada de las tropas franquistas a Barcelona tras la derrota republicana, parece referirse —de manera mistificadora, pero explícita— al tema de la guerra civil. La secuencia final, no obstante, desplaza de nuevo el hilo conductor hacia un nivel más emblemático y general, utilizando de manera brillante un procedimiento que, en términos poéticos, ha sido definido como diseminativo-recolectivo (Alonso/Bousoño, 1951). Así, el film mezcla en *collage:* a) la imagen de la escultura de Don Quijote y Sancho que se encuentra en la Plaza de España de Madrid; b) la imagen del retrato oficial de Franco, sobreimpresionada en transparencia a la de las tropas entrando en Barcelona; c) la imagen de José a caballo, a la cabeza de sus legionarios; d) la imagen de Pedro —tomada desde abajo e iluminada por una luz que se asemeja a la de las Vírgenes de Murillo— traicionando a los republicanos y lamentando sus pecados «sórdidos y materialistas» *[sic]*; e) la imagen del padre de los protagonistas de la novela familiar, al morir en la guerra de Cuba; f) una serie de otros personajes diseminados a través de la parte central del film: el doctor que ayudó a José después de su falsa muerte por fusilamiento, el viejo indiano regresado de Cuba para participar en la guerra junto a los rebeldes, el muchacho que escapó de Madrid, el prior herido por los milicianos y la imagen del hermano más joven, muerto en una playa cerca de Barcelona.

La asociación evidente que establece el *collage* entre todos estos hechos se ve subrayada por la voz en off, que repite las palabras del padre a su hijo José, al principio del film, precisamente en el momento en que éste cabalga en el desfile de la victoria:

«— Papá, ¿qué son los almogávares?

— Eran guerreros elegidos, los más representativos de la raza española; firmes en la pelea; ágiles y decididos en el maniobrar; su valor no tenía límites y daban muestras de él en todo momento.

— ¿Cómo no hay ahora almogávares?

— Cuando llega la ocasión, no faltan; sólo se perdió tan bonito nombre, pero almogávar será siempre el soldado elegido, el voluntario para las empresas arriesgadas y difíciles, las fuerzas de choque o asalto.»

El trabajo textual del film desplaza así el tema de la guerra civil de su posición central, transformándola en un ejemplo metafórico de otro discurso más general y falsificador de la Historia de España. Ésta es presentada en términos de una lucha continua entre el bien y el mal, Caín y Abel. Esta perspectiva sentó las bases de lo que más tarde sería definido como «modelo Cruzada». *Espíritu de una raza* no trata, por ello, de la guerra civil, sino del sistema de valores que debía justificar, en pleno inicio de la autarquía, la construcción de la España fascista de la posguerra.

Todo lo dicho anteriormente puede parecer bastante obvio: de hecho, nadie habla desde el vacío, y tampoco tiene lógica alguna el pretender que exista la objetividad documental —la cual no tiene la más mínima posibilidad de llegar a existir. No obstante, los ejemplos que acabamos de comentar nos permiten plantear un problema que no es tan evidente: el que nos devuelve a las formas discursivas necesarias para la producción de una imagen referencial del mundo. En otras palabras, ¿cómo distinguir una inscripción correcta de la Historia —en este caso, la guerra civil española, pero que podemos hacer extensible a cualquier otro tema— en un film, sin concentrarse en aspectos temáticos o en el significado político-social del realizador? En efecto, si aceptamos que la noción del «compromiso» es harto problemática, en cuanto considera la función ideológica como inscripción de la voluntad de un sujeto y no como resultado del dispositivo discursivo, habremos concluido que quien habla en un film no es ni una persona ni un tema, sino una estructura, es decir, un punto de vista enunciativo, construido a través de operaciones textuales específicas. Sáenz de Heredia, uno de los discípulos más brillantes de Buñuel, gran conocedor de las técnicas de montaje del cine soviético, manipula el significado de los procedimientos, tal como éstos fueron utilizados en los film originales. Si le fue posible hacerlo es debido a que, incluso aunque no existan procedimientos «inocentes», el significado no se sitúa en ellos en tanto tales, sino en la función concreta que asumen en la puesta en escena, es decir, en la relación con la articulación global del espacio textual fílmico en el cual operan y se insertan.

Los films comentados muestran hasta qué punto el análisis histórico depende del análisis textual (White, 1978; Lozano, 1987). Diluyendo la noción de documental y la ficción en un universo discursivo común, la Historia puede ser reconstruida, en ambos casos, no tanto como una presencia o una ausencia transparente, sino como una presencia ausente, es decir, como un efecto de sentido, pues, aunque el «tema» pueda ser situado en el futuro o el pasado, la enunciación fílmica funciona siempre en presente de indicativo.

CAPÍTULO V

La puesta en serie

En el capítulo anterior analizábamos el entramado de los componentes fílmicos formando un espacio imaginario de representación. En las páginas que siguen veremos el tipo de articulación que organiza los fragmentos de ese espacio en forma de cadena temporal.

La cadena temporal o *puesta en serie* constituye el aspecto más estrictamente cinematográfico del discurso fílmico. Se trata, en definitiva, de establecer una sucesión, según la cual a una imagen le precede o/y sigue otra, con lo que los elementos distribuidos en el encuadre reciben o lanzan una determinada información, que no proviene tanto de su propia estructura independiente, cuanto del hecho de su articulación con otras imágenes.

«Poner en serie» significa, en efecto, desde el punto de vista técnico, pegar un trozo de película con otro trozo de película. Este ensamblaje puramente físico, sin embargo, establece relaciones internas entre los elementos encuadrados, o entre la estructura que los distribuye en el plano, que van más allá del hecho técnico de «pegar» los trozos.

Cuando dominan las *asociaciones por identidad* (bien porque una imagen está relacionada con otra, bien porque se trata de una misma imagen que se repite o de un elemento que introduce dentro de la repetición una cierta variación), *las asociaciones por proximidad* (lo que sucede cuando una imagen se relaciona con otra por el hecho de representar elementos diversos dentro de una misma situación) o las *asociaciones por transitividad* (lo que su- .

cede cuando una imagen se relaciona con otra por el hecho de representar dos momentos sucesivos de una misma acción), la serie constituye un tipo de universo que el cine hegemónico ha convertido en compacto y homogéneo. Es lo que sucede en el cine de Hollywood, donde cada fragmento del mundo representado está lógicamente unido al fragmento sucesivo.

Cuando dominan las *asociaciones por analogía* o *por contraste* (lo que sucede cuando una imagen está relacionada con otra por el hecho de representar elementos semejantes, pero no idénticos, o elementos opuestos, respectivamente), la puesta en serie constituye un universo heterogéneo dentro del cual, sin embargo, es posible orientarse de acuerdo con la lógica del cine hegemónico.

Cuando dominan las *asociaciones neutralizadas* (lo que sucede cuando una imagen está relacionada con otra por el simple hecho de estar unidas en la sucesión temporal), la puesta en serie constituye un universo inconexo y disperso, cuya organización debe ser construida como hipótesis por el espectador. Es lo que ocurre en gran parte del cine antiinstitucional, también llamado «moderno», donde los desencuadres o falsos *raccords* subrayan el carácter de constructo retórico que tiene el film y obligan a analizarlo en cuanto tal, lejos del efecto realista que el modo hegemónico normalmente comporta.

La puesta en serie puede, en consecuencia, articular un mundo en forma de estructura narrativa o de estructura no narrativa. La serialidad, en cuanto tal, no implica necesariamente la existencia de un relato.

1. LA PUESTA EN SERIE NARRATIVA

Como ya adelantábamos en el capítulo anterior, hoy está firmemente asentada la idea de que la relación del cine con la narratividad tiene menos que ver con la ontología de la imagen cinematográfica que con una serie de condicionantes históricos, económicos y sociales que así lo decidieron, como lo prueba el hecho de que los autores que reflexionaron sobre el cine en los años cercanos a su invención se fijaron menos en la capacidad del nuevo arte para «contar historias» que en su potencial utilidad en los campos de la enseñanza, información, archivo y conversación, etc.

Burch (1980, 1987) ha mostrado con claridad cómo el cine nace de una triple confluencia:

a) toda una serie de *tradiciones populares,* de las que eran buena muestra los modos de representación del tipo del melodrama, el *vaudeville,* la pantomima inglesa, el circo, la caricatura, los números de feria, etc., tradiciones mantenidas vivas entre el proletariado y el pequeño artesanado de las grandes urbes;

b) la influencia de la *ciencia,* que se dirigía menos a sustituir o representar la vida que a *descomponer el movimiento* para su análisis posterior (Marey, Muybridge). [Lumière mismo no dejó de subrayar que el gran potencial del cine estaba en su capacidad de prestar un auxilio decisivo al desarrollo de las ciencias aplicadas]; y

c) la integración de elementos provenientes de *modos de representación típicamente burgueses,* como la novela, la pintura y el teatro.

Aunque entre 1895 y 1908 la influencia de estos últimos elementos no fue decisiva, a partir de esa última fecha, y de la mano de la necesidad que el cine, como industria sentía de atraer a un público de mayor capacidad económica, se van dejando de lado las prácticas destinadas a imitar el teatro popular para dar paso a una relativamente rápida implantación de los códigos del teatro y la novela, provenientes de la tradición burguesa de la segunda mitad del siglo XIX.

Descubierta con rapidez la ingenuidad de la trasposición lineal del teatro burgués a la pantalla —ingenuidad sancionada con el rápido fracaso del *film d'art*—, el cine, de la mano de determinados directores como Edwin Porter o David W. Griffith, procedió a la constitución de *un espacio pictórico habitable* a través del manejo de los significantes visuales (iluminación, *raccords,* centramiento de los figurantes en el encuadre), el montaje y la incorporación de estrategias narrativas (la elipsis, la articulación de las ficciones en torno a núcleos y catarsis) debidamente engrasadas por la tradición de la novela de corte dickensiano (Brunetta, 1987). De esta manera, se llegó a la formalización de un espacio-tiempo narrativo capaz de conferir a los relatos cinematográficos idénticos poderes a los que tienen la novela o el teatro burgueses, hasta el punto de que, históricamente, la orientación narrativo-representativa, calcada sobre los cánones de la novela decimonónica, ha terminado por ser dominante a lo largo de la historia del cine, relegando a espacios marginales toda práctica que renunciara abiertamente a la narración tradicionalmente entendida.

2. Expresión y contenido narrativo

Aunque pueda parecer excesivo el afirmar que la narración cinematográfica no difiere sustancialmente de la novelesca o teatral, sí puede sostenerse razonablemente la *relativa identidad de los procedimientos puestos en juego.* Por ello, nos acercamos al terreno de la *narratología,* combinando la generalidad —prácticas predicables de *toda* narración, *cualquiera* que sea la materia expresiva en la que encarne— con la especificidad, para atender debidamente a los condicionamientos particulares que las peculiares características de la expresión fílmica susciten en su caso.

Un texto narrativo es *una cadena de acontecimientos, en relación de causa-efecto, que tiene lugar en un tiempo y un espacio.* Todo texto narrativo, a su vez, articula una *historia* (contenido o cadena de acontecimientos y seres implicados en el relato) y un *discurso* (la expresión a través de la que se comunica el contenido). Los formalistas rusos proponían distinguir entre *fábula* (suma total de sucesos que son relatados en la narración) y *plot* (la historia tal y como es contada de hecho a través de una disposición particular de sus elementos).

Genette (1969; 1972; 1983) establece una distinción entre *diégesis, relato* y *narración.* La *historia o diégesis* hace referencia a un universo semántico global y coherente —lo que le confiere autonomía más allá del relato que la actualiza— considerado como objeto de conocimiento, y cuya inteligibilidad, postulada a priori, se basa en una articulación diacrónica de sus elementos (Greimas/Courtés, 1982). De manera más simple, diégesis se identifica con «lo narrado», distinguiéndose así del relato (discurso que «narra»).

La tradición cinematográfica, sin embargo, prefiere no identificar *diégesis* —o *universo diegético*— con *historia,* reservando esta última denominación para un encadenamiento de acciones, mientras la *diégesis* se refiere al *universo* en que esa historia se desarrolla (Genette, 1983).

Relato, por su parte, hace referencia explícita al discurso que se hace cargo de los sucesos narrados y puede definirse como el enunciado actualizado por el film —o la novela, o el cuento, etc.— considerado en su totalidad. Dicho *relato* presenta un *comienzo* y un *fin,* entre los cuales se desarrolla una secuencia temporal de acontecimientos, y aparece como clausurado y producido por alguien, remitiendo de esta forma a la existencia de un sujeto empírico de la enunciación, autor del enunciado-relato y, al mismo tiempo y en un plano bien diferente, a la de un enunciador implícito y un lector modelo capaz de actualizarlo a través de la cooperación interpretativa.

Precisamente esta distinción entre *discurso* e *historia*, que proviene de las formulaciones de Émile Benveniste (1971; 1977), fue recuperada por Christian Metz (1979) para señalar cómo el cine clásico es un «discurso» que *tiende* a presentarse como «historia». Hay que entender aquí, por tanto, «discurso» como aquel relato que muestra ostensiblemente las marcas de la enunciación, mientras que la «historia» sería un relato que tiende a suprimir todas las huellas del trabajo del sujeto de la enunciación, representándose como una *historia de ningún sitio y que nadie cuenta.*

Sin acto narrativo no hay enunciado y tampoco hay contenido narrativo. A la triple pregunta que, consciente o inconscientemente, todo espectador o lector se hace ante una espacio textual narrativo —quién habla, cuándo y cómo—, Genette (1972) responde lo siguiente:

1. Es imprescindible una *voz* narrativa que cuente una *historia relatada.*

2. La información sobre los personajes y la acción debe distribuirse de una cierta forma, en función de la instancia lectora. Es lo que entendemos como *modo* de la narración.

3. Tal información se inscribe en una determinada secuencia temporal, denominada *tiempo de la narración.*

El discurso narrativo no puede existir más que en la medida en que: o *se cuente una historia* porque en caso contrario no sería narrativo (por ejemplo, la *Ética* de Spinoza); o alguien lo profiera (porque sin esa circunstancia —como, por ejemplo, en el caso de una colección de documentos arqueológicos— no sería en sí mismo un discurso). En su condición de narrativo, existe en su relación con la historia que cuenta; en su condición de discurso, en su relación con la narración que lo profiere.

Comentar el discurso narrativo de un film será, en consecuencia, abordar las relaciones entre relato e historia, entre relato y narración y (en la medida en que se inscriben en el discurso del relato) entre historia y narración.

Profundizando en esta dirección, y utilizando las nociones de *primera articulación* (entre fotograma y fotograma, y producida por la cámara filmadora) y *segunda articulación* (entre plano y plano, y producida por el montaje), puestas a punto por Román Gubern (1975), André Gaudreault (1984) ha señalado cómo la articulación entre fotograma y fotograma se sitúa naturalmente en el lado de la «historia» en razón de su carácter absolutamente invisible y transparente (imágenes estáticas separadas por 1/24 de segundo, pero cuya discontinuidad no se percibe en condiciones normales de proyección), mientras que el hecho de que los planos sean unidades discretas, cuya articulación es siempre visible, sitúa la *segunda articulación* en el terreno del «discurso». Por eso, el cine clásico institucional ha desarrollado toda una serie de prácticas de montaje destinadas a borrar la marca de enunciación consistente en el cambio de plano *(raccords* en el eje, de miradas, de movimiento) con la finalidad de producir la ilusión ideal de continuidad espacio-temporal, que forma uno de los elementos centrales de la narrativa cinematográfica tradicional.

3. La temporalidad: tiempo del relato y tiempo de la diégesis

Como Bettetini (1979) ha mostrado con gran agudeza, la reproducción temporal, el registro pasivo del tiempo, es el único acto efectivamente «reproductivo» de que el cine es capaz, si bien con la transformación de la realidad en imágenes dinámicas, pueden ocurrir alteraciones temporales, derivadas, por ejemplo, del uso de determinadas ópticas que deforman las condiciones de percepción del ojo humano, o de la manera en que la rigidez de las condiciones de monovisión ofrecidas por la pantalla condicionan los modos de percepción temporal del espectador, habitualmente acostumbrado a ejercerlos libremente en todas las direcciones visuales.

Sin embargo, el carácter necesariamente *selectivo* del relato cinematográfico, que obliga a que todo discurso tenga que elegir qué sucesos y actantes mostrar y cuáles mantener implícitos, establece una serie de *relaciones entre el tiempo diegético* (o tiempo de la historia) y el *tiempo representado* (tiempo del discurso) que pueden ser analizadas en términos de *orden, duración* y *frecuencia* (Genette, 1972).

3.1. *Orden temporal*

El *orden* hace referencia a que el discurso puede *resituar* los acontecimientos de la historia a su gusto. Partiendo de lo que denominaríamos *coincidencia entre el orden de la historia y del discurso* como caso central, un relato puede articularse sobre *anacronías* que, a su vez, pueden ser de dos tipos (en la terminología cinematográfica): *flashback,* cuando el discurso rompe el flujo de la historia para recordar sucesos anteriores, y *flashforward*, cuando el discurso salta hacia adelante, dejando de lado una serie de acontecimientos intermedios que sólo posteriormente serán narrados (de no ser narrados en ningún momento del relato, nos encontraríamos ante una *elipsis*).

Toda *anacronía* puede ser medida en términos de *distancia* (el lapso de tiempo entre *ahora* y el salto hacia adelante o atrás) y *amplitud* (la duración de la anacronía en cuanto tal), pero también puede hablarse de relatos *acrónicos* en aquellos casos en que sea imposible dilucidar la relación cronológica entre el tiempo de la historia y el tiempo del discurso, como ocurre en *El año pasado en Mariembad* (Alain Resnais, 1961).

3.2. *Duración temporal*

En el terreno del relato escrito, Gérard Genette ha definido la *duración* como la la relación que existe entre el tiempo que toma leer un libro y la duración del tiempo de la historia. El propio Genette (1983) ha propuesto sustituir esta noción por la de *velocidad*, considerando que el rasgo auténticamente pertinente es la *velocidad del relato* (número de páginas en relación con el número de años de la historia, en el caso de un texto escrito).

En el caso del cine, el hecho de que el tiempo de lectura coincida con el de la representación y de que aquél esté rígidamente prefijado por el desfile ante el obturador de las 24 imágenes por segundo, permite considerar de manera mucho más directa la relación entre tiempo representado y tiempo diegético. En este sentido podrá hablarse de *sumario*, siempre que la duración del discurso sea más breve que la de los sucesos representados. Baste recordar el uso frecuente en el discurso cinematográfico de ciertas figuras retóricas destinadas a comprimir el tiempo de la historia (hojas de calendario que pasan, fechas escritas, voz del narrador indicando el lapso de tiempo transcurrido, etc.), o de mecanismos como el acelerado que supone una condensación temporal y un aumento de velocidad con respecto a la realidad.

Por su parte, la *elipsis* implica la eliminación de una parte más o menos amplia de la historia (clausura de un tiempo en el relato) que se considera inútil para los fines de la economía narrativa. Las elipsis pueden ser definidas e indefinidas. Las primeras —en función de su duración mímima— no son pecibidas como tales por el espectador, conservándose, así, una apariencia de identidad temporal entre el tiempo del relato y el de la historia.

Daremos el nombre de *escena* a los casos en que exista una coincidencia entre el tiempo diegético y el tiempo representado. Es el caso de los planos-secuencias, aunque pueda extenderse en ciertos casos a la duración global del film (*La soga* [Alfred Hitchcock, 1948], *Solo ante el peligro* [Fred Zinnemann, 1950], *Sleep* [Andy Warhol, 1963-1964] o *Cleo de 5 a 7* [Agnès Varda, 1971]).

De la misma manera, el *tiempo del discurso puede ser más largo que el de la historia*, situación producida mediante mecanismos como el *slow-motion* (alargamiento temporal producido por la disminución de velocidad de los acontecimientos fílmicos en relación con los que les sirven de referente) y el *frame-stop* (que introduce, a través de la congelación del fotograma, una temporalidad nueva y discursivamente arbitraria).

Genette (1983) plantea la existencia de diversas velocidades narrativas: a la isocronía de la escena corresponde la velocidad infinita de la elipsis y la nula de la *pausa*. Precisamente, la identificación de esta última no es sencilla y si en literatura las *descripciones* pueden verse, en ciertos casos, como detenciones del relato, en el cine las cosas se complican. Escenas como la final de *El eclipse* (Michel Angelo Antonioni, 1962) podrían aproximarse a esta noción, aunque existan situaciones difíciles de catalogar como, por ejemplo, aquellos casos en que la cámara se detiene ante la puerta cerrada de una habitación en cuyo interior se desarrollan acontecimientos importantes. Nos encontramos aquí ante algo que no es una elipsis —el tiempo continúa pasando en el relato y la historia— ni tampoco una pausa. Para entender esta situación es necesario recurrir al concepto de la regulación de la información, añadiendo a los problemas de la temporalidad los derivados de la problemática del punto de vista.

3.3. *Frecuencia temporal*

Pero antes es necesario poner de manifiesto los aspectos temporales que tienen que ver con la *frecuencia*.

Hablaremos de *singularidad* siempre que nos encontremos en un relato ante una sola presentación discursiva de un momento de la historia. Y de *singularidad múltiple* en los casos de varias representaciones, cada una perteneciente a momentos similares, pero diferentes de la historia.

La *repetición* implica varias representaciones discursivas del mismo momento: véanse ejemplos notables en *El acorazado*

Potemkim (S. M. Eisenstein, 1925), *Octubre* (S. M. Eisenstein, 1927) o *El ángel exterminador* (Luis Buñuel, 1962).

Por último, la *iteración* implica una sola presentación narrativa de varios momentos de la historia. El carácter concreto de la imagen cinematográfica parece impedir la iteración, pero bastará que consideremos que todo objeto fotografiado o filmado remite a la categoría a la que pertenece, para caer en la cuenta de que una sola presentación de un hecho *representa* el conjunto de actividades idénticas realizadas por el sujeto en el tiempo de la historia. Para no hablar de aquellos casos en los que se muestra un hecho y una voz en off («Muchas veces salí de mi casa...») lo convierte en *iterativo*.

4. LA ESPACIALIDAD

En algunos medios, la narración puede implicar solamente tiempo y causalidad. En efecto, muchas anécdotas no especifican dónde tiene lugar la acción que se está desarrollando. En un film narrativo, sin embargo, el espacio suele ser un factor importante. Los acontecimientos ocurren en lugares concretos. Ya vimos el papel de lo escenográfico al hablar de la puesta en escena. Ahora nos interesa subrayar cómo la historia y el relato pueden manipular el espacio desde el punto de vista de la serialidad. Por lo general el espacio del relato es asimismo el de la historia diegéticamente presentada, pero a veces ésta nos induce a inferir otros espacios, no presentes, que, sin embargo, forman parte del relato, por cuanto son imprescindibles para entender la función de otros elementos presentes en la diégesis. En *Éxodo* (Otto Preminger, 1960), un grupo terrorista interroga al personaje que quiere incorporarse a la organización. Éste habla de su vida en un campo de concentración nazi. Dicho campo nunca aparece en la pantalla, pero el efecto de la secuencia depende de cómo imaginemos el espacio descrito verbalmente por el personaje. En *El jinete pálido* (Clint Eastwood, 1981), ningún *flashback* muestra el pasado del que proviene el fantasmático protagonista, sin embargo, la inteligibilidad del personaje y de su comportamiento depende en gran medida de la reconstrucción que podamos hacer de ese espacio ausente, del que sólo tenemos como huella las cicatrices que parecen definirlo como un muerto viviente. El film puede asimismo utilizar, aparte del espacio del relato y el espacio de la diégesis, el espacio físico del encuadre como elemento narrativo (es lo que en páginas anteriores definíamos como campo y fuera de campo). De esa forma, la función de lo que ocurre en el espacio seleccionado por el encuadre puede depender de la presencia ausente de esa otra parte del espacio diegético dejado fuera de nuestra visión.

5. MODOS DE ORGANIZAR LA INFORMACIÓN: LA VOZ DEL NARRADOR

La distancia que el narrador adopta sobre los acontecimientos narrados puede canalizarse mediante la elección (o no) de un *punto de vista* restrictivo que dictamine, de entrada, el *saber* de dicho narrador respecto de la historia que cuenta: mayor, menor o igual que el de sus personajes. Genette (1972) remite al Libro III de la *República* de Platón cuando establece una distinción entre diégesis y mímesis. En la diégesis el autor habla en su propio nombre, mientras que en la mímesis al lector se le ofrece la ilusión de que es otro —diferente del autor— el que habla. En el primer caso se da mayor importancia al informador, en detrimento de la información; en el segundo caso, los términos se invierten. Quizá habría que subrayar, como hace André Gaudreault (1988), que, tal y como se expone en la *Poética* de Aristóteles, la diégesis (mimética, no mimética o producto de la hibridación de ambas posibilidades), es el dominio por excelencia del ἀπαγγέλλοντα (narrador). Cuando éste se expresa, decimos que su producto es diegético. No existe diégesis más que allí donde el narrador está presente. El narrador es el sujeto de la enunciación y la diégesis o su enunciado.

La instancia expresada por la voz narrativa supone, pues, el primer *operador discursivo* que se debe tener en cuenta. En torno a él se articulan los diferentes *niveles modales* de la representación narrativa, producida por la resolución de una tríada fundamental: *saber, contar* y *ver*.

5.1. *Planos de modalización del enunciado narrativo*

Volvamos ahora nuestra atención a otro operador discursivo esencial. Situado ya quién es el que habla en un texto, nos preguntamos cómo lo hace. Ése es el dominio del *modo* de la narración. Es dicho modo el que hace que cualquier tipo de contenido sea narrativo. De hecho no existen «contenidos narrativos», sino encadenamientos de acciones o acontecimientos que se califican de narrativos por el hecho de estar inmersos en una representación narrativa (Genette, 1983).

Según el grado de mayor o menor distancia existente entre el narrador y lo narrado, es decir, según los grados de intensidad mimética de un objeto textual, para utilizar la terminología clásica, Genette establece cinco categorías discursivas, a las que sirve de ejemplificación la fase final de Sodoma y Gomorra de Marcel Proust, aquella en que el protagonista comunica a su madre la decisión de casarse con Albertine. Las sucesivas variaciones de dicha frase, acomodada, de esta forma, al *filtro* discursivo correspondiente, son la manifestación final más elocuente de la compleja elaboración textual a la que Genette hace referencia:

1. *Discurso narrativizado o contado*. Es el más distante y reductor («Informé a mi madre de mi decisión de casarme con Albertine»).

2. *Discurso transpuesto al estilo indirecto:* un grado más mimético que el anterior («Dije a mi madre que me era absolutamente necesario casarme con Albertine»).

3. Estilo indirecto libre (el verbo declarativo está ausente): entre el discurso pronunciado o interior el personaje y el discurso del narrador («Iba al encuentro de mi madre: me era absolutamente necesario casarme con Albertine»).

4. Estilo directo: discurso restituido («Dije a mi madre: es absolutamente necesario que me case con Albertine»).

5. Discurso inmediato (monólogo interior): mímesis llevada al límite, borrando las últimas marcas de la instancia narrativa.

Lo importante en este último caso no es que el discurso sea interior, sino que está emancipado de todo patrocinio narrativo. Un ejemplo clásico de discurso directo, el monólogo de Molly Bloom que cierra el *Ulyses* de James Joyce, muestra claramente cómo las palabras que lo constituyen no están acotadas, en modo alguno, por el narrador de la novela.

5.2. *Hablar/ver: el punto de vista*

Si el ámbito de la focalización novelesca puede resumirse en un enunciado del tipo «Yo hablo», la cuestión cambia cuando nos enfentamos con un film, donde la focalización se resume en un enunciado bastante diferente: «Yo veo.» *Ver* en un film es algo más que una metáfora asimilable al punto de vista rector de la narración. Por ello uno de los puntos clave en el comentario fílmico gira en torno a un concepto tan problemático como ambiguo en su utilización general: *el punto de vista*. A veces éste aparece confundido con los problemas de la *modalización* o regulación de la

información narrativa, haciendo referencia a los modos de reproducción de los discursos y pensamientos de los personajes que
aparecen en el discurso relatado. Otras, se hace resaltar que, a
diferencia de lo que ocurre en los discursos verbales, en los que la
expresión *punto de vista* tiene un alcance fundamentalmente
metafórico, en los lenguajes icónicos adquiere un sentido literal:
toda imagen no es sino una *vista* realizada desde un *punto* ancla-
do en el espacio y, por definición, *una* y otra coinciden entre sí.

Vistas las cosas de este modo, toda imagen expresa inevitablemente un *punto de vista*, cargándose de intencionalidad, de juicio
sobre lo que se muestra, ya que la mera operación de recortar un
encuadre en el *continuum* de lo visible, debe ser leída como operación reveladora de una voluntad, o si se quiere más precisamente, de un sentido.

5.3. *Punto de vista como juicio de opinión*

Por eso no debe extrañar que normalmente se tienda a identificar el *punto de vista* de un film (de una narración literaria, de una
obra teatral, de un programa televisivo, etc.) con la expresión del
juicio u opinión que el discurso formula sobre el conjunto de personajes, elementos y situaciones que componen el elemento diegético de la obra, y que son manipulados, en tanto *pre-texto,* a través de una organización, de una disposición de los materiales,
con la finalidad, más o menos consciente, de llegar a transmitir
unas posiciones que, de esta manera, son entregadas a la lectura
del espectador potencial.

5.4. *La focalización como restricción de la información*

Más interesante parece la posición de Genette (1972; 1983),
que bajo el epígrafe *modo* propone abordar los *problemas de la
información narrativa* (¿quién ve?, o mejor, ¿quién percibe?).
Desde este punto de vista es como debe entenderse la noción de
focalización que, referida al campo cognitivo, se aplica a los problemas del saber narrativo (saber del narrador con relación a sus
personajes).

Desde esta perspectiva es posible distinguir *relatos con narrador omnisciente* (denominado por Genette de *focalización cero o
variable),* relatos que se construyen a partir de un punto de vista,
entendido en este caso como restricción en la amplitud de la

información, facilitada al lector/espectador (*focalización interna*, visión *con*) o la visión desde fuera (técnica objetiva, *behaviorista* o *focalización externa*).

Lo interesante en este planteamiento son las alteraciones que pueden producirse al *parti pris modal* elegido por el film y que consisten, básicamente, en la retención de una información lógicamente exigida por el tipo de focalización adoptada (habitual en los films de *suspense*) o en la entrega al espectador de una información que excede o sobrepasa los límites de la *modalidad* puesta en juego. Esta alteración suele ser corriente en los films que siendo, por ejemplo, narrados en primera persona —lo que implica una evidente *prefocalización*—, muestran hechos que no podían ser conocidos por el narrador.

Queda claro que para Genette no existen personajes focalizadores o focalizados, *sólo el relato es focalizado*. La focalización no remite sino al narrador y a sus relaciones con la historia.

5.5. *El punto de vista óptico y auditivo*

Prolongando los análisis de Genette, François Jost (1983; 1984 a; 1984 b; 1985) propone separar claramente los problemas que afectan al campo cognitivo (focalización) y los que afectan al campo perceptivo (punto de vista).

La noción de punto de vista se reconduce aquí a la relación que se mantiene entre el *lugar que ocupa el personaje* y *el que ocupa la cámara*.

Teniendo en cuenta el hecho, habitualmente dejado de lado, de que el cine se compone de un nivel icónico y otro sonoro, Jost separa ambas instancias a efectos de una consideración adecuada del *punto de vista*.

Así, hablará de *ocularización* para caracterizar la relación que existe entre lo que muestra la cámara y lo que *se supone* que el personaje ve. La *ocularización cero* hará referencia a aquellos casos en los que el lugar ocupado por la cámara no se identifique con el ocupado por ninguna instancia diegética. Existirá *ocularización interna secundaria* cuando la subjetividad de una imagen se construye a través del montaje, los *raccords* o cualquier otro procedimiento de contextualización, y *ocularización interna primaria* en los casos en que alguna marca en la imagen permita identificarla como lugar de un personaje ausente de ella (los «movidos,» que caracterizan tal o cual plano como «subjetivo»).

Paralelamente, Jost propondrá el concepto de *auriculariza-*

ción para caracterizar el campo de las relaciones entre las informaciones auditivas y los personajes. Sin embargo, a diferencia de lo que ocurre en el dominio visual, en el que el anclaje de la mirada pasa por un anclaje material fácil de descubrir, las cosas son bastante diferentes a la hora de relacionar un ruido o una palabra con una imagen. El hecho de que el sonido fílmico no se encuentre lateralizado (con la excepción de la estereofonía), ni localizado a priori en una fuente visual, e incluso pueda provenir de fuera del mundo de la diégesis, hacen bastante complejo el análisis de la *auricularización*.

De hecho, habitualmente la *auricularización se relaciona directamente con la ocularización*, como testimonian taxonomías como la propuesta por Dominique Château (1979) al clasificar las combinaciones audiovisuales en *ligadas-concretas* (el contexto visual del sonido muestra la fuente de éste); *ligadas-musicales* (cuando un sonido musical sustituye al ruido que hubiera dado lugar a una combinación ligada-concreta: son los casos de *underscoring); libre-concreta* (un sonido aparece en un contexto visual que no le corresponde), y *libre-musical* (sonidos musicales totalmente abstractos con relación al mundo del film: música no diegética).

Jost (1985, 24-25) añade las *ocurrencias desligadas* cuando un sonido ligado continúa en un contexto en el que *ya* no le corresponden enunciados visuales adecuados.

Volviendo a las relaciones entre informaciones sonoras y personajes, propone los conceptos de *auricularización cero* para los casos en que la banda sonora se someta a la distancia aparente del personaje a la cámara, *auricularización interna secundaria* cuando la banda sonora aparezca *como* filtrada a través de un personaje y la subjetividad sonora se construya gracias al montaje o el campo visual, de tal manera que pueda remitirse el sonido a una instancia profílmica. La *auricularización interna primaria* se dará cuando aparezcan determinadas deformaciones que separen la banda sonora del realismo y remitan a la subjetividad de una escucha. Esta última suele acompañarse de las correspondientes *ocularizaciones internas primarias.*

A partir de aquí, y teniendo en cuenta que *focalización* y punto de vista (ocularización y auricularización) no coinciden simplemente, es posible combinar ambas instancias. Así, un plano en *ocularización cero* puede vehicular una *focalización externa* (ignorancia de los pensamientos del personaje o desproporción cognitiva en prejuicio del espectador), una *focalización espectatorial* (desproporción cognitiva a favor del espectador, manifestada perceptivamente en la imagen o el sonido o cuando el montaje permite que el espectador acceda a funciones narrativas ignoradas por el personaje) y *focalización interna* (el espectador vive los sucesos como el personaje y es autorizado a penetrar en su interior: el personaje al que vemos evolucionar en escena y cuya voz en off oímos).

Queda, por tanto, establecida la diferencia entre punto de vista óptico o sonoro y los problemas cognitivos del relato, mostrando cómo la determinación de la focalización es un proceso global que no resulta de la simple adición de los términos que la construyen. Así, Jost afirmará que las alternancias «personaje que mira (ocularización cero)/lo que ve el personaje (ocularización interna secundaria)» dan lugar a una *focalización interna.*

Por tanto, para deducir una actitud cognitiva de una ocularización (punto de vista) hay que considerar la *pertinencia narrativa de los elementos percibidos,* teniendo en cuenta su función en la historia (véase Jost, 1984 b, 20-31).

5.6. *El narrador cinematográfico: voz y persona*

Directamente relacionados con los anteriores, se encuentran los problemas suscitados por la *voz* y la *persona* narrativa.

Genette (1972; 1983) entiende por *voz* la instancia narradora, poniendo el acento en la presencia o ausencia del narrador en la historia que relata. Conviene volver a precisar que el narrador no puede confundirse con el autor ni tampoco con un personaje. Como Greimas y Courtés recuerdan, el narrador debe ser considerado un actante de la enunciación, que *puede* encontrarse en sincretismo con alguno de los actantes del enunciado.

Los elementos básicos que configuran la *voz* son el *tiempo del relato, el nivel narrativo* y *la persona.*

Tiempo del relato debe entenderse aquí en un sentido gramatical (relatos en pasado, presente o, quizá, futuro). En el caso de la imagen cinematográfica ha solido aducirse el que se produce siempre en presente. Por nuestra parte, creemos más correcto indicar que *la imagen,* en tanto tal, *carece de indicadores equivalentes a los tiempos gramaticales,* por lo que no puede hablarse, estrictamente, de temporalidad, sino *en tanto dispositivo semántico.*

Por eso puede decirse que si en los casos de una voz en off que habla en pasado no puede predicarse *inevitablemente* la anterioridad de la historia, ya que, como subraya Genette, el tiempo pretérito connota más la ficción del relato que el pasado de la acción, mucho más sucederá en los casos de los films que se ciñen estrictamente a una ocularización y auricularización cero. De manera más concreta puede decirse que si toda imagen *aparece* como un presente —pasado hecho presente para ser exactos—, es a través de las operaciones de manipulación a que se entrega el narrador cinematográfico —el montaje en sentido amplio— como pueden llegar a producirse —y a experimentarse por el espectador— diferentes experiencias temporales

El *nivel narrativo* permite distinguir entre *narradores homodiegéticos* y *heterodiegéticos,* según que aquéllos cuenten o no su propia historia, estando incluidos en su propio relato en tanto que personajes o, por el contrario, no participen en la historia narrada.

Como es lógico, un narrador homodiegético cinematográfico se constituye a través de una voz en off en primera persona, mientras que vemos al personaje moverse ante nuestros ojos. Casos como *La dama del lago* (Robert Montgomery, 1947), que convierten a la cámara en personaje, construyen un caso límite de narrador homodiegético a través de procedimientos estrictamente icónicos y que tienen que ver con la ocularización interna primaria.

Especialmente interesante es aquella utilización de la voz en off como dispositivo narrativo que parece diseñar un narrador heterodiegético para, ya avanzado el film, caracterizarlo como homodiegético (véanse los casos de *El beso de la muerte* [Henry Hathaway, 1947] y *Río de sangre* [Howard Hawks, 1952]). Un caso particular es el propuesto por *Carta a tres esposas* (Joseph Leo Mankiewicz, 1948) en donde la figura del narrador sólo tiene presencia en la banda sonora aun siendo un personaje clave de la acción; un narrador que, además, tiene acceso a los pensamientos de los personajes, lo que le hace oscilar permanentemente entre los niveles de la hetero y la homodiegeticidad.

Finalmente, la categoría de *persona* puede ser manejada a condición de tener en cuenta que, como dice Genette (1983), todo relato es siempre «en primera persona», aunque sólo sea porque su narrador puede *en todo momento* designarse a sí mismo a través del pronombre *yo* (éste es el caso de los ejemplos citados más arriba, donde se daba el paso de una aparente heterodiegeticidad a una clara homodiegeticidad). Como es evidente en el caso del cine la combinación más habitual en los casos de homodiegeticidad es la de voz off en primera persona e imagen en ocularización cero. Este caso, masivamente utilizado, permite afirmar que la imagen se encuentra privada también de los *deícticos* que permiten la identificación de las personas con las instancias de la enunciación y que, corolario inmediato, cuando una ocularización cualquiera aparece yuxtapuesta con un texto en off, es este último el que indica el sentido de la lectura narrativa.

El problema abordado podría centrarse en analizar cómo los operadores de modalización introducen, a manera de filtros situados entre el sujeto y el objeto de la visión, una mayor o menor distancia del narrador sobre lo narrado. La desaparición de dichos operadores haría, como afirma Jost, que el personaje confundiese sus recuerdos, sus sueños y su imaginación con una percepción.

6. La puesta en serie no narrativa

La mayoría de los films existentes en el mercado pertenece a la categoría comentada y su puesta en serie remite, consecuentemente, a las leyes históricamente institucionalizadas para la narración, tanto si se trata de los llamados «films narrativos de ficción» como de los llamados «films narrativos de tipo documental». No todos ellos, sin embargo, pertenecen a dicha doble tipología ni se organizan de acuerdo con sus reglas. A este otro grupo pertenecen los denominados «films no narrativos».

Los films no narrativos pueden ser de cuatro tipos, según se basen en un sistema formal *categórico, retórico, abstracto* o *asociativo*. Las diferencias existentes entre estos cuatro tipos no remiten a cuestiones de contenido, sino al uso de dispositivos estrictamente formales de composición (Bordwell/Thompson, 1986).

6.1. *Films no narrativos de base categorial*

Podemos definir las categorías como agrupaciones que un sistema cultural dado establece para organizar su conocimiento del mundo. Estas categorías poseen una cierta lógica, según se basen en teorías o experimentos científicos o en simples aproximaciones de sentido común, de acuerdo con nuestra forma de entender la relación con lo que nos rodea. Disciplinas tales como la botánica o la zoología, por ejemplo, han elaborado unos complejos sistemas de clasificación de plantas y animales de acuerdo con su pertenencia a unas determinadas clases y especies. Dichos sistemas quieren ser exhaustivos y dar cuenta de todos y cada uno de los elementos conocidos del mundo vegetal o animal. Si una nueva planta o un nuevo animal no se corresponden a las categorías establecidas, se crean otras nuevas que permitan incluirlos en el conjunto. Nuestra experiencia cotidiana, además, nos lleva a elaborar otro tipo de categorías: los animales pueden ser domésticos, de granja, salvajes, de zoo, etc. Por supuesto, dichas categorías no son ni exhaustivas ni excluyentes. Un felino de zoo puede convertirse en animal doméstico (sobre gustos no hay nada escrito), como en el caso de *La fiera de mi niña* (Howard Hawks, 1939), film basado, entre otras cosas, en el cruce y equívoco categorial de una misma tipología animal.

Algunos films pueden estar estructurados según un sistema de categorías, si de lo que se trata es de ofrecer información acerca de una determinada parcela de la realidad. Muchos documentales científicos se basan en dicho método. En ese caso, el film puede utilizar categorías convencionales fácilmente reconocibles por el público espectador. Diferentes sistemas de clasificación por categorías pueden superponerse y coexistir. Un paisaje urbano (la fuente de La Cibeles en Madrid, por ejemplo) puede representar una tipología arquitectónica, pero también una localización geográfica precisa o la referencia a un lugar normalmente elegido para citas o para manifestaciones públicas. Del mismo modo, el campo puede ser clasificado como un tipo de organización cultural diferente al de la ciudad, como un espacio de producción de alimentos vegetales o, de acuerdo con Lucas, el personaje cortazariano, como «ese lugar donde los pollos se pasean crudos». De acuerdo con la idea que articule el conjunto, las categorías incluirán idénticos elementos con función distinta.

La organización formal de un film basado en este principio suele ser por lo general bastante simple y repetitiva. En efecto, cada categoría debe ser reconocible como diferente de las demás. Una gran variación eliminaría su función informativa. Por lo general, un film de este tipo tiene una categoría que sirve para dar coherencia al conjunto y una serie de subcategorías que permiten dividir la totalidad en segmentos.

Si tomamos como ejemplo un documental turístico sobre España, la categoría general sería España y las subcategorías serían los toros (segmento dedicado a filmar una corrida), el baile (segmento dedicado a filmar un tablao), el sol (segmento dedicado a filmar alguna playa no contaminada) y así sucesivamente, asumiendo que dichas banalidades constituyen las categorían usualmente consideradas como representativas de la España acerca de la cual se está informando.

En la medida en que este tipo de film permite muy poca variación, para que la información sea efectiva y no aburra al espectador, rara vez suele darse de forma pura. Por lo general, un film basado en este principio de organización incluye segmentos articulados de acuerdo con otros principios (abstractos, asociativos, retóricos o narrativos). Los documentales sobre fauna animal preparados para RTVE por Rodríguez de la Fuente suelen incluir variaciones de este tipo para mantener el interés espectatorial.

6.2. *Films no narrativos de base retórica*

Los films estructurados en torno a principios retóricos de organización no buscan tanto dar una simple información acerca de las acciones u objetos representados, sino convencer acerca de alguna cualidad inherente a ellos. Su finalidad es eminentemente persuasiva. Un ejemplo claro de este tipo de film es el *spot* publicitario convencional así como todas aquellas tipologías de films estructurados según idéntico principio (films para campañas electorales, por ejemplo).

El sistema retórico implica cuatro presupuestos básicos: se centra en la manipulación de los espectadores para inducirlos a *asumir* una convicción acerca de algo, una creencia emocional diferente o a *actuar* de modo determinado; el tema utilizado no remite a ninguna verdad demostrable, sino a un sistema de creencias, hacia el que el público espectador puede adoptar diferentes actitudes igualmente plausibles; como aquello de que se habla no puede ser probado (es una cuestión de fe), el film no presenta sólo hechos o evidencias, sino que busca articularlos apelando a nuestras emociones; y el film no se resuelve en la propuesta de articulación, sino en una acción pragmática en el terreno de la cotidianeidad espectatorial.

Pensemos, por ejemplo, en el anuncio publicitario de la crema Pond's (belleza en siete días). El anuncio ofrece la imagen con *glamour* de una actriz (normalmente estadounidense), en *négligée* frente a una mesa de tocador. La voz off afirma que «nueve de cada diez estrellas usan Pond's». El mensaje puede ser cierto o no, lo que importa es que sea «creíble». Para quien ve en la imagen de dicha actriz el testimonio de que es posible superar el inevitable deterioro físico que el tiempo comporta mediante el uso de un determinado producto (visión absolutamente emocional, ya que nada indica que dicha superación no sea, a su vez, un efecto óptico del maquillaje), resulta necesario *actuar* en la práctica (por ejemplo, comprando ese mismo producto para uso personal).

A veces, la creencia como motivación viene avalada por la inscripción de una determinada «marca» de cientificidad, que parecería incluir la forma retórica dentro del sistema categorial anteriormente citado. Es el caso de los anuncios de productos alimenticios donde la voz off, aludida en el ejemplo de la crema Pond's, es sustituida por la *voz in* de alguien que se presenta como médico especialista en alimentación (anuncios muy típicos de las televisiones de EE. UU.). La inscripción de verosimilitud viene dada en este caso por el valor social otorgado emocionalmente a la profesión médica en general. En el caso español hay un ejemplo paradigmático de este tipo de film: los programas televisivos sobre parapsicología y ciencias ocultas presentados por «El doctor Jiménez del Oso». Da lo mismo que el presentador sea doctor en derecho, en pedagogía o en ciencias químicas, o que sea un licenciado en medicina, al que simplemente se le califica así, siguiendo la costumbre de llamar «doctor» a un médico. Lo importante es la calificación de «doctor», y que esa marca sea la que otorgue verosimilitud a su discurso.

Los films de propaganda electoral utilizan idéntico principio (ya lo vimos en el capítulo anterior al analizar el uso del contrapicado por Welles en la escena electoral de Kane). En este caso, el resultado pragmático no se resuelve en la compra de un objeto, sino de una imagen que nos represente a través de un voto.

6.3. *Films no narrativos de base abstracta*

Los films estructurados en torno a principios abstractos yuxtaponen elementos para comparar o contrastar cualidades, tamaños, colores o ritmos. En este tipo de film no es necesaria una lógica composicional ni argumental, como en la organización retórica, ni tampoco los elementos tienen por qué articularse en torno a categorías. Una moneda y una pelota pueden ir juntas por el hecho de ser ambas redondas; una naranja y un vestido, por el hecho de poseer el mismo color, etc. La relación entre los elementos del encuadre y entre los segmentos se fundamentan en la semejanza de sus cualidades abstractas.

Todos los films contienen elementos de esta tipología, sin embargo, no todos organizan sus materiales usándolos como principio ordenador. Por lo general, un film abstracto se organiza en torno a lo que puede ser definido, en términos musicales, «tema» y «variaciones». A veces, sin embargo, un film de estas características usa como principio una idea matemática precisa. Algunos films abstractos, como muchos de los llamados anti-cine por su director

(Javier Aguirre), utilizan un principio geométrico para desarrollar diferentes versiones de un mismo objeto de acuerdo con su diferente tamaño. Otros, como *Qué dónde* (Samuel Beckett, 1986), utilizan una idea para articular las variaciones (los sucesivos intercambios verbales entre Bam, Bem, Bim y Bom y la repetitiva intervención de la voz de Bam desde el altavoz).

Ello quiere decir que un film es abstracto no por el hecho de que los objetos que aparezcan en la superficie del encuadre sean abstractos o no reconocibles, sino por la forma de articularlos. Unas veces puede tratarse de un mero intercambio de colores, formas y volúmenes; otras, los objetos son figurativos y cotidianos, pero están abstraídos de su función normal para subrayar sus cualidades abstractas y generales; finalmente puede tratarse de una articulación de elementos narrativos, de forma que su relación ponga en evidencia el carácter abstracto de su utilización dentro de una tipología establecida, como ocurre en *L'Éden et après* o *Glissement progressifs de plaisir* de Alain Robbe-Grillet, o en gran medida en *India Song*, de Marguerite Duras.

Esta tipología, cuando no posee una contrapartida más o menos narrativa que la sustente, ha podido ser considerada por parte de muchos críticos e historiadores como mero juego formalista. En efecto, no tiene necesariamente que presentar una sucesión de hechos (como los films categoriales) ni articular un argumento práctico sobre el mundo (como los films de base retórica). Sin embargo, la posibilidad de subrayar el carácter repetitivo y retórico de determinadas formas de estructuración puede ofrecer una mirada diferente sobre un mundo al que aparentemente no alude, pero cuya estructura —también repetitiva, como nos enseña nuestra experiencia cotidiana— inscribe.

6.4. *Films no narrativos de base asociativa*

Los films estructurados según un sistema formal asociativo sugieren cualidades expresivas y conceptos yuxtaponiendo series de objetos capaces de producir sensaciones o percepciones semejantes en el espectador. Dichos objetos no tienen que ser necesariamente de un tipo o categoría similar, ni presentar una argumentación; tampoco sus cualidades abstractas son la base objetiva para establecer la comparación, pero en la medida en que son colocados juntos, proponen una cierta lógica relacional. Este procedimiento proviene directamente de tipologías composicionales elaboradas en otros discursos, como la poesía lírica posterior al simbolismo, aunque también en épocas anteriores (pensemos en el caso del *Cántico espiritual* de San Juan de la Cruz). Cuando la voz que habla en este último poema dice «Mi amado, las montañas», no se trata de considerar la figura del amado como una montaña en sentido estricto, sino de relacionar la sensación de grandeza o la impresión de inabarcabilidad que ambos producen en quien los compara. Se trata de lo que Carlos Bousoño (1977) ha denominado curiosamente «visión» dentro de los procedimientos retóricos irracionalistas de la escritura contemporánea.

En un film de estas características las cosas suceden de manera similar, si bien la imagen permite presentar los objetos de manera más directa. Las asociaciones presuponen un trabajo activo por parte del público espectador, ya que la conexión semántica entre los objetos o imágenes relacionados se establece en la mirada espectatorial, no en la objetividad de la pantalla, donde lo único que existe es una yuxtaposición física, no significativa a priori.

Un film puede usar este método de composición de forma global (es el caso que luego analizaremos de *Un chien andalou*, de Luis Buñuel) o como procedimiento específico dentro de un determinado segmento de un film de otra tipología, fundamentalmente en los films narrativos, uso normalizado en el resto de la producción buñueliana —recordemos la cabeza-badajo de Fernando Rey en *Tristana* o el uso de los borregos en *El ángel exterminador*— y en muchos de los films de Alfred Hitchcock. En *Deseos humanos* (Fritz Lang, 1954), por ejemplo, la pasión desbordada de los protagonistas de *La bestia humana* de Zola, que le sirve de base argumental, son asociados al movimiento imparable de las ruedas del tren a toda velocidad (Company, 1987). En el cine independiente de finales de la década de los años sesenta y principios de la siguiente, este procedimiento se incorporó, por ejemplo, como forma de inscribir el tipo de percepción de los objetos bajo los efectos químicos de determinadas drogas.

Por lo general, esta tipología de films, no en tanto procedimiento aislado sino como forma global de articular el conjunto, ha quedado fuera del modo de representación hegemónico, reducido a las prácticas denominadas ambiguamente «experimentales» o «de vanguardia».

7. Cuatro comentarios de puesta en serie

7.1. *Primer comentario:*
La puesta en serie no narrativa en Le ballet mécanique

Veamos ahora el funcionamiento de un film explícitamente no narrativo. Seguiremos para ello la lectura realizada por Borwell y Thompson (1986) de *Le ballet mécanique,* uno de los films abstractos más importantes e influyentes de la historia del cine.

El film fue realizado entre 1923 y 1924, como colaboración entre un joven periodista norteamericano, aspirante a productor, Dudley Murphy, y el pintor francés Fernand Léger, que había desarrollado una variante de cubismo en su obra, usando, como elementos representativos, fragmentos estilizados de máquinas. Es precisamente ese interés en las máquinas lo que le llevará a plantearse la posibilidad de hacer cine y lo que acabará constituyendo la pieza fundamental en la composición de *Le ballet mécanique.*

Ya desde el título queda explícito el carácter aparentemente contradictorio del material usado para la elaboración del film. El término ballet remite a una determinada forma humana de representación, donde ritmo, música y movimiento corporal son elementos imprescindibles. Desde esa perspectiva, un ballet parece situarse en las antípodas del movimiento mecánico que solemos asociar con una máquina. Sin embargo, es esa extraña combinación lo que el film va a presentarnos: series de movimientos y ritmos articulados en forma de danza con máquinas u objetos movidos mecánicamente. En último término, las máquinas usadas son relativamente escasas. El film prefiere incluir sombreros, rostros, botellas, utensilios de cocina y objetos similares; sin embargo, al ser yuxtapuestos con máquinas en sentido estricto, mediante determinados ritmos visuales y temporales, estamos tentados a considerar como partes de una maquinaria incluso el movimiento de los ojos de una mujer. [Años después, Charles Chaplin, cuya imagen es una de las piezas clave en la composición del film, incluiría un procedimiento similar en uno de los más brillantes *gags* del arranque de *Tiempos modernos* (1935).]

Habida cuenta de la inexistencia de un argumento en sentido tradicional, no es posible segmentar la serialidad de las imágenes a partir de contenidos narrativos, ni en términos de acción. Sin embargo, sí que es posible hacerlo a partir de la toma en consideración de los cambios introducidos en la tipología de cualidades abstractas usadas como guía articuladora en los diferentes momentos de su desarrollo. Según este principio, Bordwell y Thompson poponen la división del film en 9 segmentos:

1. Secuencià inicial con los títulos de crédito, en la que la figura dibujada del personaje de Charlot introduce el título del film.
2. Introducción de los elementos rítmicos del film.
3. Tratamiento de elementos semejantes mediante imágenes filmadas a través de prismas.
4. Movimientos rítmicos.
5. Comparación de personas y máquinas.
6. Movimientos rítmicos de carteles y personas.
7. Movimientos rítmicos de objetos en su mayoría circulares.
8. Danza rápida de objetos.
9. Retorno a Charlot y a los elementos de la secuencia de apertura.

Le ballet mécanique utiliza el tema y las variaciones de una manera compleja, introduciendo una multitud de motivos individuales en rápida sucesión, para luego volver a repetirlos en intervalos varios y en combinaciones diferentes. El modelo de desarrollo se aleja, en cada nuevo segmento, de los elementos utilizados en los segmentos anteriores, sacando a relucir un número limitado de las cualidades abstractas del anterior, y jugando con ellas durante un tiempo determinado; luego, el segmento siguiente hace lo mismo, y de manera gradual nos damos cuenta de que los elementos anteriores han sido enormemente transformados. Los últimos segmentos vuelven a utilizar elementos de los primeros, y el final se parece mucho al principio. El film ofrece una enorme cantidad de material, y en un periodo de tiempo tan corto que el espectador debe esforzarse por encontrar las conexiones si quiere percibir las repeticiones y variaciones.

Tal como dijimos antes, la parte introductoria de un film abstracto no suele proporcionar demasiados indicios acerca de qué es lo que vamos a encontrarnos a lo largo de su desarrollo. La figura animada de Chaplin en *Le ballet mécanique* comienza este proceso. La figura es muy abstracta —se reconoce su naturaleza humana—, pero ésta está formada por formas geométricas que se mueven de manera convulsiva (foto 42). Desde el principio, pues, la figura humana nos es presentada como un objeto. El segmento 2 parece cambiar de registro al comenzar con una mujer balanceándose en un jardín (foto 43). La imagen parece indicar que se trata de una escena realista; sin embargo, el título del film nos induce a percibir el ritmo regular del balanceo, y los gestos de muñeca que hace la mujer, levantando la cabeza, abriendo los ojos y luego bajándolos, con una sonrisa fija en su cara. Ciertas cualidades abstractas se han hecho ya patentes a estas alturas del desarrollo del film. De pronto aparece en pantalla una rápida sucesión de imágenes, que se suceden de una manera demasiado fugaz para que el espectador sea capaz de retenerlas: un sombrero, botellas, un triángulo blanco, y así sucesivamente. A continuación aparece la boca de una mujer, sonriendo, luego sin sonreír, luego sonriendo otra vez. Vuelve el sombrero, luego la boca sonriendo de nuevo, luego unas aparatos que giran, luego una bola brillante gira en posición cercana al objetivo de la cámara. A continuación vemos a la mujer en el columpio, y la cámara se balancea con ella hacia adelante y hacia atrás, sólo que ahora está vista en picado y desde atrás (foto 44). El segmento concluye con la bola brillante columpiándose hacia atrás y hacia adelante, lo que invita a comparar su movimiento con el de la mujer en el columpio. Nos vemos, pues, confirmados en nuestras expectativas de que ella no es un personaje, sino un objeto, como las botellas o la bola brillante. Lo mismo sucede con la boca que sonríe; no sugiere ninguna emoción; lo único que vemos es su forma cambiante. El film hará que fijemos nuestra atención en formas u objetos (un sombrero redondo, botellas verticales), en la dirección del movimiento (el columpio, la bola brillante), en texturas (el brillo de la bola y de los zapatos), y especialmente en los ritmos del movimiento de esos objetos y en el de los cambios de objeto a objeto.

Con tales expectativas bien establecidas en la corta sección introductora, el film procede a variar sus elementos. El segmento 3 se ajusta bastante bien a los elementos que se acaban de introducir, mediante otra visión de la bola brillante, presentada ahora a través de un prisma —el mismo objeto, visto de manera diferente. Siguen otros planos de objetos caseros, que se parecen a la bola en el hecho de ser brillantes y estar también vistos a través de un prisma. Uno de ellos es la tapadera de un bote (foto 45), estableciéndose un nexo entre su forma redonda y la de la bola y el sombrero del segmento anterior. He aquí un buen ejemplo de cómo un objeto cotidiano puede ser separado de su uso habitual, empleando sus cualidades abstractas para crear relaciones formales. A la mitad de la serie de planos vistos a través del prisma, vemos, de pronto, una rápida ráfaga de imágenes, alternando un círculo blanco con un triángulo blanco. Éste es también otro motivo que volverá a intervalos con variaciones. En un sentido, tales formas, que no son objetos reconocibles, contrastan con los utensilios de cocina de otros planos. Pero también nos invitan a hacer comparaciones: la tapadera del bote es también redonda, las facetas del prisma son algo triangulares a veces. Durante el resto del segmento 3 vemos más planos a través del prisma, mezclados con otra rápida serie de círculos y triángulos, y también con imágenes de unos ojos de mujer abriéndose y cerrándose, con unos ojos de mujer parcialmente ocultos por formas oscuras (foto 46), y finalmente la misma boca sonriendo/no sonriendo del segmento 2.

El segmento 3 confirma aún más nuestras expectativas de que el film se concentra en la comparación de formas, ritmos o texturas. También empezamos a a ver modelos de interrupciones repentinas de los segmentos, con ráfagas breves de planos cortos: en el segmento 2 había objetos con un triángulo: ahora ya hemos visto alternar dos veces un círculo y un triángulo. El ritmo de las imágenes cambiantes en el segmento es tan importante como el de los movimientos en el interior de los planos.

Ahora que tales modelos ya han sido establecidos, el film empieza a introducir variaciones más grandes para incitar, y a veces contradecir, las expectativas espectatoriales. El segmento 4 empieza con planos de hileras de objetos redondos que parecen bandejas, alternando con objetos giratorios, como una rueda de la fortuna en una feria. ¿Serán las formas redondas y los movimientos el desarrollo principal de este segmento? De repente la cámara se mueve rápidamente hacia abajo por el tobogán retorcido en una feria; vemos elementos tales como pies que andan, coches acercándose a la cámara e imágenes rápidas de coches de choque girando. Ritmos diferentes se suceden unos a otros, y las formas comunes parecen ser las menos importantes. Relativamente pocos de los elementos de los segmentos 2 y 3 vuelven a aparecer. No vemos las partes de la cara de la mujer, y muchos de los objetos son nuevos, vistos en el exterior. No obstante, tras los coches de choque, vemos un plano relativamente largo de un objeto brillante giratorio, no a través del prisma, sino por fin recordándonos los utensilios de cocina mostrados anteriormente. El segmento termina con la alternancia familiar del círculo y el triángulo, aunque aquí no aparece, como antes, en la mitad del segmento.

El segmento 5 nos muestra la comparación más explícita del film entre seres humanos y máquinas. Primero vemos, en picado, un tobogán de feria, inscripción que retoma un elemento del segmento 4 (aunque aquí la cámara no desciende por el tobogán). Éste se extiende horizontalmente por la pantalla, y en rápida sucesión, la silueta de un hombre la atraviesa cuatro veces como un rayo (foto 47). Esto puede parecer una continuación de la concentración en el ritmo que veíamos en el segmento 4, pero a continuación vemos demarrar una máquina, verticalmente (foto 48), con un pistón subiendo y bajando rítmicamente. De nuevo hay similitudes —un objeto tubular con otro moviéndose a lo largo de él— y diferencias —las composiciones usan direcciones opuestas, y los cuatro movimientos del hombre tienen lugar en planos diferentes, mientras la cámara se mantiene estática conforme el pistón sube y baja durante un plano. Otra serie nueva de planos compara el tobogán y las piezas de la máquina, terminando con una máquina vista a través del prisma. El círculo y el triángulo, ya familiares, vuelven, pero con algunas diferencias: ahora el triángulo está a veces boca abajo, y cada forma permanece en la pantalla durante un poco más de tiempo. El segmento continúa con más objetos brillantes girando y piezas de máquinas, luego reintroduce el motivo del ojo tapado de la mujer (similar al de la foto 45). A continuación los movimientos de este ojo son comparados a piezas de máquina. El segmento 5 termina con uno de los más famosos y atrevidos momentos de *Le ballet mécanique*. Después de un plano de una pieza rotatoria de máquina (foto 49), vemos siete planos idénticos repetidos de una lavandera subiendo por una escalera y gesticulando (foto 50). El segmento vuelve a la boca que sonríe, luego no muestra once planos más de la lavandera, un plano de un gran pistón y cinco repeticiones más de la lavandera. Esta repetición insistente le da a los movimientos de la mujer una precisión similar a los de la máquina; incluso si ésta está mostrada en un sitio real, no es posible verla como un personaje, puesto que debemos concentrarnos en el ritmo de sus movimientos, ya que el film ha aprovechado las posibilidades mecánicas del montaje para multiplicar exactamente el mismo plano. Este segmento 5 es bastante diferente de los anteriores, pero utiliza de nuevo ciertos motivos presentados con anterioridad: el prisma vuelve brevemente (desde el segmento 3), los objetos brillantes girando se parecen a los del segmento 4, y los ojos y la cara de la mujer (segmentos 2 y 3) reaparecen, después de haber estado ausentes en el segmento 4.

El segmento 5 supone la culminación de la comparación establecida por el film entre objetos mecánicos y elementos humanos. El segmento 6 introduce un marcado contraste, concentrándose en carteles impresos. A diferencia de otros segmentos, éste empieza con una pantalla en blanco, que gradualmente revela ser una tarjeta oscura en la que hay pintado en blanco un número cero; vemos esto primero como un plano prismático (otra vez recordando el segmento 3). Una toma no prismática del cero lo muestra encogiéndose. Entonces, inesperadamente, aparece un cartel: «ON A VOLÉ UN COLLIER DE PERLES DE 5 MILLIONS» («Un collar de perlas de 5 millones ha sido robado»). En un film narrativo, esto debería proporcionarnos información sobre el argumento; en *Le ballet mécanique*, sin embargo, la información es inexistente; el lenguaje gráfico funciona como otro motivo visual más, como variación rítmica.

Sigue una serie de planos rápidos, con grandes ceros, a veces uno, a veces tres, apareciendo y desapareciendo, encogiéndose y agrandándose. Partes del cartel aparecen aisladas («ON A VOLÉ»), participando en este baile de letras. El film juega con una ambigüedad: ¿es el cero realmente una «O», la primera letra de una frase, o forma parte del número 5.000.000, o es una representación estilizada del collar de perlas? Más allá de este juego con un equívoco visual, el cero recuerda y varía el motivo del círculo, tan prominente en el film. El equívoco continúa cuando el cero da lugar al dibujo de un collar de caballo —que se parece visualmente al cero, pero que se refiere también a la palabra *collier*, que en francés (y también en español, en contraposición con el inglés, que los diferencia en *necklace* y *collar*) se utiliza tanto para las personas como para los animales. El collar se mueve en una especie de pequeña danza propia, y alterna con ceros que se mueven y con partes de la frase del cartel, a veces escritas al revés para poner en evidencia su función gráfica, más que informativa.

Este segmento es muy diferente de los anteriores, aunque retoma de ellos un par de motivos: justo antes de la aparición del collar del caballo, en efecto, vemos brevemente el ojo semioculto de la mujer, y en el curso de los planos rápidos con carteles se inserta un plano con la pieza de una máquina.

A partir de aquí, el film empieza a dirigirse hacia variaciones que se acercan cada vez más a los elementos de los segmentos iniciales. El segmento 7 nos muestra movimientos rítmicos con formas casi siempre circulares. Empieza con una cabeza de mujer, con los ojos cerrados, volviéndose (foto 51). Inmediatamente después vemos una estatua de madera balanceándose hacia la cámara y separándose de ella (foto 52). Una vez más la comparación de personas con objetos resulta evidente. Una forma abstracta circular crece, incitándonos a buscar su recurrencia. La cara de una mujer aparece a través de un prisma. La mujer pasa por delante de su rostro un cartón agujereado; de ese modo su expresión cambia continuamente de manera mecánica. Vemos círculos y triángulos alternando de nuevo, pero esta vez las formas que los representan tienen cuatro tamaños diferentes. A continuación aparece una serie rápida de planos con hileras de pequeños utensilios de cocina (foto 53), con ráfagas cortas, intercaladas, de película en negro.

Esta negrura se refiere y altera el fondo oscuro de los carteles del segmento 6, y los botes brillantes y los otros utensilios reintroducen un motivo que ha ido apareciendo en cada segmento anterior, excepto en el número 6. El motivo de las hileras de objetos apareció en el segmento 4, mientras que el balanceo de los utensilios en muchos de los planos se refiere al balanceo de la mujer y del balón brillante en el segmento 2. Empieza a estar claro que el film está volviendo a su principio. El segmento 8 intensifica esta sensación.

Este segmento empieza con un plano de un escaparate, con formas espirales que parecen congelar los movimientos giratorios que han producido la mayor parte del juego rítmico del film (foto 54). Vuelve el motivo del círculo, dando paso a una serie de «danzas», que son variaciones de motivos clave. Planos cortos hacen que parezca que un par de piernas de maniquí están bailando (foto 55); luego las piernas empiezan a girar en los planos. El motivo de la bola brillante vuelve asimismo a aparecer, pero ahora son dos las bolas, y giran en direcciones opuestas. Dos formas muy diferentes entre sí —un sombrero y un zapato— se alternan en rápida sucesión (foto 56), creando un conflicto de formas similar a la yuxtaposición anterior del círculo y el triángulo. Sigue a continuación un plano de la mujer enfocado a través del prisma y cambiando sus expresiones; luego un plano de perfil similar al mostrado en la foto 51. Dos imágenes ligeramente diferentes de un rostro (foto 57), alternadas rápidamente, nos inducen a ver la cabeza «asintiendo» mecánicamente. Finalmente, unos planos rápidos de botellas hacen que parezca que están cambiando de posición, siguiendo otro ritmo como de danza.

Es interesante observar que los motivos utilizados en el segmento 8 proceden inicialmente del 2, del 3 (las bolas brillantes, el sombrero, las botellas) y del 7 (la cara a través de un prisma, el círculo que se agranda). Aquí es donde el «ballet mecánico» se hace más explícito y el film junta elementos del principio con otros del segmento anterior, en el que empezó la reaparición de los motivos recurrentes. El segmento 8 evita los motivos de la parte central del film —del 4 al 6— y de esta forma ofrece simultáneamente la doble sensación de que el film continúa desarrollándose y de que está cerrando el círculo.

El segmento final hace más obvio este retorno, mostrándonos de nuevo la figura de Chaplin. Ahora sus movimientos son todavía menos «humanos», y al final la mayoría de sus partes parecen desmoronarse, dejando solamente la cabeza en la pantalla. La cabeza giratoria puede recordarnos el perfil de la mujer (foto 51) visto anteriormente. Pero el film no ha terminado aún. Su último plano hace reaparecer a la mujer en el columpio del segmento 2, ahora de pie en el mismo jardín, oliendo una flor y mirando alrededor. En otro contexto, sus gestos podrían parecernos ordinarios cotidianos (foto 58), pero a estas alturas el film nos ha «entrenado» lo suficiente para permitirnos establecer su conexión con los planos precedentes. Nuestras expectativas han sido tan profundamente condicionadas a ver el desarrollo de las imágenes en términos de movimientos rítmicos y mecánicos, que sus sonrisas y los gestos de su cabeza aparecen desprovistos de efecto realista, es decir, como *no* naturales. Desde esta perspectiva, el film permite descubrir, bajo la apariencia «naturalizada» de la cotidianeidad, el carácter mecánico, es decir, retórico, que la constituye.

7.2. *Segundo comentario:*
   La puesta en serie narrativa como traducción.
   La adaptación cinematográfica de Tiempo de silencio

Si como afirmábamos al principio de este capítulo, el concepto de «puesta en escena» provenía del espectáculo teatral (cómo poner en pie *una propuesta escrita para el escenario)*, el problema es doblemente interesante cuando se trata de la adaptación cinematográfica de una novela. Aquí queremos expresar mediante imágenes y sonidos algo elaborado como *propuesta escrita para la lectura* individualizada. Este problema supone no tanto cuestionar los grados de *fidelidad* en relación con el contenido narrativo previo, cuanto abordar los procedimientos pertinentes que en el film resulten acordes con las articulaciones discursivas del original literario. Se trata, pues, de analizar la «traducción» en que consiste la *reconstrucción cinematográfica*, coherente o incoherente, de las técnicas del relato presentes en la novela.

Un ejemplo modélico para el comentario de este problema es la adaptación para la pantalla de la novela *Tiempo de silencio*, de Luis Martín-Santos (1962), llevada a cabo, con idéntico título, por Vicente Aranda (1986).

El carácter singular de la novela de Martín Santos en el contexto del social realismo de la década española de los años sesenta estriba tanto en su riqueza verbal como en su complejidad enunciativa, que se traduce en diferentes planos de modalización: desde el uso de la tercera persona hasta el monólogo interior, pasando por el estilo indirecto libre. Encontrar el equivalente funcional de estos procedimientos es uno de los desafíos asumidos por el film de Vicente Aranda que, además, contextualiza la narración en las coordenadas espacio-temporales a las que la novela se refería. De ese modo, al final del genérico, tres primeros planos de perros enjaulados abren paso —junto con la entrada en campo por la izquierda de Amador, el ayudante de laboratorio de Pedro, el protagonista— a un cartel: *Madrid, finales de los cuarenta, principios de los cincuenta.*

7.2.1. El estilo indirecto

Observemos con algo de detalle un fragmento de la novela, correspondiente a una de las estaciones nocturnas de Pedro y Matías, y su plasmación en el film:

> ...se encontraron sentados en el peluche rojo de un pequeño café de barras niqueladas donde el aparato automático de tocar discos empezaba una y otra vez la misma canción andaluza hecha de cante hondo degenerado y de rasguear de aguja vieja sobre la ebonita negra. En el café se sentaban, un poco más allá, una gruesa vendedora de cacahuetes y un viejo con aspecto de impedido, aunque no ciego, que les miraba atentamente a través de unas gafas oscuras. En la barra se apoyaba el sereno del barrio con su acostumbrado guardainfante de fajas y bufandas. Varias mesas más allá reposaba una mujer de aspecto nocturno, pero desgraciadamente triste y casto. Por encima de ella en otro piso de mesas, varios viejecillos más —tal vez acomodadores del próximo cine— consumían en silencio sus cafés con leche. La puerta del retrete crujía al mover sus espejos oxidados que reflejaban apenas unas bombillas amarillas. Aún no se había transformado en cafetería aquel recinto superviviente de pasadas épocas y la melancolía que exhalaba era demasiado poderosa para poder ser aguantada mucho tiempo. El sereno les miraba con sus ojillos contraídos y los que habían irritado una vez más a la máquina tocadiscos para que profiriese la misma quejumbrosa canción, eran una pareja de chulillos vestidos de oscuro que se permitían taconear ligeramente con su ritmo y que por lo demás, no hablaban, se miraban solamente, se reían, apenas daban palmas, permanecían cuidadosos todo a lo largo de la noche de que sus bufandas blancas continuaran exactamente colocadas entre el cuello de su chaqueta y los tufos excesivamente largos y pegajosos de la nuca.

El film conserva, de la descripción novelística, el aspecto de general decadencia del recinto. El tocadiscos automático, en cambio, desaparece, como un signo no deseado de modernidad que

213

alteraría el conjunto. La canción andaluza es reiterada, en directo, por un trío de cantantes. La mirada del sereno que contempla la escena es aquí determinante. El film muestra la escena en un único plano-secuencia, encadenando tres *travellings* laterales desde el exterior del café y obligando al espectador a ver la escena a través de cristales esmerilados, separados por marcos de madera, más allá de los cuales se mueven los personajes como peces en un acuario. El primer *travelling* se inicia sobre la figura del sereno, que lee el periódico apoyado en la barra y sigue el itinerario del limpiabotas, de izquierda a derecha, hasta detenerse en el grupo formado por Pedro, Matías y su amigo, el pintor alemán. En primer término, un trío flamenco canta una canción: «Pajarillos que estáis en el campo,/ gozando el amor y la libertad». Matías se acerca y pide al trío que vuelva a cantar el estribillo. Tras la segunda repetición, la cámara inicia un segundo *travelling* —esta vez de derecha a izquierda— hasta volver a encuadrar al sereno en el extremo izquierdo de la barra. Un tercer *travelling* —nuevamente de izquierda a derecha— sigue el itinerario del sereno hasta el grupo, al que ya se han sumado las voces de Pedro y el pintor, que va por la entusiasmada quinta repetición del estribillo. El sereno grita, autoritario: «¡Señores, como sigan profiriendo estos gritos subversivos, llamaré a la policía!»

El film muestra la escena desde fuera del café, eligiendo igual modo que la novela —narración exterior de un acontecimiento— traducible como grado cero de ocularización. Dicha exterioridad, acentuada por la marca enunciativa de los movimientos de cámara, no hace sino evidenciar el espacio claustrofóbico del café, donde aparecen los personajes, encerrados en sus vidrieras contiguas como lo estaban los perros del laboratorio en sus jaulas. Hay aquí, sin embargo, un omnipresente y determinador fuera de campo, una figura delegada de la autoridad represora: el sereno, al que la cámara vuelve y cuya presencia clausura el fluir del plano. En ese vaivén enunciativo de la cámara —deslizamiento e interrupción— se juega, pues, la operativa lectura del fragmento novelesco.

7.2.2. El estilo directo

Detengámonos ahora en uno de los más celebrados pasajes de la narración novelesca: aquel que corresponde a la recreación irónica de una conferencia de Ortega y Gasset. Veamos la puesta en escena literaria:

214

Pero ya el gran Maestro aparecía y el universo-mundo completaba la perfección de sus esferas. Perseguidos por los signos de los bien-indignados respetuosos, los últimos petimetres se deslizaron en sus localidades extinguida la salva receptora. Los círculos del purgatorio (que como tal podemos designar a las localidades baratas, sólo en apariencia más altas que el escenario) recibieron su carga de almas rezagadas, y solemne, hierático, consciente de sí mismo, dispuesto a bajarse hasta el nivel necesario, envuelto en la suma gracia, con ochenta años de idealismo europeo a sus espaldas, dotado de una metafísica occidental, dotado de simpatías en el gran mundo, dotado de una gran cabeza, amante de la vida, retórico, inventor de un nuevo estilo de metáfora, catador de la historia, reverenciado en las universidades alemanas de provincia, oráculo, periodista, ensayista, hablista, el-que-lo-había-dicho-ya-antes-que-Heidegger, comenzó a hablar, haciéndolo poco más o menos de este modo:

«Señoras (pausa), señores (pausa), esto (pausa), que yo tengo en mi mano (pausa), es una manzana (gran pausa). Ustedes (pausa) la están viendo (gran pausa). Pero (pausa) la ven (pausa) desde ahí, desde donde están ustedes (gran pausa). Yo (gran pausa) veo la misma manzana (pausa) pero desde aquí, desde donde estoy yo (pausa muy larga). La manzana que ven ustedes (pausa) es distinta (pausa), muy distinta (pausa) de la manzana que yo veo (pausa). Sin embargo (pausa), es la misma manzana (sensación)».

Apenas repuesto el público del efecto de la revelación, condescendiente, siguió hablando con pausa para suministrar la clave del enigma:

«Lo que ocurre (pausa), es que ustedes y yo (gran pausa), la vemos con distinta perspectiva (tableau).»

Desglosemos ahora, plano a plano, la misma escena en el film:

1. Plano de conjunto del orador tras la mesa, con una manzana en la mano derecha.

Orador: *Señoras... señores...*

2. Plano medio corto del orador de espaldas. Frente a él se encuentra el público de la conferencia.

...Esto que yo tengo en mi mano...

3. Plano de conjunto a ras de suelo, para mostrar, en breve panorámica derecha-izquierda, un gato siamés que se introduce por la puerta entreabierta. El gato mira al fondo y luego a la izquierda del encuadre.

...es una manzana...

4. Plano americano del orador tras la mesa, en la misma actitud que en 1.

...Ustedes la están viendo, pero la ven desde ahí...

5. Plano de conjunto del público. Matías y Pedro en el centro del encuadre.

...desde donde están ustedes...

6. Plano a ras de suelo, como en 3. Breve panorámica derecha-izquierda para mostrar el itinerario del gato que sube por la tarima del orador, cuya sombra con la sempiterna manzana en ristre se dibuja al fondo del plano.

...Yo veo la misma manzana...

7. Plano medio del orador en ligero contrapicado, vuelto hacia la izquierda del encuadre.

...pero desde aquí, desde donde yo estoy...

8. Plano de conjunto del público. En el centro del encuadre, la madre de Matías.

...La manzana que ustedes ven...

9. Plano medio del orador, vuelto hacia la derecha del encuadre.

...es distinta, muy distinta de la manzana que yo veo...

10. Plano americano del orador tras la mesa, esgrimiendo la manzana.

...Sin embargo, es la misma manzana...

11. Como en 2. Murmullos de expectación en el público.

12. Plano americano frontal del orador tras la mesa.

...Lo que ocurre es que ustedes y yo...

13. Primer plano en picado del gato siamés mirando hacia arriba. En primer término, mano del orador apoyada en la mesa.

...la vemos...

14. Plano de detalle en contrapicado de la mano con la manzana —hacia la izquierda del encuadre— desde el punto de vista del gato.

...con distinta perspecti...

15. Como en 2.

...va.

Definitivos murmullos de aprobación en el público.

Lo que sorprende no es tanto la fidelidad que mantiene la escena al texto novelesco —obsérvese el ritmo de la planificación a partir de las pausas del orador, tan marcadas en el original literario—, sino la captación de su *distancia irónica*. La sospecha insinuada en el plano 7 se ve confirmada en los planos 13 y 14: nos encontramos ante la *ocularización interna* del punto de vista del gato... y su circunstancia. Algo, evidentemente, no previsto por el orador en su ejemplo, pero sí por el narrador, que asumiendo una peculiaridad enunciativa del medio cinematográfico —las relaciones espaciales campo-contracampo—, asume con ella, igualmente, la intencionalidad simbólica verbal —ironizadora— del novelista.

7.2.3. El discurso inmediato (Monólogo interior)

La novela de Martín-Santos concluye con dos fragmentos ensamblados en una perfecta imbricación narrativa causa-efecto. En el primero, Cartucho mata a Dorita, la incipiente novia del protagonista, en una bulliciosa verbena. En el segundo, Pedro medita sobre el trágico acontecimiento, cercenador de sus legítimas aspiraciones vitales y afectivas, al tiempo que se encamina a la estación del Príncipe Pío, donde un tren le reconducirá a su pueblo natal para dejar allí morir el resto de su existencia como amojamado médico rural.

El fragmento de la verbena es una buena muestra del estilo de Martín-Santos —de ese enfoque *donde aparecen anudados narración y valoración*, en frase de José María Valverde—, en el que un lenguaje deliberadamente culto, barroquizante, distancia al lector todas las connotaciones superficialmente costumbristas/melodramáticas inherentes al ámbito de la acción. Las *marcas gráficas* (comillas, guiones), propias del estilo directo, desaparecen, quedando éste diluido en el fluir discursivo del narrador: un nuevo avatar del estilo indirecto libre, donde los personajes del drama quedan intermitentemente aislados del bullanguero contexto de la verbena. Veamos un ejemplo:

...Y siguieron su periplo nocturno a través de la ausencia de la madre a la que ya casi habían olvidado, casi contentos de estar juntos por fin, muy inútilmente deambuladores de un lado para otro. Y llegaron al barquillero. Y compraron barquillos después de haber tirado a la rueda, donde les salió el trece u otro número cualquiera. Y llegaron a una extraña barraca donde un hombre hacía nubes de azúcar con una máquina que gira y Dorita dijo quiero, quiero y él compró y dijo toma. Y llegaron a un punto en que una viejecita con un carrito chiquitín y que —otra vez— vendía nuez de coco y Dorita quiso otra rajita y él se la compró y le dio la rajita de coco y Dorita volvió a mordisquear aquella sustancia tropical. Te va a sentar mal, dijo el hombre de negro y le quitó de la mano la raja. Él estaba mirando para otro lado y no se dio cuenta y ella se le pegó un poco más, pero no dijo nada y se quedó mirando al hombre que le había quitado la raja de coco. Mira allí hay churros, dijo él, ebrio de la fiebre del obsequio, voy a traértelos. Porque una gran muchedumbre se interponía para llegar a la sartén y ésta era la única barraca de verdadero, verdadero éxito y en la que la mercancía era ávidamente consumida. Mocitas quinceñas paseaban con sus churros en la mano cuando ya habían conseguido adquirirlos y se pavoneaban churro en mano y llevándolo a veces hasta sus boquitas de rosa. Otros menestrales y menestralas, amontonados y revueltos con gruesas comadres de barrio, pretendían también hacerse con la preciada mercancía y extendían sus brazos hacia un hombre vestido de blanco que, con un enorme azucarero, salpimentaba de polvo blanco los cucuruchos llenos de placer para mortales humildes. Voy a ver si consigo, dijo él y se fue introduciendo en la masa de compradores, pero permanecía a pesar de sus esfuerzos a una distancia todavía no practicable y ni siquiera podía levantar su mano con las monedas en ella visibles como muestra muda de su pasión de consumo. Entonces, Cartucho cogió el brazo de Dorita y tiró de ella diciendo, vamos a bailar, guapa. Dorita dio un grito, pero nadie se enteró porque fijándose bien, se oían bastantes gritos a aquella hora en el recinto municipal acotado. Quién es usted, dijo luego Dorita y Cartucho le contestó calla, calla de una vez, al mismo tiempo que le clavaba en el costado una navaja abierta, en un golpe seco y decidido que había dado más de una vez y mientras Dorita caía al suelo llenándose de sangre poco a poco encima de un charco que de noche parecía negro y que crecía, él se iba hacia afuera sin esperar siquiera a ver la cara que pondría él cuando volviera con su gran paquete de churros y se encontrara con que la venganza había sido ejecutada, que no hay plazo que no se cumpla ni deuda que no se pague.

En el film, la secuencia de la verbena está rodada mediante focales largas, haciendo que las evoluciones de los personajes —Pedro, Dorita, Cartucho— destaquen sobre el fondo difuminado de la verbena. El uso de focales largas se traduce en un efecto de achatamiento de la perspectiva, de bidimensionalidad de la imagen. Dicho efecto es realzado en el último plano de la secuencia: un grupo de gente cierra el círculo en torno a Pedro, arrodillado sobre el cadáver yaciente de Dorita; la angulación baja de la cámara realza el efecto de las piernas de los curiosos, que aproximándose por el lado derecho y por el izquierdo del encuadre, obstaculizan la visión del espectador. Pantalones y faldas cumplen la función de ser un a modo de telón o cortina que se cerrara sobre la representación, el último acto del drama. Mientras la cámara inicia una lenta panorámica vertical sobre el tiovivo y la noria, oímos la voz del monólogo interior de Pedro. El carácter del mismo es tanto o más concluyente que en el original literario, ya que es la única vez en todo el film que el director recurre a la voz en off —una adaptación superficial de la novela hubiera, sin duda, prodigado este procedimiento— y no es en absoluto casual su ubicación al final de la película. De las diez páginas que ocupa en la novela, el film elige seis significativos fragmentos:

a. Por qué será, cómo será que yo ahora no sepa distinguir entre la una y la otra muertas, puestas una encima de otra en el mismo agujero: también a esta autopsia. ¿Qué querrán saber? Tanta autopsia; para qué, si no ven nada...

Concluye la panorámica vertical hacia arriba sobre el tiovivo y la noria. Ambos parecen formar parte de un decorado plano, como un telón pintado que sirviera de fondo a las evoluciones de los paseantes. Lento fundido encadenado a plano medio de Pedro, sentado ante su mesa de laboratorio, como lo hemos visto al comienzo del film. En el transcurso de su monólogo, la cámara inicia un lento *travelling* de aproximación hasta llegar a un primer plano de su rostro.

b. Y yo, sin asomo de desesperación, porque estoy como vacío, porque me han pasado una gamuza y me han limpiado las vísceras por dentro...

c. ...¿Por qué no estoy más desesperado? ¿Por qué me estoy dejando capar?...

d. Hay algo que explica por qué... ni siquiera grito mientras me capan...

A partir de este momento escuchamos, como fondo de las palabras de Pedro, el chotis Los *nardos* interpretado por el organillo de la verbena.

e. ...Es cómodo ser eunuco, es tranquilo, estar desprovisto de testículos, es agradable a pesar de estar castrado tomar el aire y el sol mientras uno se amojama en silencio...

f. ...Estamos en el tiempo de la anestesia, estamos en el tiempo en que las cosas hacen poco ruido. La bomba no mata con el ruido sino con la radiación alfa que es (en sí) silenciosa, o con los rayos de deutones, o con los rayos gamma o con los rayos cósmicos, todos los cuales son más silenciosos que un garrotazo.

Funde en negro, sobre el estático rostro de Pedro, encadenando con los créditos del film. Prolongación, en la banda sonora, del chotis *Los nardos*.

Ya hemos visto, a partir del ejemplo del film de Vicente Aranda, cómo la puesta en serie fílmica de un original literario debe ser antes una *lectura* operativa del mismo que un simple *reflejo* temático/argumental. El problema de la mayor o menor «fidelidad» de la película, en relación a la novela, debe, pues, medirse en términos de una asimilación al medio fílmico de una serie de procedimientos narratológicos y enunciativos que, pertinentes en el texto escrito, deben *convencer* —hacerse verosímiles— en la imagen cinematográfica. François Jost (1987) expresa así la problemática: el acto narrativo sólo se hace sensible, precisamente, en el momento en el que se desprende de la ilusión mimética, cuando, a través de los enunciados visuales, se perciben marcas de enunciación. El carácter fallido de algunas adaptaciones literarias estribaría, sustancialmente, en el abandono de las sugerencias poéticas que toda narración encierra, dejándose llevar por dicha ilusión mimética.

A través de un pequeño incidente, desencadenador de la acción —la carencia de ratones como especímenes de investigación del cáncer en un laboratorio—, la novela logra interconectar entre sí diferentes estamentos sociales que confluyen en el Madrid de finales de los años cuarenta: desde el medio lumpen de las chabolas a los salones de la aristocracia, pasando por los ámbitos nocturnos poblados por la bohemia intelectual (cafeterías, prostíbulos y comisarías). El montaje del film posee una idéntica capacidad relacionante. Pero eso no es todo. Existe, igualmente, en la película una *valoración* de los acontecimientos narrados, una capacidad contextualizadora de los mismos, que se caracteriza, precisamente, por una ruptura con el modelo habitual de representación cinematográfica, basado en la continua naturalización (no problemática) del objeto con su expresión. En el final de *Tiempo de silencio*-film, la imagen de Pedro, superpuesta a la de la verbena, participa de su mismo carácter plano, sin relieve ni perspectiva. Su inmovilidad queda subrayada por la construcción aherrojante del plano, cuyo carácter de *cierre* en torno al personaje es aún más acentuado por ese *travelling* de acercamiento al rostro. Personaje visualmente acorralado, su posición simbólica en el desenlace de los acontecimientos no era susceptible de ser leída como en el original literario: Pedro no se va de Madrid a su pueblo natal, porque, en realidad y *cinematográficamente hablando*, importa más su estupor, su aniquilamiento psíquico, que le va a acompañar donde quiera que vaya. El film elige, en esos seis fragmentos del monólogo de Pedro, una serie de expresivos *significantes de castración*, la enumeración de los cuales se mezcla, en la banda sonora, a los acordes del organillo verbenero. En el perfecto ensamblaje de estos tres elementos —voz en off, imagen, música—, podemos apreciar, reducidamente, la cristalización de todo el sistema discursivo de la novela de Martín-Santos adaptado al cine: esa distancia crítica frente a los tópicos temáticos de la novela realista/costumbrista de los años sesenta, mediatizada a través de la óptica del lenguaje empleado. El anudamiento entre narración y valoración queda así elocuentemente expresado.

7.3. *Tercer comentario:*
La puesta en serie como denegación de la narrativa institucional en Un chien andalou

Un chien andalou (1929), de Luis Buñuel, forma parte, junto con *L'âge d'or,* de lo que José de la Colina ha dado en llamar *díptico surrealista* en la obra del cineasta aragonés, si bien el carácter «surrealista» de este film en concreto puede ser cuestionado (Talens, 1986; 1990). Realizado en Francia, con capital familiar aportado por la madre de Buñuel y total libertad creadora de sus autores, este cortometraje de diecisiete minutos de duración fue pronto consagrado como *film inaugural y emblemático del surrealismo cinematográfico.* Buñuel, que se había formado intelectualmente en la Residencia de Estudiantes de Madrid —donde conoció a figuras clave del *Grupo Poético del 27* y del mundo cultural de la época— había llegado a París, huyendo de la dictadura del general Primo de Rivera. La visión de *Las tres luces* (Fritz Lang, 1921) en el cine *Vieux Colombier* despertó su vocación como cineasta. Aprendió el oficio con Jean Epstein, del que fue ayudante de dirección. Tras el estreno de *Un chien andalou* y la positiva valoración que del film hicieran los surrealistas, fue acogido en el grupo de André Breton.

El mecanismo del mutuo intercambio de narraciones —de imágenes— oníricas entre Dalí y Buñuel evoca el principio mismo engrendador del film cómico a partir del *gag* visual, donde una situación determinada va adquiriendo complejidad mediante la articulación de sucesivos núcleos, desencadenadores de acciones diversas. El resultado final es una narración a posteriori, surgida del ensamblaje de las imágenes y no de una estructura previa a las mismas. Así debe entenderse la actitud de Buñuel-Dalí ante sus útiles de trabajo: no como mero *automatismo psíquico*, sino como manipulación de las imágenes en su materialidad. La poética del film responde a lo que Sklovski en 1919 definía como una poética de la extrañeza:

> Más que traducir lo extraño a términos familiares, la imagen poética «convierte en extraño» lo habitual, presentándolo bajo una nueva luz, situándolo en un contexto inesperado (...) Arrancando el objeto de su contexto habitual, aunando nociones dispares, el poeta da un golpe de gracia al cliché verbal, así como a las reacciones en serie concomitantes, y nos obliga a una percepción más elevada de las cosas y de su trama sensorial. El acto de deformación creadora restaura la agudeza de nuestra percepción, dando «densidad» al mundo que nos rodea. (Victor Erlich, 1974.)

El *gag* supone, por tanto, una acentuación del absurdo por montaje, una confrontación de dos lógicas que juega con el tópico, no sólo deslexicalizándolo, sino poniendo al desnudo el procedimiento que ha servido para su construcción. El *gag* evidencia la categoría de montaje con que se construye el texto fílmico. Se trata, en suma, del surgimiento en la representación del sujeto de la enunciación, no como marca adherida a lo narrado, sino en su plenitud, desbordando la línea horizontal del discurso e identificando en su seno montaje y sujeto de la enunciación. El film de Buñuel se abre, precisamente, con un soberano gesto enunciativo que analizaremos después.

Un chien andalou se ofrece, pues, al espectador como *una cadena metafórica de imágenes que reproducen el fluir del sueño:* un cabal ejemplo de *cine poético* en el que las relaciones causa-efecto del montaje narrativo clásico están abolidas o, cuanto menos, distorsionadas. Desde esa perspectiva, el film no sería, simplemente, el relato de un sueño —lo que justificaría la presencia de elementos irracionales—, sino que aprovecharía *mecanismos análogos a los del sueño* para trabajar sus imágenes. Sabemos, desde la fundamental aportación de Freud, que en los sueños se plasman las verdades más íntimas y profundas del sujeto: son *realizaciones de deseos inconscientes.* De esta forma, el film se plantea, a la vez, como un nítido discurso sobre el deseo —materializado en el encuentro hombre-mujer— y, mediante sus perfilados dispositivos de agresión, como un ataque al llamado «carácter artístico» del cine de vanguardia de la época, dirigido únicamente a la sensibilidad racional del espectador.

Como ha escrito José de la Colina, «el film está bañado en una luz meridional, muy ajena a las brumas y los claroscuros de tantos films europeos de la época, expresionistas o de "vanguardia"; una luz clara, transparente y cálida, como la luz solar y matinal de las comedias burlescas norteamericanas de los años veinte. Este no es un elemento fortuito: ya en su breve actividad literaria de crítico cinematográfico, Buñuel había elogiado aquel cine joven y vital, y muchos de los *gags* del film son alusiones muy reconocibles (por ejemplo: los libros que se convierten en revólveres). Buen admirador de lo que llamó la "escuela americana", Buñuel da a su film un ritmo enérgico, rápido y preciso. En cierto sentido, *Un chien andalou* es un film "de acción", pero de una acción interior, "que no estaría divorciada del sueño". Los pocos residuos de "film de vanguardia" (género detestado por Buñuel) que alguien podría descubrir se hallan quizá en ciertos evidentes símiles visuales, en los que el montaje obra por analogía, como en el momento en que la axila femenina es comparada con un erizo de mar».

La noche del estreno de *Un chien andalou* en París (abril 1929), Buñuel, tras la pantalla, ambienta musicalmente el film valiéndose de discos de fonógrafo: una provocadora combinación de tangos argentinos y fragmentos del *Tristán e Isolda* wagneriano. Tiene los bolsillos llenos de piedras que está dispuesto a arrojar al público cuando se produzcan las primeras muestras de desagrado ante la película. No va a ser necesario. La música —arrabalera y culta— unida a las chocantes imágenes, provocará entusiasmo entre los espectadores. Durante semanas, es el estreno más frecuentado de París, degustado por un público *snob,* amante de la novedad y de las sensaciones fuertes. Cuando el guión del film se publica en *La Révolution Surréaliste,* Buñuel, tras manifestar su adhesión al pensamiento y la actividad surrealista, dice en el prólogo: «[u]n film de éxito: esto es lo que piensa la mayoría de las personas que lo han visto. Pero ¿qué puedo hacer yo contra los fervientes de toda novedad, incluso si esta novedad ultraja sus convicciones más profundas, contra una prensa vendida e insincera, contra esa multitud imbécil que ha encontrado "bello" o "poético" lo que en el fondo no es más que un desesperado, un apasionado llamamiento al crimen?».

Un chien andalou comienza con una de las estructuras de agresión visual más radicales de la historia del cine. Dicha estructura, *en principio,* se basa en una lógica de implicación entre los planos, propia del montaje narrativo clásico, dirigida por el *raccord* de miradas. De esta forma, un hombre (interpretado por el propio Luis Buñuel), tras afilar una navaja barbera, sale al balcón

223

y levanta la vista hacia el cielo (foto 59), contemplando la luna llena (foto 60). Volvemos, otra vez, al plano del hombre en actitud contemplativa (foto 61), pero esta vez nuestras expectativas se rompen: no aparece, en el contracampo, la luna, sino *una mujer cuya mirada está dirigida, en linea recta, hacia la mirada del espectador.* Su ojo izquierdo se ve forzado a abrirse más por la acción del pulgar y el índice de la mano izquierda del hombre (foto 62).

Entra en campo, por la izquierda, la mano derecha del hombre con la navaja, realizando un movimiento de derecha a izquierda del encuadre (foto 63 un segundo momento del mismo plano). Acto seguido volvemos al plano de la luna atravesada por una delgada nube (foto 64) y, a continuación, vemos el globo ocular seccionado por una navaja (foto 65) en el plano de detalle que más ha hecho rechinar los dientes desde los comienzos del cine.

La *cadena analógica* que relaciona luna/nube con ojo/navaja se opone a la *relación causal* mirada/objeto que abre la escena (Williams, 1981; Talens, 1986). Al principio vemos lo mismo que el protagonista ve, y desde su mismo punto de vista. Esta *complicidad* espectador/personaje, sin embargo, se romperá cuando sea *la propia mirada del espectador* la que se ponga en escena, evidenciando la inscripción del ojo en la pantalla y produciendo así una suspensión del asentimiento a la perfecta transitividad del modelo narrativo institucional. La pantalla se ha convertido en espejo, y el ojo de la mujer que nos mira es nuestro propio ojo. Por voluntad del propio dispositivo fílmico, este ojo debe ser vaciado, tachado, abolido. La película no debe ser vista con los ojos habituales, acostumbrados al tipo de narratividad impuesto por el Modo de Representación Institucional. Otros ojos deben abrirse, simbólicamente, en nuestra percepción, sustituyendo al que ha estallado en la pantalla, incapaz ya de ver nada y cuya mirada ciega, como objeto no deseado, tanto incomoda y desagrada. Es el propio mecanismo enunciador del cine el que se manifiesta en el prólogo de *Un chien andalou* (Talens, 1986).

El cartel inicial del film («Il était une fois...») nos introduce, mediante la fórmula retórica del *incipit (Érase una vez...)* de todo cuento popular, en una supuesta *primera articulación narrativa* de su contenido. Reflejo, a la vez, de cierta actitud irónica sobre los materiales de la narración y del poder absoluto con que el narrador los controla, dicho cartel se relaciona con los otros cuatro que aparecerán a lo largo de la proyección *(Ocho años después, Hacia las tres de la madrugada, Dieciséis años antes, En primavera).* Todos ellos plantean, ambivalentemente, la voluntad de *contar una historia,* pero, también, la de hacerlo en forma harto diferente a lo habitual. De ahí que las acotaciones temporales tengan una apariencia arbitraria al contrastarlas con el fluir de unas imágenes que están rompiendo, continuamente, la *lógica espacial* del modelo narrativo institucional. El ojo del espectador se ve, en ocasiones, desorientado ya que el encadenamiento de imágenes no favorece en absoluto esa creación de un espacio *mentalmente unitario,* construido mediante la sutura del montaje. Incluso en términos estrictos de *reglamentación,* la lógica implicativa del punto de vista entre 1 y 2 quedaría dañada por el ostentoso fallo de *raccord* que supone ubicar la luna en 2 hacia el ángulo superior izquierdo del encuadre, en lugar de hacerlo en el derecho, como indicaba la dirección de la mirada del personaje. El film presenta abundantes ejemplos de esta ruptura de la lógica espacial: un personaje caerá, abatido por los disparos, en un plano, para concluir su caída, en el plano siguiente —montado por *raccord* en el movimiento— junto a la espalda desnuda de una mujer, en un jardín. La mujer, tras rechazar al hombre y burlarse de él (gesto infantil de sacar la lengua), sale de la habitación —ubicada en un primer piso, por los datos espaciales anteriormente suministrados— y, más allá de la puerta, sorprendentemente, está el mar, contra toda lógica de contigüidad espacial. A continuación de la burla hacia el interior de la habitación (foto 66), la mujer siente en su rostro la brisa marina que hace ondular sus cabellos (foto 67) y, frente a ella, en el contracampo, aparece una playa rocosa, y un hombre —que la estaba esperando— contempla la inmensidad del océano (foto 68). Existe aquí una denegación de la *lógica espacial* (narrativa), pero una afirmación de la *lógica simbólica* (discursiva y poética). En efecto: tras rechazar el asedio posesivo del hombre en la habitación —que se vincula a la muerte y al interior burgués—, la mujer encuentra un espacio abierto, liberador y oxigenante, donde iniciar una nueva y más gratificante relación amorosa. El *desplazamiento* —habitación-playa— debe, pues, ser entendido en su acepción freudiana, actuante en el proceso inconsciente primario del sueño, algo que, de acuerdo con la definición del diccionario de psicoanálisis de Laplanche y Pontalis «[c]onsiste en que el acento, el interés, la intensidad de una representación puede desprenderse de ésta para pasar a otras representaciones originalmente poco intensas, aunque ligadas a la primera por una cadena asociativa».

Un chien andalou puede ser leído, en su conjunto, como un discurso poético sobre el encuentro hombre-mujer, cuyos polos extremos descansarían en el Deseo y la Represión, expresada esta última bien como *sanción* de una Ley exterior (ejemplificada en la figura del Padre o del Maestro), bien como posible interiorización de dicha Ley (abundantes metáforas onanistas, denegadoras de la presencia femenina *real*). Por ello, el modelo reducido de todo el film —modelo de *condensación,* donde *resuenan* todos los temas esenciales del mismo— estaría ejemplificado por la escena que comentamos a continuación.

La mujer, tras haber sido asediada por el hombre, se acurruca en un rincón de la habitación. El hombre quiere avanzar hacia ella, estirando unas cuerdas que, por la resistencia que ofrecen, parecen estar enganchadas a un bulto muy pesado. De las cuerdas penden unas láminas rectangulares de corcho (foto 69). El hombre se arrastra hacia la mujer, tirando de las cuerdas con gran esfuerzo (foto 70). La mujer, esgrimiendo una raqueta de tenis, contempla la escena entre estupefacta y aterrorizada (foto 71). El hombre sigue tirando, titánicamente, de las cuerdas (foto 72). En el siguiente plano, por un nuevo emplazamiento de cámara, vemos el bulto que arrastra el hombre: dos hermanos maristas en cada cuerda y dos pianos de cola con sendos burros muertos cuyas cabezas descansan en los teclados (foto 73). Mientras los pianos, arrastrados por el hombre, se desplazan, contemplamos, en todo su esplendor, la cabeza de uno de los jumentos en avanzado estado de descomposición (foto 74). Prosigue el avance fatigoso del hombre hacia la mujer (foto 75). De izquierda a derecha del encuadre, se deslizan los hermanos maristas (foto 76). La cámara, en *picado,* subraya los denonados esfuerzos del hombre (foto 77), mientras un primer plano de la mujer nos vuelve a recordar su paralizante terror (foto 78). La cadencia del montaje repite los planos del burro descompuesto (foto 79), de los hermanos maristas (foto 80), del hombre arrastrándose (foto 81) y de todo el conjunto avanzando hacia el rincón donde se encuentra la mujer (foto 82).

La condensación, siempre según el diccionario citado de Laplanche y Pontalis, es «[u]no de los principales modos de funcionamiento de los procesos inconscientes: una representación única representa por sí sola varias cadenas asociativas, en la intersección de las cuales se encuentra». Es evidente que la figura de condensación de los pianos de cola, los burros muertos y los seminaristas puede descomponerse en los elementos que la constituyen:

1. Burros en descomposición + pianos de cola = Putrefacción + emblemas de cultura burguesa = cultura burguesa muerta y corrompida.

2. Cuerdas + hermanos maristas = religión como lastre.

Así pues, podemos hablar de un doble desplazamiento calificativo mediante el cual *tanto la cultura burguesa como la educación religiosa del sujeto son concebidas como lastre, como peso muerto* que es arrastrado por el hombre. La intención deliberada de éste era aproximarse *con todo ello* a la mujer, porque dichos elementos son parte constitutiva de su pasado y condicionan sus acciones en el presente. El rechazo de la mujer —que ansía un *puro objeto de deseo,* incontaminado— se producirá de forma tajante a continuación.

Un chien andalou se situaría, pues, a caballo entre el dispositivo metafórico (propio del discurso poético) y el dispositivo metonímico (propio del discurso narrativo). En el discurso narrativo, la articulación de acontecimientos se establece respecto a una lógica que la vuelve verosímil. Dicha verosimilitud se basa en un desplazamiento de lo temporal hacia lo causal. Es por tanto una estructura doblemente determinada. Barthes (1966) ya lo hizo notar al analizar el efecto de la secuencialidad en la narración: lo que viene después (sucesión) se confunde con la lógica de la causalidad (consecuencia). Es por ello por lo que en el modo narrativo institucional las condiciones para la clausura del relato están inscritas ya en su propio comienzo (Kuntzel, 1972). En el discurso poético, por el contrario, la articulación, no sometida a acontecimientos, es azarosa, en el sentido en que no constituye un universo cerrado en sí mismo, sino una sucesión de fragmentos unidos por asociación. Asimismo, en el discurso narrativo, la causalidad está personalizada en los personajes, lo que explica el que éstos se construyan como si estuviesen psicológicamente motivados y posean rasgos pertinentes para la anécdota de la historia que se cuenta. Este tipo de construcción está ausente del discurso que aquí definimos como poético, puesto en escena en *Un chien andalou.* Por último, en el discurso narrativo las dimensiones espacio-temporales (espacio de la pantalla y duración) sirven para representar el espacio y el tiempo de los acontecimientos en la cadena narrativa y, por tanto, están subordinadas al espacio y tiempo de la historia contada. El espacio narrativo es, de esta manera, un espacio escenográfico, dentro del cual se encuadran las acciones como acontecimientos. El tiempo narrativo, por su parte, se constituye como tiempo elíptico, bien para hacer avanzar lo narrado, bien para explicar las motivaciones de los actos de los personajes. Espacio y tiempo están, pues, subordinados a la lógica de la causalidad. Dicha subordinación, como hemos visto, tampoco es pertinente en el film comentado.

227

7.4. *Cuarto comentario:*
La puesta en serie narrativa y el problema del documental en Las Hurdes

En el capítulo anterior habíamos abordado el problema de la puesta en escena «documental». En tanto tipología, cuya diferenciación respecto a la normativa denominada «de ficción» se basa en la distinta producción de efecto referencial, no deja de ser evidente que haya podido desarrollarse también asumiendo sistemas formales propios del cine narrativo. Un ejemplo importante en la historia de la institucionalización de dicha tipología puede verse en el primer y único «documental» realizado por Luis Buñuel, *Las Hurdes* (1932), también conocido como *Tierra sin pan*. En cierto sentido, su propuesta puede ofrecer hoy modos de teorizar, tanto sobre el concepto general de narratividad, como sobre el llamado cine documental, donde el concepto de supuesta «verdad referencial» parece relegar a un segundo término el dispositivo retórico que construye su «realismo». Como ha mostrado Tom Conley (1986; 1988) en su excelente monografía sobre el film, *Las Hurdes* pone a prueba el llamado *cinéma-vérité*. En este comentario resumiremos los resultados de su análisis.

Las Hurdes consta de 255 planos con una duración de aproximadamente ventinueve minutos (o unos 865 metros de película). Incluso a una media de siete segundos por plano, el número total sería desordenadamente alto para lo que se supone debe ser un documental. La película abunda en planos variados; el número total haría creer al espectador que la película está inspirada por el montaje eisensteiniano más que por el realismo poético. Una visión rápida demuestra que no es así, porque la impresión es de redundancia, inercia, y de invariables e inmediatos retratos de vida al borde de la muerte. Puede ser que la orientación temática de *Las Hurdes*, que trata, de forma incesante, de una cultura moribunda que, sin embargo, se niega a morir en medio de las «fuerzas hostiles» que la rodean, produzca un efecto estático contrario a la viveza del *découpage*. O bien, que la contradicción entre el vertiginoso conjunto de planos y las secuencias traicione por completo las interpretaciones mortales que la banda sonora impone sobre la serie de imágenes.

Contrariamente a la tradición de la puesta en serie narrativa, los planos raramente dependen uno de otro para su resonancia o continuidad de significado. Generalmente, cada uno está compuesto como segmento unificado, que porta una rica paradoja en sí mismo, así como en relación a otros planos, tanto en el contexto inmediato (tres a seis planos antes y después), como en el ámbito de la película entera (un plano hacia el final modularía o rimaría con una escena en los primeros momentos de la exposición). De ese modo se pide al ojo del espectador que extienda su campo de percepción más allá del ámbito de la narrativa y del montaje. Sólo una secuencia muestra signos de montaje alterno y es en los segundos finales:

Plano 239. Fundido a PPM de un interior con una familia alrededor de una cacerola; la escena evoca la noche con un gran contraste de tonos claros y oscuros.

Plano 240. PPM de una figura central, un hombre, removiendo la cacerola que está sobre el fuego.

Plano 241. PM del interior visto a través del portal. Panorámica hacia abajo para recoger los utensilios de cocina que cuelgan de la pared.

Plano 242. PPM de la escena en el plano 237 reencuadrada; la mujer de la izquierda levanta a un niño.

Plano 243. PG de una calle vista en claroscuro; una anciana entra desde la oscuridad hacia el centro.

Plano 244. Toma invertida de la anciana, que hace sonar una campana, subiendo la calle con dificultad (hacia el lugar que la cámara ocupaba en el plano 241).

Plano 245. PPM de la escena en el plano 240; el hombre se levanta, tomando a un niño en brazos, mientras la cámara hace una panorámica hacia la izquierda para captar a una mujer que le sigue, saliendo por la izquierda del encuadre.

Plano 246. PM del portal, en el que entran un hombre y un niño.

Plano 247. Regreso a la escena del plano 240; en un espacio iluminado, el último hombre de la derecha del encuadre sale por la izquierda.

Plano 248. Corte al portal del plano 244, que muestra cierta actividad (la familia se dispone a ir a la cama) en segundo término.

Plano 249. Corte a la calle en la que una vieja fea avanza como en el plano 241.

Plano 250. PP de las cabezas de las personas en pijama. Duermen con sus rostros vueltos e ignorando la cámara y la luz que los ilumina. La cámara hace una lenta panorámica hacia izquierda y derecha para recoger los seis cuerpos acostados.

Plano 251. PPM de la vieja moviendo los labios; la oscuridad de la calle queda al fondo.

Plano 252. PPP de su rostro arrugado, mientras murmura palabras en silencio.

Plano 253. PGM de la misma calle oscura con la vieja reencuadrada en la distancia.

En esta secuencia final (sólo faltan el plano 254 —PG de las montañas vistas bajo un cielo claro— y los últimos créditos con la palabra FIN), la familia de Las Hurdes, que acaba su cena y se prepara para ir a la cama, aparece puntuada por la llegada de una anciana anunciando la muerte en una calle adyacente. Pero incluso esto apenas parece suficientemente logrado como para apresurar al espectador a asociar la película con el querido *topos* ibérico del dormir que trae sueños de muerte o monstruos. Los primeros planos de la vieja bruja son deliciosamente físicos y el momento de irse a la cama demasiado teatralizado como para permitirnos caer en un tópico. Nos preguntamos cómo la iluminación en contraluz está tan bien conseguida; cómo los lugareños pueden simular estar durmiendo bajo el torrente de luz vertido sobre ellos; cómo el primerísimo plano de la arrugada cara de la vieja adivina ha sido filmado bajo la ilusión de la noche. Las cuestiones cinemáticas de composición rompen el sentido de movimiento inherente al montaje alterno, hasta el punto de que el espectador puede preguntarse si la campana de muerte y sueño está añadida a la muerte real y al sueño de la película —es decir, a su propio fin. De acuerdo con el mecanismo de transferencia, que ya vimos presente en la primera película buñueliana comentada antes, la contigüidad de esta secuencia con el final del film parece sugerir que somos nosotros, espectadores, los conducidos a dormir, que son los espectadores mismos quienes se están viendo a sí mismos morir mientras la película acaba.

Una puesta en serie tan evidentemente suelta muestra el carácter contradictorio del documental: por una parte, transmite «realidad», en virtud de una fotografía con profundidad de campo, donde cada cosa en el encuadre está enfocada y sujeta al relato documental y donde la toma misma tiene suficiente contenido como para ser descifrada pacientemente. En este último sentido, la visión del mundo de Las Hurdes dependería de la construcción del realismo poético, del plano sostenido que también se asocia con Renoir, Flaherty, Wyler, o los llamados maestros del realismo. Pero la secuencia de planos nos dice lo contrario: no hay (aparentemente) a lo largo de sus ventinueve minutos ningún plano sostenido, ni siquiera una toma de duración engañosamente extensa —de diez a cuarenta segundos— que pudiéramos situar en la línea de la tradición realista. Más bien al contrario: el film obliga al espectador a comprimir los efectos del plano sostenido a una velocidad que acaba siendo molesta. La mayoría de los planos poseen una composición cuidadosa (casi pictórica), pero el montaje, o bien no permite al espectador asimilarlos en términos cinemáticos racionales, o bien radicaliza el estilo realista, definiendo y, simultáneamente, distorsionando sus principios, un poco antes de que el estilo obtenga validez referencial.

Esto último podría ser debido al trasfondo intertextual que informa la película. Muchas composiciones visuales en este film reiteran escenas de *Un chien andalou*. El plano 132, por ejemplo —PPP de la boca abierta con las manos del hombre alrededor de ella—, muestra la relación de las manos y la posición ocular de la boca en una forma que recuerda la relación del ojo y las manos en la famosa escena del corte en la secuencia inicial de este último film. Del mismo modo, el plano 151 —PP del cadáver de la mula, con un ojo visible en (des)composición y cubierto por abejas— recuerda la posición de la cabeza y del ojo de los dos burros muertos en la secuencia de los pianos de *Un chien andalou*. Otras composiciones remiten, por el contrario, pero con igual pregnancia a *L'âge d'or* (el toro que sale a la calle en el plano 11 recuerda la carretilla que Gaston Modot tira desde la ventana de su apartamento, o el paisaje rocoso en la secuencia de la cabra montesa reitera la costa de rocas y huesos de obispo). En *Las Hurdes*, sin embargo, todas las composiciones están ejecutadas en un contexto, suponemos, de veracidad. Reduciendo el sello futuro del realismo al mínimo, la película aduce cómo la cámara onírica, vista en el inmenso campo de las contradicciones sin mediatizar, se adecua a la realidad documental, hecho sorprendente si tenemos en cuenta que, en la tradición del documental, la verdad siempre se identifica con el equilibrio.

Los planos tienen una austeridad pictórica en sus tensiones de forma. Todos los cambios drásticos desde primeros planos o planos medios a planos generales con profundidad de campo (en 61-62, 66-67, 103-104, 168-174, 194-195, 253-255, etc.) están contextualizados o suavizados por medio de fundidos o infrecuentes encadenados. Los paisajes son escenas intermedias que separan las secuencias haciendo resaltar las distintas actividades de la vida cotidiana. El equilibrio de las composiciones es tan chocante que cada cambio resulta suave, por muy grande que sea el hueco de una secuencia a otra. La mayor parte de la puesta en escena refleja el resplandor intensamente continuo del sol español. Los contrastes altos de luz y sombra producirían generalmente un tempo mellado de sucesivos bordes duros; sin embargo, el equilibrio de la totalidad está resaltado por el énfasis de la ausencia de penumbra. Las personas humanas están retratadas bajo un cielo claro, y privadas de sombras o formas suaves que pudieran modificar —o humanizar— su descripción. La película rechaza cualquier tipo de redención visual de la humanidad por medio de escenarios que pudieran ofrecer comodidad, alivio, o cualquier tipo de empatía que pudiera ser compartida entre espectadores y temas (especialmente en los planos 4, 13, 28, 55, 77, 96, 103, 110, 141, 172, 174, 228-230, 234, etc.).

La voz en off establece la continuidad serializada documental. Tiende a congelar las imágenes al dirigir la mirada del espectador hacia sólo algunos de los muchos elementos (generalmente humanos, en contraste con los naturales u orgánicos o estacionales) presentes en campo. Traicionando, trivializando o, mejor, reprimiendo muchos de los elementos visuales, marca una diferencia de conciencia. Cuando la voz refleja el punto de vista de una visión enfocada, «occidental» o industrial de la continuidad, la historia, la cultura, la humanidad o la razón misionera, los elementos visuales ofrecen un rico fluir de imágenes que exceden —en placer, en desagrado, en asombro, en erotismo— lo que la voz o el acompañamiento musical de Brahms en la banda sonora no pueden expresar sobre ellos. El elemento pictogramático declara ser el inconsciente de la película; es evidente, claro e inmediatamente accesible. Cuando se relata el desastre o la crisis (con el acento británico del colonizador), inconscientes ante lo que se dice de ellos, los niños sonríen a la cámara. Contradicen el proyecto antropológico de la redención (muy evidente en los planos 28, 76, 86, o en la secuencia de los enanos). Sería demasiado simple decir que el film encierra un doble sentido en la contradicción entre voz e imagen, puesto que *Las Hurdes* no cuestiona simplemente el derecho del espectador de ver el lado sagrado —o sea, invisible— de la cultura de Las Hurdes. Articula un tiempo altamente variado de los cambios que modulan la repulsión y atracción dentro de una narrativa unificada.

El encadenado ofrece transiciones esenciales para la puesta en serie. Paradójicamente, permite también el mejor acceso inicial al «otro» lado, al anverso de la composición de *Las Hurdes*. El encadenado «abre» las obsesiones de la película y coloca todos los estados de conciencia, historia y documental en el mismo plano. En estas transiciones se pierde la relación estable de una figura con su fondo; la imagen se convierte en una textura, pero también, como en un sueño manifiesto, en un jeroglífico. En estos instantes el proceso de desplazamiento y condensación condiciona la retórica de la película. El encadenado es claramente un *modus vivendi* extremadamente raro en el documental. En el cine narrativo, media entre las realidades conscientes e inconscientes, hasta el extremo de producir la verdadera ideología del inconsciente.

Cinco encadenados puntúan *Las Hurdes*. Cada uno de ellos marca el film en un momento aparentemente no relacionado en tiempo y espacio con los otros. Como en las impresiones totales que confiere el montaje, un uso clásico, algo restringido, de la transición también recalcaría los mismos motivos documentales del fondo de la película. El encadenado nunca domina suficientemente como para proyectar una dimensión onírica sobre el contenido, como había ocurrido en *Un chien andalou* sólo cuatro años antes. En esa película el encadenado es tan frecuente que las distinciones entre planos son difíciles de señalar. En contraste, a la luz del realismo en este film, el encadenado da crédito del esfuerzo por asociar cada plano con la verdad cruda, no mediatizada. Cuando se utiliza el encadenado, parece «natural» o simplemente parte de un estilo deliberadamente controlado.

El primero de ellos elide los créditos (planos 1-2) en las nubes sobre las que están escritos. El segundo, inmediatamente después (tres *collages* componen el plano 3), sobreimpresiona un mapa en relieve de Europa, Iberia y la España occidental, uno sobre otro. En efecto, el ojo se encadena al film antes de poder ser testigo de la verdad resultante que estaría localizada a través o más allá de la pantalla. El estilo en las tomas iniciales arrastra prácticamente al espectador desde una condición somnolienta, algodonosa, nebulosa, hacia los duros confines del mundo. Las nubes y una masa proteica de relieve geográfico dan paso a planos de calles arcaicas en un tajante foco profundo.

Un minuto después (en el plano 49), en una transición de la ciudad al campo, el cuarto encadenado registra el paso de un plano general a un primer plano de la torre occidental de una iglesia barroca situada en el fondo de un valle. Comenzado desde arriba, un largo recorrido fluye desde las altitudes hasta las más oscuras profundidades de los árboles que crecen alrededor de la iglesia. Después, en contrapicado (desde el suelo), se presenta a una atractiva, robusta campesina. Sólo cerca del final de la película vuelven a aparecer otros encadenados: uno (plano 172), en primer plano, va de una toma de agua que corre al borde de un río hasta un embarcadero artificial de tierra, sostenido por paredes de piedra; otro, en profundidad media (de forma adyacente, en un

233

breve acelerado en los planos 162 a 165), muestra a unos campesinos cortando maleza. La voz en off explica que estos hombres suministran fertilizante para la tierra de los bancales que hay en los márgenes del río. Las dos transiciones evocan una cultura de recolectores, el paso del tiempo agrario y, como en los encadenados iniciales, no existe nada particularmente sorprendente en ellos.

A menos que se mantenga a la vista el uso previo buñueliano del encadenado como forma gráfica altamente significativa, la transición sólo parece puntuar la película con equilibrio y moderación. En una visión más cercana, los encadenados resumen el paso de las estaciones y los trabajos. Ritmos de cambio contingentes, más cortos, se borran en favor de un olvido temporal, o de un naturalismo medieval. Ciclos de crecimiento y regeneración marcan el recorrido de la imagen exactamente cuando la voz en off habla de futilidad e interminable erosión. Traicionando a la voz, las transiciones no permiten que la narración acceda con efectividad al estatuto de documento. A pesar de su estilo contenido, *Las Hurdes* nunca está lejos en el tiempo, espacio o historia, de la experiencia de *Un chien andalou* o de *L'âge d'or;* su estilo depende a menudo de la fugaz emergencia de un encadenado desde muchos otros. Las fronteras entre objetos y planos de profundidad se funden en la realidad del mismo modo a como lo hacen en un sueño, durante un momento; las formas nadan así indiscriminadamente y sin contradicción aparente. El encadenado presentaría el film como resultado de una cierta «escritura automática», en la que un proceso primario podría ser vislumbrado, perdido, y después recuperado a través de visiones posteriores.

No hay razón para ver por qué el mismo dispositivo no avanza los principios del realismo cinemático. Al sugerir que un innegable fluir de fuerza y de interminable energía es inaccesible para el ojo, aunque esté omnipresentemente visible en campo, una propuesta como *Un chien andalou* podía hacer manifiesto el inconsciente. *Las Hurdes* sugiere que una puesta en serie realista puede llevar a cabo esta tarea tan efectivamente como cualquier experimento más o menos «vanguardista».

El cuarto encadenado es más obvio, pues la gran torre de la iglesia se identifica con la estatura heroica de la campesina. Al encadenarse con ella, el plano implica que ella es una de las eternas bases del universo. La torre atraviesa a la mujer desde abajo al tiempo que se identifica con ella. La iglesia ha sido comparada a la Virgen María, un muro de piedra penetrado por la luz que atraviesa su cuerpo sin romper su himen. Igual aquí: el equipo fotográfi-

234

co en las colinas españolas mancilla a la mujer sin destruirla, representando la violencia de un orden sagrado, y produciendo, a partir del encadenado de la aguja y de la forma física, la verdadera iluminación de la misma película. La tradición, lo erótico y las sagradas órdenes establecen y sacralizan el documental.

La perspectiva expresa las mismas ambivalencias. En los planos que describen los apuros de los hurdanos en uno de sus pueblos (planos 114-117), la cámara baja la mirada hacia una calle que se abre hacia el paisaje montañoso del fondo. Una fila escalonada de viviendas enjalbegadas da paso a la visión de colinas que descienden desde la derecha, tras una pared en la sombra, cubiertas de exuberantes racimos de hojas y ramas. Casi imperceptiblemente —un segundo o tercer visionado revela la figura— existe en la calle una pequeña forma humana arrodillada. Dentro del lapso del encadenado, que se mueve a un primer plano medio de la figura doblada sobre una roca, el ojo avista la figura, simultáneamente, de lejos y de cerca. Ambas se pierden en el paisaje y emergen juntas de un juego de sombras y luz. Durante un instante la cámara extiende la perspectiva al colocar al sujeto en dos lugares al mismo tiempo. Al ser percibida de lejos y de cerca, la figura amplía la imagen. Perdida en el paisaje y como parte central de él a un tiempo, la niña es la marca intermedia de una transición que connota un amplio y activo proceso de analogía, que anima el mundo físico y humano. El efecto del encadenado se opone a la descripción de la esterilidad cuando la voz off de la banda sonora critica la escena: la niña, dice, sufre de desnutrición y disentería. Allí donde se narra la muerte, el cine expande el campo visual de la imagen.

Después del encadenado, por primera y única vez en la película, la cámara recoge la presencia del cineasta, es decir, de la exterioridad que parece marcar la diferencia entre el orden de «la ficción» y «lo documental». Un ser humano, vestido con pantalones y una camisa de manga corta, entra en la imagen desde la izquierda, en primer término cerca de la cámara, y procede a inspeccionar a la niña, que despierta de su sueño, levanta el brazo izquierdo para proteger sus ojos de la luz (o también, posiblemente de la vista del cameraman o antropólogo). La voz en off declara que nada pudo hacerse para salvar a la niña. Tras una inspección, vista como un primer plano de la boca abierta de la niña, la banda sonora informa que murió tres días después. Las implicaciones morales de la secuencia de rodaje son obvias: el equipo de grabación no hizo sino filmar una condición social calamitosa, como si fuera a hacer turismo. Invirtió dinero en el cine antes que en el bienestar. Más aún, los espectadores se presentan como culpables por ser testigos de lo que debieran haber remediado, no filmado. El doble sentido del predicamento humano es visto como un espectáculo estético. Una vez que se establece una relación de *voyeurismo* en la relación de la película con el espectador, la inatacable distancia que se mantiene entre espectadores y sujetos no permite relación alguna de furiosa empatía; en esta ocasión, eso habría señalado la percepción colectiva de la niña en su penosa situación.

La secuencia especifica abiertamente la naturaleza de la investigación del antropólogo y su aparato. La visión de una niña adormecida identifica también una escena muy típica, la de la *dormeuse*, que había sido un tópico de la pintura y la lírica simbolistas desde Rimbaud a Valéry. Una constante, predilecta e íntima visión de una belleza durmiente permite que florezca la fantasía del *voyeur*. Aquí la secuencia comienza del mismo modo, con la visión del sujeto de perfil, que no vuelve la mirada al espectador. En la tradición pictórica, según ha señalado Meyer Schapiro (1973), a los personajes que miran de frente al espectador se les otorga un papel de poder —como el Pantocrátor en los hemiciclos de las iglesias bizantinas—, mientras que aquellos que aparecen de perfil transmiten una relación de inferioridad. Ni devuelven la mirada ni ofrecen una imagen que pudiera inquietar al espectador. Lo mismo se aplica a las primeras pinturas de Degas, que nunca permiten a la mujer fijar su mirada sobre el espectador; el artista imagina una relación voyeurística con mujeres que cepillan su cabello sin reparar en la presencia del pintor o del espectador. Esta misma relación marca la tradición del editaje invisible, la tradición de Hollywood, en la que se enseña a los actores a no mirar nunca directamente a la cámara, y si lo hacen, a rozar la mirada sobre la cámara, cuando se disponen a fijarla sobre otro tema u objeto del encuadre. La tradición de la *dormeuse* en los planos 114-117, por ejemplo, convierte en totalmente visible las dimensiones políticas, visuales y eróticas existentes en la relación entre espectador y tema. Esto es esencial para la teoría de la mirada (y violencia) subyacentes a *Las Hurdes*.

La secuencia termina llevando el tema a lo que su dimensión inconsciente nunca articuló en la distancia erotizada que se mantiene entre el espectador y la figura. La *dormeuse* representa un papel en la red de analogías que operan en otros momentos de la película. La niña es comparada con un títere, una muñeca o un maniquí. También repite las otras escenas de niños que duermen, los cuales contraponen el mundo diurno al suyo propio de sueño

236

imperceptible. Los planos en la secuencia de encadenado recuerdan escenas en Alberca donde, en el plano 13, mujeres de la localidad se preparan para los festejos del domingo. El primer término muestra a una anciana anudando los rizos de una joven, mientras, al fondo, otro niño duerme exactamente en la misma postura que la niña, de la calle hurdana, en el plano 115. De igual forma que el encadenado, que ofrecía una perspectiva de la relación entre lo humano y el paisaje, la película muestra ahora un juego de formas idénticas a través de la horizontal geografía narrativa del documental. El niño tiende a reflejar el punto de vista del espectador. En un estado de conciencia somnolienta, nebulosa, representa el exacto retroceso necesario para una visión del film como campo de forma indiferenciada de una superficie manifiesta que un niño puede aprehender. En un plano (105) de lo que la voz en off describe en términos de «espalda como de tortuga» de los tejados de un pueblo hurdano, una mujer, que sostiene a un niño —volviendo la mirada a la cámara— crea un campo medio entre la textura animista de la aglomeración y el punto de vista de la cámara. El niño permite que la metáfora adopte una forma visual y que tenga credibilidad en la superficie imaginaria de la película.

La misma función marca la procesión del funeral del niño justo antes del final de la película (planos 219-238). En esa secuencia, un niño —visto como muñeco y como cadáver a un tiempo— es transportado a través del río a un cementerio cubierto de hierbajos. Mostrada de forma ostensible para dar un resonante final de muerte a una película en torno a una cultura ya muerta, la penúltima secuencia establece el otro extremo de una topografía perspectiva que utiliza al niño somnoliento como una clave para las múltiples intersecciones de sueño y documental. Una vez más, lo que el encadenado expresaba de forma vertical, esto es, mediante la interpenetración de formas hacia arriba y a través de los paisajes, la presencia del niño lo reitera de forma análoga al entrecruzar las líneas narrativas que llevan desde la ciudad a la provincia, y desde el mundo diurno de la cultura (el trabajo, el juego, los festejos, la vida cotidiana) a las escenas nocturnas del sueño y de la muerte (el comienzo de la película bañado en intensa luz mediterránea, y el final en un profundo claroscuro).

Las escenas aparecen encuadradas de acuerdo con una gran tradición del retrato del siglo XVII y, sin embargo, el contexto niega la presencia de tales fuentes heroicas. Ninguna toma deja de articular una tensión entre los temas visibles, la profundidad de campo y los límites de la imagen. El documental es tanto más eficaz cuando hace de estas tensiones el tema de su puesta en serie, cuando la cruda realidad descrita en la pantalla es cuestionada por el estudio del deseo inconsciente o la tradición que presta veracidad a una imagen. De esta forma la realidad se produce por su relación con los cuadros.

La dinámica de la relación entre un estilo clásico de encuadre y la grabación cinemática de la brutal realidad (estamos viendo por vez primera un mundo arcaico, se nos dice) es más visible en la forma en que una tradición pictórica asesina y sacraliza a la otra con eficacia. La secuencia que muestra los hábitos culinarios de los hurdanos es emblemática. Se nos dice que los nativos se permiten comer carne sólo cuando, en raras ocasiones, «esto ocurre» (planos 123-131). «Esto» es la imagen de un chivo que de repente cae de su posición en la ladera de una montaña. Para elevar el *pathos* e improbabilidad del suceso, la cámara toma un primer plano del animal muerto mientras empieza a rodar y caer en picado hacia el valle. El animal retrocede del immediato primer término y se pierde rápidamente de vista. La secuencia indica un montaje cuidadoso. Una primera toma de la ladera precede a un primer plano medio, tomado con teleobjetivo, de dos chivos sobre cumbres rocosas. La tercera las muestra en un plano medio de la ladera, mientras que la cuarta vuelve a encuadrar la misma escena desde lejos, registrando la caída del chivo. La quinta toma comienza como un primer plano del animal muerto mientras cae alejándose de la cámara.

Incluso un observador pasivo no dudaría en notar una ráfaga de humo (en la cuarta toma) al captar la caída del chivo desde su posición. Nos sentimos tentados de preguntar, al observar que el animal es sacrificado para precipitar el accidente, si la cámara es culpable de un mal encuadre: unos lentes más cuidadosamente dispuestos habrían ocultado la causa real de la muerte del chivo, con el fin de conservar la ilusión necesaria para la «verdad» del realismo. Como tal, la secuencia parece evidentemente «chapucera» o extrañamente genial. El encuadre revela que el equipo ha matado al animal para producir un extravagante efecto documental. La toma habría sido inocua de no estar subrayada por el salto narrativo cuando, en la toma siguiente, se coloca la cámara junto al cuerpo del animal, grabando la caída por la ladera. La muerte se convierte en un ritual fotográfico y en un sacrificio ejemplar.

Lo que parece tan lejos del mundo de la credibilidad se muestra como una forma visible de tensión religiosa. En términos fílmicos, las dos tomas de la caída causada por el disparo y el primer plano del descenso del chivo subrayan la presencia de una muerte ritualizada. En efecto, la cámara, situada junto al cazador, mata simbólicamente al animal para producir un efecto de realidad.

El quinto plano prácticamente explica el otro y permite al ojo discernir la violencia de la cima, donde una fisura entre la ausencia —del sueño, o proceso primario— y el mundo se respeta y se disuelve. La secuencia tiene analogías en otros muchos momentos de la película que también minan el realismo. En la secuencia de La Alberca (planos 13-44), la muerte ritual del gallo en la calle está descrita de forma idéntica. Un gallo es filmado colgando de una cuerda extendida a lo largo del encuadre, e inmediatamente decapitado después por la hoja de una cuchilla que entra por la derecha en el primer plano. Siguen varias tomas en las que se ven hombres bebiendo la sangre (como si fuera vino) del animal y comiendo rebanadas de pan ácimo. Una eucaristía seglar, mezclada sin duda dentro del proceso ritual de una cultura pagana en esta secuencia inicial, se contrapone al espectáculo de los chivos «sueltos» en la ladera hurdana. Las imágenes traicionan el relato del narrador o, como mucho, muestran que la muerte es escenificada ante la cámara para ser desplazada del mundo de vida arcaica en la España rural. Los planos de los jóvenes de La Alberca, con insignias, montados a caballo, encendiendo y fumando cigarrillos; su paso por las calles; la visión duradera de la multitud con la cuerda con el gallo colgado en el centro, extendida a través de la calle; el primer plano del ave y la repentina entrada de la mano; todas ellas muestran un plan muy lógico homólogo a la sorprendente caída del chivo desde el saliente de la ladera. Se dispone un escenario, se representa una muerte a dos niveles (tanto en el campo de visión como en la dinámica cinemática), y se produce una comunidad en los residuos de la absorción somática y colectiva de la muerte.

Ninguna de las imágenes confirma la presencia de una comunidad, sin duda porque ellas funcionarían en contra del proceso de división en que se basa el estilo de encuadre. Un cuerpo se presenta como íntegro cuando está cortado; cualquier imagen coherente de un grupo minaría el ritual fílmico que produce una comunidad de visiones en una total invisibilidad y en lugares totalmente alejados de la geografía de la película. Un encuadre, por tanto, no debe transmitir imágenes delimitadas o independientes de la cultura que ofrece a la visión; en lugar de eso, debe presentar el visionado como algo que genera confusiones de culpabilidad y redención.

Pocos documentales que traten sobre culturas iletradas, arcaicas o postneolíticas están infundidas de tanta escritura en el campo de visión. El mapa de Europa detalla todas las comunidades primitivas en mayúscula en forma circular (Checoslovaquia, Hungría, Savoya, Italia, España, —todas las otras naciones o regiones no son nominadas). Los topónimos están cuidadosamente escritos en el último encadenado del primer plano del sudoeste de España (plano 3). La cámara recoge inscripciones en piedra, adyacentes a calaveras en nichos en la fachada de la iglesia de La Alberca (plano 8 y plano 51). Y más importante aún, en la secuencia de la escuela regional (planos 83-103), en una de las laderas de la montaña que separan a los hurdanos de la civilización contemporánea, se nos hace creer que hemos alcanzado las regiones limítrofes de la escritura. Las tomas que muestran el aula señalan la última y definitiva línea del mundo occidental. Se tiene gran cuidado en mostrar a un niño que escribe la llamada Regla de Oro en los planos 100 y 102. El niño acaba de caminar hacia la pizarra bañada por la brillante luz que sobre ella se proyecta; levanta su brazo derecho para empezar a escribir frases en letra cursiva: *Respetad los bienes ajenos.*

La secuencia parece extraña por dos razones al menos. Puesto que la escritura siempre media entre la visibilidad y la alteridad en el campo de una imagen, siempre que la escritura aparece en el encuadre, el mundo reconocible se convierte, por así decirlo, en la superficie de una página. La escritura obliga al ojo a moverse desde la aprehensión ilusoria de un volumen tridimensional simulado a uno de extensión únicamente horizontal y vertical. En el cine esto anima al espectador a observar las imágenes como superficie pictórica que sólo es real en sentido composicional. Aquí el plano general del niño escribiendo sobre la pizarra señala que las observaciones relatadas deben ser vistas como una tensión, antes que como los fundamentos de una realidad aparente. La película revela sus propias reglas al romper la perspectiva de ilusión. En la dinámica de la escritura y de la antropología, que en el primer título intermedio aparecía como «geografía humana», la escritura de forma paradójica expresa un doble sentido del proyecto misionero que construye en otro momento. El film describe de forma ostensible el mundo de estos otros, pero su presencia en su ambiente se percibe como un elemento que apenas respeta sus objetos: la vida diaria en la escuela es interrumpida por una cámara que capta a los niños sonriendo ante las lentes, o entrecerrando los ojos por la luz que se refleja iluminando artificialmente el interior. La escritura que aparece en el campo de imagen lanza contra el espectador una afirmación que lee, analiza e incluso impugna la cámara en el acto de rodaje. La definitiva lección antropológica que se enseña en el aula va dirigida al espectador: manteneos alejados, no filméis un mundo que habría de mantenerse extraño; por favor, no convirtáis a los hurdanos en algo estético, respetad los bienes ajenos.

«Respetad los bienes ajenos» puede también suscribir la película a modo de emblema, produciendo alteridad en la imagen. De este modo se puede entrever un inconsciente en la absoluta diferencia entre escritura y cine resaltada a lo largo de todo el film. Una de las muchas imágenes de muerte (y civilización) es la escena del niño «aprendiendo a escribir», que indica dónde se invisten las relaciones de poder en el aparato óptico del etnógrafo. El genérico de *Las Hurdes* es otro punto digno de tratar: el título es menos importante que su relación con la imagen sobre la que aparece sobreimpresionado. Allí donde la escritura indica terreno o tierra , la imagen ofrece una ausencia de suelo. La tierra desolada se encuentra en el cielo, en el olvido, absolución o ausencia; o, también, la tierra no prometida es un producto de la casi espontánea generación de la escritura sobre y a partir de una imagen. La cultura se define mediante grados de diferencia y sobreimpresión. Éstas pueden ser codificadas como represión, estratificación, o mediante otras metáforas, pero en cada caso transmitidas por la absoluta alteridad que la escritura ofrece en su relación con el mundo palpable.

A pesar de la descripción de condiciones distintas de las nuestras, *Las Hurdes* pone de manifiesto ante nuestros ojos muchas imágenes familiares. Todas las escenas pueden ser reconocidas. El uso del plano general y la extensa profundidad de campo encaja la película en la gran tradición pictórica española del Renacimiento y del Barroco que se encuentra en el Museo del Prado. La visión plana, escorzada de los idiotas campesinos, recuerda los retratos de Velázquez de los cuatro enanos de la corte de Felipe IV. En una toma rodada en un pueblo en la ruta de La Alberca (plano 72), un campesino español, en la esquina inferior derecha, imita la mirada frontal de uno de los borrachos dionisíacos en la escena rústica de *Los borrachos,* del mismo pintor. Las calles rurales recuerdan a David Teniers. *Les casseurs de pierres,* de Courbet, señala una presencia visual y conceptual obvia (plano 167). En otro estilo, el desolado paisaje montañoso que contrasta el perfil oscuro y dentado frente al cielo claro parece reminiscencia de la tradición surrealista o de la línea truncada de los dibujos de Goya. La posibilidad de múltiples referencias apunta al hecho de que la mayoría de evidencia documental siempre se filtra a través de una conciencia cultural común, formada por modelos estéticos. Éstas forman parte de la «retórica» inconsciente de imágenes que producen el significado del realismo. Afín a «otra» escritura con la que el cineasta debe trabajar, éstas mediatizan lo desconocido al ofrecer una familiaridad fragmentaria que alinea el museo con la tradición antropológica. En efecto, cuanto más remite el género realista a una herencia estética, más objetiva —y documental— se convierte la película. En el contexto de España, la presencia del tesoro de la colección de Felipe IV también exacerba la dimensión política de la visión estética. Que *Las Hurdes* fuera prohibida por la República española puede explicarse por la relación que sostiene entre la presencia de una herencia monárquica y el mundo igualmente monárquico, atemporal y arcaico de la cultura hurdana. La presencia alusiva de pinturas establece una amplia gama de perspectivas, dentro de la cual el grado menor del universo se percibe en términos del mayor y viceversa.

Las perspectivas sirven para reproducir el efecto de una pérdida de tierra firme, allí donde, en muchos de los planos, el espectador no puede comprobar la posición ventajosa de la cámara. A veces un primer plano de la tierra parecerá una vista aérea hasta que una serpiente o un sapo entre en el encuadre en la misma o en la siguiente toma (plano 55). O en las escenas de vida callejera, la cámara a menudo gira en espiral desde un absoluto primer plano del agua hasta una vista desde lejos (plano 78). La cámara une la perspectiva cercana y desde abajo al plano general, alto y omnisciente. La una modula al otro, tal como la presencia de los tesoros de arte cuestiona el alcance cultural de la etnografía en el estilo de rodaje de la cámara.

Éstos parecen ser algunos de los rasgos más destacados respecto a la cámara en *Las Hurdes*. Todos ellos operan de forma similarmente disyuntiva. Un estudio más profundo probablemente mostraría cómo las bandas sonora y de imagen persisten en traicionarse la una a la otra; cómo la presencia de Brahms deifica los temas de la película, o cómo la puesta en serie articula un entramado de obsesiones y alusiones a los arcanos, retrocediendo hasta *Un chien andalou* y *L'âge d'or* y avanzando hasta *El bruto, Los olvidados* y *Robinson Crusoe*. Es evidente, llegado este punto, que *Las Hurdes* determina gran parte de los fundamentos de la empresa documental y antropológica en el cine. Las combinaciones entre teología y montaje presentes modelan una crítica radical a la noción de verdad fílmica. Su construcción ofrece una lectura aguda del cine realista, en el que los objetos, las figuras, las voces, o las puestas en escena, se ven como resultado de una operación organizativa. Por primera vez una película pone de manifiesto una función de sacrificio que a la vez da muerte y hace revivir a los espectadores, y también a los habitantes de una tierra sin pan.

No es extraño por ello que las copias norteamericanas del film hayan omitido los planos que describen la vida diaria en La Alberca. En los quince planos censurados de la copia estándar que circula por Estados Unidos, la filmación es cruel en verdad. Lo que, de forma sólo hipotética, había impresionado en el supuesto corte de un ojo en *Un chien andalou,* es mucho más gráfico en la grabación documental de un asesinato simbólico pero muy real. En los primerísimos planos censurados, los espectadores pueden ver cómo una mano se introduce en el encuadre y arranca la cabeza de un gallo que aparece colgado boca abajo. El gallo decapitado se retuerce, aletea y esparce sus plumas por el aire. Los censores consiguen empalmar el plano 28, en el que una campesina es mostrada mirando por encima de la cámara la muerte que acabamos de presenciar y su repetición como plano 37. En la copia española esa repetición restablece en cada ocasión el espectáculo público con toda su visibilidad e inocuidad. La mujer parece horrorizada y maravillada por lo que acaba de verse en primer plano, mientras los niños, en el mismo encuadre, miran no sin cierta diversión a la cámara que les está filmando. El plano refiere al punto de vista del espectador, pero lo divide por la mitad. En la edición censurada de la película esta dimensión sólo puede ser supuesta y, por tanto, da a la película una injustificada expresión de sutileza.

Lo que parece no menos significativo que la redundancia del asesinato (pues el equipo aparentemente mata a una mula, a una cabra montesa y a varios gallos para producir la película; si lo que se muestra en el documental hubiera de creerse sin más, también se permitió que un niño enfermo falleciera bajo el sol) es la calidad de la puesta en serie. En rápida sucesión, veintidós planos describen la muerte del gallo:

Plano 15. PG de seis jóvenes con atuendo formal a caballo.

Plano 16. PM de tres de los jóvenes encendiendo y fumando cigarrillos mientras montan a caballo.

Plano 17. PPM de un gallo colgado cabeza abajo; su cabeza es cortada inmediatamente y su cadáver levantado, cabeza abajo, con una cuerda que se extiende de izquierda a derecha.

Plano 18. PG de la cuerda y el gallo, con un encuadre distinto, en una vista superior de la calle (como en el plano 14).

Plano 19. PGM desde abajo (con teleobjetivo) de jóvenes montando a caballo hacia y alrededor de la cámara en la calle.

Plano 20. PM con un nuevo encuadre del plano 19 con los jóvenes galopando.

Plano 21. PG desde arriba de los jóvenes galopando cerca del gallo que cuelga en el centro de la calle. El brazo derecho del último jinete se eleva y golpea al gallo que se ve a lo lejos, en el extremo superior derecho del encuadre.

Plano 22. PPP de la cabeza, cresta y plumas del cuello del gallo. La cabeza, boca abajo, se mueve mirando a derecha e izquierda; aparece una mano y la parte; caen plumas.

Plano 23. Vuelta a PG del plano 21 en la que los jóvenes siguen cabalgando. El grado de sincronización visual es máximo: las plumas que caen del gallo son visibles al fondo.

Plano 24. Picado desde el ángulo inverso de los hombres a caballo, desde un ángulo por encima del centro de la calle. Ahora los jinetes cabalgan desde la parte inferior a la superior del encuadre. Dado el nuevo ángulo desde el que la cámara se abre a la escena, la perspectiva se pierde en el trayecto desde el plano 23 al 24. Leve panorámica hacia arriba, hasta mostrar a la multitud en la lejanía.

Plano 25. Plano que restablece el número 21 en la que los jóvenes cabalgan de vuelta al lugar de partida situado a la izquierda. Ahora se muestra el movimiento hacia delante y hacia atrás de los jinetes.

Plano 26. Panorámica hacia la izquierda de los dos jóvenes galopando en un primer plano blanco sobre un fondo negro de sombras proyectadas por los edificios de la calle.

Plano 27. PG de la calle, edificios al fondo, con el gallo en plano medio, mientras que otro jinete surge en primer término, cabalgando hacia el gallo, y lo decapita. Tira de él, le arranca la cabeza y caen plumas tras la marcha del jinete.

Plano 28. PPM tomado frontalmente de una campesina mirando arriba, por encima de la cámara; su cara marcada por una mirada vacía mientras dos niños aparecen también en el encuadre; uno mira hacia arriba y el otro le sonríe a la cámara.

Plano 29. PM de los jinetes galopando, como en plano 26, mientras la cámara efectúa una panorámica hacia la izquierda.

Plano 30. PPP extremo del gallo, que cuelga cabeza abajo, con la cabeza en movimiento.

Plano 31. PG como en plano 21 de uno de los jóvenes regresando (de derecha a izquierda y de abajo a arriba) hacia el ave que cuelga. Leve contrapicado que sigue el movimiento.

Plano 32. PG, ahora desde el ángulo inverso, encuadrado diametralmente de forma simétrica, del primer jinete pasando junto al gallo. Levanta el brazo, le coge el cuello y tira de la cabeza.

Plano 33. PPP extremo del gallo decapitado, que se retuerce y aletea. El cuello cortado se evidencia en relación al cuerpo blanco. El plano dura seis segundos.

Plano 34. Toma insertada en PPP del gallo, mientras una mano se adentra en el encuadre y lo decapita.

Plano 35. Vuelta al PPP del gallo decapitado que se retuerce en agonía (el plano dura casi cinco segundos).

Plano 36. Vuelta a la escena de las mujeres, que miran de frente y hacia arriba como en el plano 28.

La mayoría de los planos dedicados a los jinetes están dispuestos en contrapunto visual, para ofrecer los movimientos esenciales que conforman el terrible espectáculo: los jóvenes cabalgan sobre sus caballos, profusamente adornados, primero hacia la derecha, luego hacia la izquierda, hacia la derecha de nuevo, etc. Pero en cada ocasión golpean el gallo que cuelga y que está situado en el encuadre como una minúscula señal espacial. Tras sucesivas visiones, el espectador discierne plumas del cuello del ave que caen sobre la calle bañada en luz. Inmediatamente después de las tomas que establecen el movimiento, aparecen los primerísimos primeros planos que muestran la perspectiva de soslayo. El movimiento desde lo lejano hacia lo cercano es tan abrupto que el único punto de continuidad entre el plano general extremo y el primerísimo primer plano son las plumas que revolotean cayendo al suelo. La secuencia no sólo representa la crueldad, sino que, además, articula dos formas de perspectiva. Por una parte, denota cómo la lejanía y la cercanía están unidas en y por el montaje. La continuidad depende de un atrevido sentido de la extensión que no se practica en la mayoría de los *montajes*, ni en la tradición del cine mudo ni del sonoro: la película pide que el espectador localice, en cada lugar del encuadre, los elementos diminutos que se repiten a escala diferente. Por otra, el juego visual de localización entre estas señales no permite que surja ninguna acción dialéctica a partir de la relación de los planos, porque los elementos que permitirían la constitución de un posible «relato» tienen un efecto tan pronunciado (las plumas del cuello son manchas en el encuadre, de aspecto similar a las abejas o las moscas que revolotean en la luz en otras secuencias) que el ojo se ve forzado a seguir su recurrencia. De ahí que la visibilidad que expresan permanezca en el encuadre; cualquier abstracción que pudiera surgir de ellos en forma de significado queda atrapada en el juego del montaje.

CAPÍTULO VI

La construcción de sentido(s)

1. LA DECONSTRUCCIÓN DEL ESPACIO TEXTUAL FÍLMICO COMO LÍMITE DE PERTINENCIA

En el capítulo segundo, al hablar de la noción de comentario, proponíamos como hipótesis de trabajo que el espacio textual fílmico marcaba los límites de pertinencia para la elaboración de los sucesivos textos, o lecturas, de un film.

Si un film, como cualquier objeto discursivo, comunica algo, ello se debe a la existencia de un sistema de códigos significativos que permiten establecer un terreno de juego común entre el hecho de la emisión y el hecho de la recepción. Esto significa que la estructuración de una serie de elementos diferentes presupone unas ciertas reglas, cuya existencia previa a su inscripción en el film puede ser analizada, es decir, deconstruida.

En primer lugar, un film es realizado por alguien (individual o colectivo) determinado, y recibido por alguien (individual o colectivo) también determinado. La presencia de un *emisor* y un *receptor reales* es, en consecuencia, un dato que no puede ser obviado a la hora del comentario. Ello no implica, sin embargo, que dichas nociones de *emisor* y *receptor* remitan necesariamente a entidades físicas localizadas. Es decir, asumir que la firma implica la presencia de algo más que una simple superficie textual («Paramount presenta», o «dirigido por Orson Welles», etc.) no elimina que, en tanto entidades, no sean, a su vez, un constructo no reductible al nombre que parece englobarlo. Un film «dirigido

247

por Orson Welles», por seguir con el ejemplo utilizado, no convierte a Orson Welles, persona física, en emisor individualizado de un mensaje, sino en lugar de articulación de muchos otros elementos que le exceden, aunque asuman su nombre: sistema de producción en estudio, modo de representación institucional, una cierta tradición de pensamiento «liberal», un universo cultural fundamentalmente norteamericano, etc. De la misma manera, el receptor no es una persona física, sino un lugar de confluencia de idénticos elementos, aunque no necesariamente perteneciente al mismo universo significativo del emisor.

El análisis de la emisión y la recepción nos permitirán, por ello, abordar los modos de producción y consumo. Aunque ambos aspectos pertenecen a la *exterioridad* del espacio textual del film, pueden ser estudiados como marca concreta inscrita en el mismo espacio textual (recordemos el ejemplo citado del uso de la grúa en el *Novecento* de Bernardo Bertolucci). En efecto, el valor de cambio adscrito en el mercado al nombre de un director, directora, actor, actriz o guionista conlleva la existencia de un determinado horizonte de expectativas para el público espectador, antes incluso de la visión física del espacio textual. Es esta posibilidad la que nos permitirá deconstruir e ir más allá de lo que hemos llamado «límites de pertinencia».

Pero antes veamos qué elementos entran en juego en lo que hemos definido como espacio textual. El intercambio comunicativo no se limita a la puesta en contacto de una emisión y una recepción. Un film comunica también sus propios dispositivos de comunicación. Es decir, en el espacio textual del film operan también, como presencias, determinadas formas que fingen representar una relación comunicativa: cómo se comunica un o unos significados y cómo se les recibe es algo que puede ser abordado por referencia a concretos modelos de operación textual. Las marcas que asumen en el interior del espacio textual, la representación de esos dos lugares externos y concretos a que antes aludíamos, emisor y receptor, pueden ser definidas, respectivamente, como *autor implícito* y *espectador implícito*. Ninguna de las dos nociones tiene como referente una persona o cuerpo concreto, sino que remiten a ciertas reglas de intercambio que regulan la constitución y la lógica del espacio textual. El autor implícito, por ejemplo, que algunos prefieren denominar *metanarrador*, determina la lógica que regula la articulación del significado, es decir, lo que ambiguamente se ha venido denominando como «intención del autor», qué es lo que quiso o no quiso decir, etc. La llamada voluntad de decir una cosa, y no la contraria, es por ello una marca textual precisa, resultante de haber elegido unos procedimientos y no otros para estructurar un plano o una secuencia. En el ejemplo citado del film de Bertolucci, la concatenación del movimiento de grúa con el movimiento de la cámara en mano no sólo inscribe la presencia de un emisor (modo de producción industrial frente a modo de producción independiente), sino que es, al mismo tiempo, la huella de una intención precisa, ya que podía haberse montado como dos planos sucesivos y no como un solo plano en continuidad. Esa elección, en cuanto tal, señala también, pues, la presencia de un autor implícito. El espectador implícito, por su parte, determina la clave que explique desde dónde y con qué operaciones decodificadoras lo dicho puede ser entendido. Ambas nociones se manifiestan, consecuentemente, como presupuestos de organización del espacio textual del film.

Ambos principios organizativos son, como hemos indicado, implícitos. En un espacio textual determinado pueden, sin embargo, explicitarse y asumir un cierto estatuto figurativo. El autor implícito podrá dar, así, paso a las figuras que constituyen el conjunto de operaciones incluidas bajo el nombre genérico de *narrador;* el espectador implícito a las de *narratario.*

Por lo que atañe a las figuras del *narrador,* Casetti/De Chio (1990) establecen cinco tipologías:

1. *Emblemas,* que refieren a la constitución de la imagen en cuanto tal: ventanas, espejos, reproducciones, etc. Todo aquello, en suma, que remite a la refiguración y a la mostración. En *Sólo el cielo lo sabe* (Douglas Sirk, 1956) dichos emblemas adquieren un estatuto esencial, como ha mostrado González-Requena (1986). En *Furia* (Frizt Lang, 1936), la pantalla en blanco que se introduce en la sala donde se está celebrando el juicio contra los linchadores asume asimismo un carácter de narrador de las escenas del inverosímil noticiario que servirá para probar la culpabilidad de los acusados.

2. *Presencias extradiegéticas,* tales como carteles, voces *over* que no sólo introducen sino que conducen la forma de seguir el desarrollo de la historia, etc.

3. *Informantes:* individuos que cuentan, testigos que hablan, personajes que recuerdan *(flashback)* o que imaginan lo que pasará después *(flashforward),* etc.

4. Algunos papeles que remiten a profesiones particulares: fotógrafos, directores puestos en escena en cuanto tales, coreógrafos, etc.

5. *El autor protagonista,* es el caso en que quien firma el film se pone en escena en cuanto tal (Cecil B. de Mille en el pregenéri-

co de *Los diez mandamientos* [1956], u Orson Welles en *Fraude* [1973]).

Por lo que atañe a las figuras del *narratario*, los mismos autores establecen cuatro tipologías:

1. *Emblemas,* tales como gafas u otros aparatos ópticos.

2. *Presencias extradiegéticas,* expresiones sonoras que remiten a espectadores explícitamente imaginados, como, por ejemplo, las preguntas dirigidas a la cámara por Albert Finney en *Tom Jones* (Tony Richardson, 1963) o las que pueblan muchos de los films de Woody Allen.

3. *Figuras de observadores,* tales como periodistas, detectives, etc. En *La ventana indiscreta* (Alfred Hitchcock, 1954), el personaje de James Stewart cumple un papel similar al del espectador cinematográfico. También él tiene que descifrar signos, huellas, indicios; reconstruir lo observado de forma orgánica y emitir un juicio: que una mujer ha sido asesinada. Al igual que el espectador, esta figura puede distraerse un momento y perder un elemento importante en el fluir de las imágenes (en el film citado de Hitchcock, la cabezada de Stewart le impide ver la primera salida del asesino con la maleta donde traslada partes del cuerpo troceado), etc.

4. *El espectador puesto en escena,* es el caso, por ejemplo, de los asistentes al juicio en el film citado de Frizt Lang, *Furia,* que se convierten en espectadores del mismo documental que nosotros vemos desde la sala.

Hasta aquí, las figuras inscritas en el espacio textual fílmico han sido definidas o de acuerdo con su función comunicativa, o de acuerdo con el grado de explicitación que asumen dicha función. Una tercera posibilidad remite a la manera en que dicha función es ejercida, mediante la asunción de un *punto de vista* determinado. En el capítulo anterior vimos cómo el concepto de punto de vista podía significar no sólo la posición física, sino el juicio de opinión. En efecto, en dicho concepto coexisten tres valores distintos: a) *perceptivo* (desde qué posición óptica se ve); b) *conceptual* (desde qué estructura de conocimiento previo entendemos lo que vemos), y c) *ideológico* (desde qué sistema de creencias aceptamos, o no, lo que vemos tal como se muestra). Las tres posibilidades actúan en el interior de unos determinados límites impuestos por la *focalización.* En efecto, las tres operan sobre la imagen presente en campo, pero dicha presencia no es sino el resultado de una *selección,* que elige qué ver dentro de un universo mayor de posibilidades. Seleccionar implica, en efecto, poner de relieve algo, valorarlo respecto a lo que no se selecciona y, en consecuencia, restringir el conocimiento de la totalidad sobre la que se ha operado la selección.

Las formas en que dicho punto de vista se manifiesta en el espacio textual fílmico están relacionadas con los tipos de mirada que puede asumir la posición de la cámara: objetiva (la cámara presenta unos elementos en campo, de manera que parecen ser vistos desde alguien exterior a lo que se narra, pero perteneciente a un mismo universo verosímil); falsa cámara objetiva (similar a la anterior, pero desde posiciones imposibles o anómalas); interpelativa (la cámara encuadra a un personaje que se dirige directamente a ella, incluyéndola como contraplano ausente); y cámara subjetiva (la mirada corresponde a uno de los personajes presentes en la diégesis). A veces dichas posiciones pueden entrecruzarse. Así, el contraplano de un personaje, mirando cómo las vacas pastan en un prado desde la ventanilla de un tren, podría asumir (como irónicamente comentó Alfred Hitchcock en una ocasión) el punto de vista subjetivo de las vacas viendo pasar el tren. Una posición objetiva irreal (como el caso del picado vertical que encuadra la subida hacia las alturas del arca de la alianza en la penúltima secuencia de *En busca del arca perdida* [Steven Spielberg, 1981]) puede asumir el punto de vista subjetivo de la divinidad. Otro tanto ocurre con las falsas miradas objetivas en los films de ciencia ficción. Cuando en *2001, una odisea del espacio* (Stanley Kubrick, 1968) vemos los movimientos de la nave espacial, ¿desde dónde se nos está obligando a mirar? Es de suponer que la cámara levita en el espacio o que alguien que no es de este mundo la sostiene en su mano.

Idénticas figuras pueden ser encontradas por lo que refiere a la banda sonora. En el caso de que una voz narradora exterior nos informe de lo que vemos, o acerca de aspectos relacionados, pero no presentes en campo, puede adoptar una posición: objetiva (es el caso de la voz que se presenta a sí misma como exterior a lo narrado, pero inscribiendo el origen de su saber, como en *El cuarto mandamiento* [Orson Welles, 1942] donde la voz off se autodefine como la del director del film); falsamente objetiva (la mayoría de las voces off pretendidamente neutras, aunque, como ha apuntado Kaja Silverman [1987] sean en el 99 por ciento de los casos de género masculino); interpelativa (la voz de Woody Allen en el plano final de *Annie Hall* [1976]); y subjetiva (la voz de un personaje que narra en *flashback* o en monólogo interior).

Todas estas reglas de composición suponen la elaboración de un complejo sistema de códigos que obligan a leer dentro de lo que definíamos como «límites de pertinencia». Sin embargo, todas ellas presuponen la asunción de un punto de vista ideológico determinado, cuya validez objetiva, aunque no haya sido cuestionada en el espacio textual, puede serlo a la hora de su transformación en texto. Es esa práctica de deconstrucción radical de las bases epistemológicas en que se funda el llamado proceso objetivo de comunicación, la que en la actualidad están llevando a cabo los comentarios definidos ambigua, y a veces peyorativamente, como «feministas». En efecto, la teoría fílmica feminista, antes que una modalidad más de aproximación al discurso cinematográfico, busca historizar y deconstruir los fundamentos que rigen las diversas tipologías de análisis y comentario. No se trata, por tanto, de un modelo analítico incorporable a la lista de los otros modelos analíticos —estructural, semiótico, cognitivista, psicoanalítico, etc.—, sino de una propuesta que, atravesando el territorio epistemológico de todos ellos, busca subvertir la manera misma en que se ha constituido históricamente la mirada cinematográfica. Desde esa perspectiva ha propuesto una nueva forma de mirar y, en consecuencia, de construir sentido(s), abriendo nuevas posibilidades para lo que venimos llamando comentario de textos fílmicos.

2. LA OTRA MIRADA: GÉNERO DEL DISCURSO Y CONSTRUCCIÓN DE SENTIDO

En los siguientes comentarios seguiremos, fundamentalmente, los trabajos de Claire Johnston (1978), Janet Place (1980) y Giulia Colaizzi (1988) en los que se elaboran unas ciertas bases epistemológicas para una aproximación del discurso fílmico diferente de la generalmente institucionalizada. Las autoras citadas se sitúan dentro de la revisión epistemológica del discurso a partir del comentario de films catalogables dentro del llamado «cine clásico institucional». El primero de ellos, *Perdición* (Billy Wilder, 1944), puede encuadrarse en la parcela que corresponde al modelo narrativo cronológicamente hegemónico en las décadas de los años cuarenta y cincuenta dentro del cine de Hollywood, y conocido como *cine negro;* el segundo, *Dance, girl, dance* (Dorothy Arzner 1940), remite a ese mismo modelo, pero en la parcela aparentemente dedicada a proponer una visión más dulce y conservadora del mundo, el *melodrama.* En el primer caso se tratará de leer lo que el film dice contra su propia estructura significante de base; en el segundo, de comentar cómo el uso explícitamente irónico de las reglas del juego narrativo permite la construcción de un sentido también contrario al que parece servirle de fundamento estructural. Este tipo de aproximación puede ser útil, asimismo, para abordar determinadas operaciones discursivas propias del llamado cine contemporáneo, donde ocupa un lugar especialmente significativo el caso del *remake*. La versión americana de un film feminista francés, *Tres solteros y un biberón* (Colin Serreau, 1984) llevada a cabo por Leonard Nimoy en 1987 con el título de *Three men and a baby*, pese a que parece respetar las líneas básicas del argumento original, con las mínimas concesiones nacesarias para situar la acción en el ámbito cultural norteamericano, ha podido así ser deconstruida como dispositivo de recuperación/neutralización. Siguiendo pautas similares a las que desarrollaremos en los dos comentarios siguientes, Anne-Marie Picard (1990) demuestra que el trabajo de Nimoy diluye lo que en el film de partida era el análisis de una nueva sensibilidad masculina no sometida a la distribución establecida de roles. El film de Serreau aborda el tema de cómo ser padre sin «jugar a ser mujer» (la madre), en una sociedad donde la irrupción del feminismo ha hecho tomar conciencia a muchos varones. En la recuperación de Nimoy, muy a la medida del sistema patriarcal norteamericano, el personaje de Tom Sellek (un actor demasiado «marcado» para hacer verosímil el *tour de force* previsto en el film francés), la paternidad es una simple cuestión de disfraz. Ni siquiera se plantea, como en el film que le sirve de base, que ser padre pueda ser algo distinto a jugar a ser «mamá» y, de acuerdo con los consejos de su propia madre, añade a su cuerpo la máscara de un comportamiento femineizado, como si en el fondo se tratara de sumar y restar, no de transformar. La mirada lúcida de Serreau sobre la ternura, como medio para una posible intersubjetividad diferente, se convierte así, en el film de Nimoy (también muy marcado como Mr. Spock en *Star Trek)* en la simple reivindicación de una americanidad que sigue soñándose a sí misma a través de la imagen de un hombre americano medio, tipificado como ingenuo, adolescente y musculoso. De ese modo el carácter sexuado de la relaciones sociales no es visto, como en Serreau, bajo la forma de un constructo de posiciones imaginarias familiares y de posturas corporales de orden histórico y cultural, sino como algo natural y biológico. Los tres hombres protagonistas pueden así dormir tranquilos: ser capaces de representar un papel que no les corresponde es algo que no tiene por qué poner en duda su más que demostrada virilidad.

3. Dos comentarios

3.1. *Primer comentario:*
La feminidad como síntoma en Perdición

Las razones por la cuales hemos elegido para este fin, en primer lugar, el modelo genérico *film noir,* —cuyos limites temporales podrían situarse aproximadamente entre 1941, año de la aparición de *El halcón maltés* (John Huston) y 1958, año de producción de *Sed de mal* (Orson Welles)— son múltiples: la primera es que el *film noir* se sitúa históricamente en el ámbito de lo que se ha llamado el *film clásico.* Con este término se quiere describir un *modelo hegemónico de producción* cinematográfica que, a través de unas convenciones narrativas, visuales e iconográficas, enmascara sus operaciones discursivas —en el sentido de un cubrimiento sea de tensión ideológica sea de sus contradicciones— y origina por ello un metadiscurso que pretende representar la Verdad por lo que se refiere al contenido y al significado del film y que, por otro lado, intenta dar la impresión que la ficción fílmica está en última instancia representando el «mundo real». En este sentido, el *film noir,* en tanto periodo específico del género *thriller,* difiere de los otros films del periodo clásico, en tanto su metadiscurso existe sólo a costa de muchas transgresiones, a través de técnicas narrativas muy particulares y contorsiones visuales de gran importancia. Se podría decir que el *film noir* se inscribe dentro del film clásico de Hollywood de manera muy poco «clásica» y casi espuria.

La segunda razón es que este género, o sub-género, como algunos críticos lo definen, ha reservado a las mujeres un tratamiento muy particular. En los films de otro género, como el *western* —por ejemplo en *Pasión de los fuertes* (John Ford, 1953) o *Centauros del desierto* (John Ford, 1958)—, las mujeres, en sus papeles fijos de esposas, madres, hijas, amantes o prostitutas, tienen un rol secundario en el desarrollo de la acción, constituyen simplemente el *background,* una especie de telón de fondo para el funcionamiento ideológico de un film realizado por y para hombres.

El hecho de que este tipo de posición reservada a las mujeres sea tan necesario para el sistema patriarcal, hace que cualquier desplazamiento adoptado por ellas sea visto como una forma de perturbación de dicho sistema, constituyendo un desafío a la visión de mundo que le es propia. En el universo del *film noir,* las mujeres ocupan una posición central en el desarrollo de la intriga

254

y, aún más, no están situadas en ninguno de los papeles familiares mencionados antes. Definidas por su sexualidad, que se presenta como deseable, pero peligrosa, la mujer funciona como un obstáculo para las conquistas del hombre. El éxito del hombre, o su fracaso, depende en gran medida de la capacidad que posea para liberarse de las manipulaciones de la mujer. Aunque el hombre sea finalmente destruido por el hecho de no saber resistirse a la fascinación que ella le produce —*Perdición* (Billy Wilder, 1944) es el mejor ejemplo de esto—, muy a menudo el funcionamiento del film está basado en un intento de restauración del orden a través de la exposición y de la destrucción de la actividad manipuladora de la mujer.

La tercera razón remite a la conexión entre producción cultural y orden histórico-social, en particular entre una noción de mujer independiente, económica y socialmente hablando, y sociedad patriarcal, que el *film noir* ejemplifica; conexión identificada y establecida por teóricas feministas de cine, como Pam Cook, Claire Johnston y Sylvia Harvey. En efecto, el nacimiento de los primeros *films noirs* coincide con el surgimiento y caída de las ideologías nacionalistas generadas en el periodo de la Segunda Guerra Mundial. La depresión económica que siguió a la guerra acabó con los que habían sido los mitos del sueño americano, y causó una decepción general entre los veteranos que volvían a casa. De improviso hubo una fluctuación en el número de las mujeres que habían entrado en el mercado del trabajo, sustituyendo a los hombres que habían ido a la guerra, y que en la época de la posguerra lo abandonaban para volver a sus casas. Es así como el *film noir* expresa y sintomatiza la alienación, y sitúa su causa muy claramente en el exceso de sexualidad femenina (en tanto consecuencia natural de la independencia de las mujeres), al tiempo que castiga dicho exceso para resituarlo en el orden patriarcal.

Dicho esto, podemos decir que el *film noir* responde estructuralmente a una fantasía masculina, es decir, a un tipo de narratividad construida por y para el hombre, como las que constituyen la mayor parte de nuestra cultura. Esta fantasía está protagonizada por la *dark lady*, la mujer-araña, la seductora mala que tienta al hombre y causa su destrucción; tema este que quizá sea, en la cultura occidental, el más antiguo del arte, la literatura, la mitología y la religión. Todo empezó con Eva, y sigue aún presente en las películas de hoy en día, en la publicidad, en las novelas, en los cómics. Ella y su hermana, o *alter ego*, la virgen, la madre, la inocente, la redentora, constituyen los dos polos de los arquetipos femeninos.

En el *film noir* la mujer está definida por su sexualidad: la *femme fatale* puede acceder a ella, la virgen no. Es así como las mujeres quedan definidas por su relación con los hombres, y la centralidad de la sexualidad en esta definición es la clave para entender la posición de las mujeres en nuestra cultura. El primer crimen que la mujer «liberada» puede cometer es el crimen de rehusar ser definida en esta manera, y tal rechazo puede ser considerado, tanto en el arte como en la vida real, como un ataque a la existencia misma de los hombres. De esta manera, el *film noir* no puede ser considerado «progresista» en términos de género sexual, porque no nos ofrece modelos que triunfen en la realidad que los rodea. Sin embargo, nos muestra uno de los pocos periodos en la historia del cine en el que las mujeres son símbolos activos y no estáticos, son inteligentes y poderosas, aunque de manera destructora, y, a través de su sexualidad, consiguen poder y no debilidad.

Son dos los aspectos importantes que el *film noir* utiliza para retratar a la mujer: primero, la mezcla de arquetipos más generales que tiene lugar en las películas del cine negro y, segundo, el estilo de tal expresión. Visualmente, el *film noir* es fluido y sensual; hace de la mujer sexualmente expresiva —la imagen dominante de mujer— una figura extremadamente poderosa. No es su inevitable fracaso final lo que permanece en nuestra memoria cuando el relato termina, sino su sexualidad fuerte y peligrosa y, sobre todo, excitante. En el *film noir* podemos observar tanto la acción social del mito que condena a la mujer sexuada y a todos los que llegan a involucrarse con ella, como una presentación estilística particularmente poderosa de la fuerza sexual femenina que asusta a los hombres. Esta operación del mito es tan estilizada y convencionalizada que la lección final desaparece pronto y a los espectadores les queda la imagen de una mujer erótica, fuerte, no reprimida, aunque destructora. El estilo de estas películas supera el contenido convencional de la narración, o interactúa con él para producir una imagen de mujer notablemente poderosa.

Esta expresión del mito del «derecho» o necesidad que los hombres tienen de controlar sexualmente a las mujeres contrasta con su versión dominante en las películas de serie A de los años treinta, cuarenta y cincuenta, donde, por el contrario, se implicaba que las mujeres eran tan débiles que necesitaban la protección de los hombres para sobrevivir. En ellas, es la mujer la que se beneficia de su dependencia de los hombres; en el *film noir*, los hombres tienen que controlar la sexualidad femenina para no ser destruidos por ella.

El punto de vista dominante en el mundo que expresa el *film noir* es paranoico, claustrofóbico, sin esperanza, condenado y predeterminado por el pasado, sin una moral o identidad personal clara. El hombre ha perdido inexplicablemente toda conexión con aquellos valores y creencias que le ofrecían sentido y estabilidad, y en el paisaje casi exclusivamente urbano donde se mueve (en contraste con un pasado rememorado, idealizado y pastoril), lucha para intentar orientarse en una confusión entre el bien y el mal. No tiene ningún punto de referencia, ninguna base moral desde la que operar. La moralidad es relativa, sea en relación con el exterior (el mundo), sea con el interior (el personaje y sus relaciones con su trabajo, sus amigos, su sexualidad). Los valores, así como las identidades, cambian continuamente y tienen que ser definidos de nuevo a cada momento. Nada —y especialmente la mujer— es estable; nada merece confianza.

El estilo visual confiere la idea de este estado de ánimo a través del uso expresivo de la oscuridad: oscuridad real, en escenas en su mayoría poco iluminadas y nocturnas, pero también psicológica, a través de sombras y composiciones claustrofóbicas que someten al personaje, tanto en escenas interiores como en las de exterior. A los personajes, y a quienes ocupan la posición espectatorial, se les da muy poca oportunidad para orientarse en el entorno amenazante y de sombras mudables. Siluetas, sombras, espejos y reflejos (generalmente más oscuros que la persona reflejada), indican su falta de unidad y de control. Sugieren un *doppelganger*, un doble, un *alter ego* en tanto lado perverso de la personalidad del hombre que emergerá de las tinieblas de la noche para destruirlo. La mujer peligrosa y sexual vive en esta tiniebla, y es la expresión psicológica del miedo del hombre a su propia sexualidad y de su necesidad de controlarla y reprimirla.

Los personajes y los temas del género policíaco son por ello ideales para el *film noir*. El caos moral y psíquico se expresa fácilmente en el crimen: el alma torturada se siente cómoda en el ambiente violento y poco estable de los bajos fondos. La *mujer fatal* se encuentra a gusto en el mundo de los bares baratos, en los umbrales en sombra y en escenografías misteriosas. El arquetipo opuesto, la *mujer redentora*, agente de integración para el héroe en su entorno y en sí mismo, se encuentra en la víctima inocente que muere para salvar al héroe —*The big Combo* (Joseph H. Lewis, 1955)— o en la novia fiel y sufridora del héroe perdedor —*They live by night* (Nicholas Ray, 1947) o *Las noches de la ciudad* (Jules Dassin, 1950).

3.1.1. La mujer-araña

El origen y el funcionamiento del poder sexual de la mujer y su peligro para el personaje masculino se expresan visualmente, sea en la iconografía de la imagen, sea en el estilo visual. La primera es explícitamente sexual y a menudo incluso explícitamente violenta: pelo largo (rubio o castaño), maquillaje y joyas. Cigarrillos con volutas de humo se convierten en trazos de una sensualidad oscura e inmoral, y la iconografía de la violencia (pistolas en primer lugar) es un símbolo específico (como quizá lo sea el cigarrillo también) de su «antinatural» poder fálico. La *femme fatale* se caracteriza por su piernas largas: nuestra primera mirada a Velma en *Historia de un detective* (Edward Dmytrick, 1941) y a Cora en *El cartero siempre llama dos veces* (Tay Garnett, 1946) es un plano significativo de su piernas desnudas, una mirada *dirigida* desde el punto de vista del personaje masculino que va a ser seducido (tan *dirigida* en el segundo film citado, que el plano empieza con sus tobillos, corta a un plano de todo su cuerpo, corta a un hombre que mira, y finalmente vuelve a la cara angélica de Lana Turner). Como veremos en *Perdición*, las piernas de Phyllis (Barbara Stanwyck), con una pulsera de oro que, significamente, lleva grabado su nombre, dominan la memoria de Walter Neff y la nuestra, mientras la cámara la sigue al bajar por las escaleras, encuadrando sólo sus tacones altos y sus pantorrillas cubiertas por medias de seda. Vestimentas — o su falta— definen, además, a esta mujer —la primera vez que vemos a Phyllis en *Perdición* está envuelta en una toalla—, así como el vestido de lentejuelas, apretado y negro caracteriza a la mujer de fantasía de *La mujer del cuadro* (Fritz Lang, 1944).

La fuerza de estas mujeres se expresa en el nivel del estilo visual por su predominancia en la composición del plano, el ángulo, el movimiento de la cámara y las luces. Ellas son de manera predominante el centro de la composición, generalmente en el centro del encuadre y/o en la parte anterior del plano, o, si están en el fondo escénico, llaman la atención sobre sí. Controlan el movimiento de la cámara y parecen dirigirla (y la mirada del héroe, junto a nuestra mirada) con ellas mismas cuando se mueven de manera irresistible. La *femme fatale*, finalmente, pierde movimiento físico, el poder de influir en el movimiento de la cámara, y es a menudo aprisionada de verdad o simbólicamente por la composición del plano, mientras que se afirma y se expresa visualmente el control sobre ella: a veces detrás de barras visuales —*El halcón maltés* (John Huston, 1941)—, a veces cuando está feliz bajo la protección de su amante —*El sueño eterno* (Howard Hawks, 1946)—, a menudo muerta —*Historia de un detective, Retorno al pasado* (Jacques Tourneur, 1946), *Perdición*—, a veces convertida en impotente simbólicamente —*El crepúsculo de los dioses* (Billy Wilder, 1950). La operación ideológica del mito (la necesidad absoluta de controlar a la mujer fuerte y sensual) es así llevada a cabo mostrando primero el peligro de su poder y sus asombrosos resultados, y, después, destruyéndolos.

A menudo la transgresión de la mujer peligrosa del *film noir* es una ambición expresada metafóricamente en su libertad de movimiento y dominación visual. Esta ambición no es adecuada a su estatuto de mujer, y tiene que ser limitada. Quiere ser la dueña de su propio *night-club* y no la mujer del dueño —*Night and the city-Las noches de la ciudad.* Quiere ser una estrella, no una reclusa —*El crepúsculo de los dioses.* Quiere el dinero del seguro de su marido, no simplemente una vida cómoda de mujer de clase media —*Perdición.* Quiere ser independiente y da origen a una serie de asesinatos —*Laura* (Otto Preminger, 1946). Quiere ganarse el cariño de un hombre que no tiene ningún interés en ella, y acaba matandole a él, a sí misma y a dos personas más —*Cara de ángel* (Otto Preminger, 1953). Quiere liberarse de una relación que la oprime, y da comienzo a unos acontecimientos que acaban en un asesinato —*El cartero siempre llama dos veces.* Sea mala (*Perdición, El beso de la muerte, Las noches de la ciudad, El halcón maltés, El cartero siempre llama dos veces*), sea inocente (*Laura, The Big Combo*), su deseo de libertad, riqueza o independencia da fuego a las fuerzas que amenazan al héroe.

Su fin es la independencia, pero su naturaleza es fundamental e inevitablemente sexual. La insistencia en combinar sensualidad y agresividad en una mujer, consecuentemente peligrosa, es la obsesión central del *film noir*, y el movimiento visual que indica una actividad inaceptable en las mujeres, representa la sexualidad del hombre, que tiene que ser reprimida y controlada para no destruirlo.

La independencia que las *mujeres fatales* buscan es presentada a menudo como narcisismo centrado en sí misma: la mujer mira su propia imagen reflejada en el espejo, ignorando al hombre que va a utilizar para lograr sus fines —*El crepúsculos de los dioses.* El interés por sí misma es a menudo el pecado original de la *mujer fatal* y la metáfora de la amenaza que su sexualidad representa para él.

Otro significado posible de los espejos que aparecen en muchas secuencias en el *film noir* podría indicar la naturaleza doble de las mujeres. Ellas son desdobladas visualmente para indicar que uno no puede confiar en ellas. Además, este tema contribuye a la confusión del *film noir:* nada y nadie es lo que parece.

En algunas películas la mujer-araña acaba no siendo tal, y resulta, por tanto, redimida. Gilda *(Gilda* [Charles Vidor, 1946]) y Laura son valoradas en tantos seres individualizados (Gilda simplemente actuaba según las fantasías paranoicas de su amante verdadero, Johnny, y Laura era sólo el catalizador de la idealización de los hombres), pero las imágenes de poder sexual que exhiben son más poderosas que la explicación narrativa. La imagen de Gilda de la que nos acordaremos cuando el film haya terminado es el primer plano que nos la presenta, con el pelo largo revelando su rostro encantador, así como el retrato pictórico de Laura, que persigue a los personajes de la película y determina la acción mientras todos creen que ha muerto, es la imagen visual más fuerte, incluso cuando ella aparece viva tras su supuesto asesinato.

3.1.2. La mujer-nodriza

En el *film noir* encontramos también el arquetipo opuesto a la *mujer fatal:* la mujer redentora. Esta tipología ofrece al hombre alienado y perdido la posibilidad de integración en un mundo estable de valores, papeles e identidades seguros y fijos. Ella le da cariño, comprensión (o por lo menos, perdón), pide muy poco a cambio (sólo que él vuelva a ella) y es generalmente pasiva y estática. A menudo, para poder ofrecer esta alternativa al paisaje de pesadilla del *film noir*, ella misma no debe ser parte del film. Es entonces conectada a un entorno pastoral de espacio abierto, de luz y seguridad caracterizado por una iluminación plana y regular. A menudo no se trata más que de un sueño idealizado del pasado y existe sólo en al memoria, pero a veces esta idealización existe como alternativa real *(Retorno al pasado, La jungla del asfalto* [John Huston, 1950], *They live by night, On dangerous Ground).*

El cine negro contiene versiones de los dos extremos de arquetipos femeninos, la seductora mortal y la redentora rejuvenecedora. La importancia del primero de ellos reside en la combinación de la sensualidad con la actividad y ambición que caracterizan a la *femme fatale*, y en el control que se tiene que afirmar para dominarla. Muy a menudo no es suficiente para ella tener el cariño del héroe, como lo es para la heroína de los films de serie A en la década de los años cuarenta, significativamente menos sensual que la mujer del cine negro. En realidad, su fuerza es subrayada por la pasividad general que caracteriza al hombre del *film noir*, y esto la hace una amenaza para él mucho más grande que la mujer de carrera de la otra tipología narrativa citada, y por esa razón una destrucción simbólica o real es la única forma eficaz de control. Más significativa aún es la forma con la que se expresan la fuerza y el poder de la mujer-araña: el estilo visual le da una tal libertad de movimiento y un tal predominio que lo que se imprime inevitablemente en nuestra memoria es su fuerza y su impacto visual y sensual, no su destrucción.

La tendencia en la cultura popular a crear estructuras narrativas en las que el miedo de los hombres se concreta en mujeres sexualmente agresivas que deben ser destruidas, no es un rasgo específico de la década de los años cuarenta y cincuenta en Estados Unidos, pero puede ser considerado como un elemento que contribuye a la súbita popularidad de estas películas en los *campus* estadounidenses, en la televisión y en retrospectivas. No obstante, a pesar de su función ideológica regresiva en el plano estrictamente narrativo, una explicación más exhaustiva del interés por el *film noir* en los últimos años tiene que ser atribuida a su estilo exquisitamente visual y sensual que muy a menudo supera el esquema narrativo de manera tan imperiosa que puede ser considerado como el único periodo del cine norteamericano en el que las mujeres son mortales pero sexies, excitantes y fuertes. Veámoslo en el caso de un célebre film de Billy Wilder, *Perdición* (1944).

Perdición, basada en la novela homónima de James M. Cain, es la historia de un agente de seguros, Walter Neff, que conspira con Phyllis Dietrichson para matar a al marido de ésta, fingiendo que muere accidentalmente al caerse de un tren en marcha, lo que les permitirá conseguir el doble del dinero del seguro de vida a que se refiere el título original del film, *Doble indemnización (Double Indemnity)*. No deja de ser curioso que al elegir nuevo título para la versión española, se desplazara el énfasis desde lo descriptivo (la indemnización del seguro buscada por los protagonistas en el esquema argumental) hacia lo valorativo (perdición), con la consiguiente culpabilización del personaje femenino, origen de toda la tragedia.

Al intentar mantener en primera persona el monólogo interior de la novela de Cain, Billy Wilder y Raymond Chandler, director y guionista, respectivamente, utilizaron un instrumento narrativo muy poco común en el cine clásico de Hollywood de la época: hacen contar a Neff los acontecimientos pasados frente a un dictáfono, de modo que la resolución de la trama se conoce desde el principio, y el film tiene la forma de un memorándum. Desde el principio, pues, como en muchos de los films del cine negro, esta película no está basada en la pregunta: ¿qué pasa?, sino ¿cómo?, es decir, en una pregunta sobre los mecanismos de la narración y del conocimiento, sobre el modo mismo en que se constituye la historia.

De este modo, como ya notó Tzvetan Todorov (1970), el narrador mantiene la estructura del enigma en la historia, pero desplaza su centralidad y relativiza su función estructurante en la narración misma. Por el hecho de que el narrador no sabe si llegará vivo al final de su relato, éste se presenta como problemático para el espectador, y esta sensación de inseguridad se desplaza desde el interior del film, en tanto tema de la narración, a su exterior, al momento mismo de la visión.

La utilización de lo «novelesco» en *Perdición* en tanto discurso narrativo hecho en primera persona y contemporáneo al fluir de las imágenes, acerca sin duda el film al discurso literario, pero en aquél la función del texto queda desplazada y transformada. Mientras que la estructura narrativa propone un discurso narrado en primera persona que toma la forma de una rememoración, la imagen fílmica sucede siempre en el presente. Lejos de resolver el enigma desvelando la resolución de la historia al principio del film, el discurso narrativo en primera persona, en su juego de convergencia/divergencia con lo que es visible, produce un enigma para el espectador en otro nivel: una relación desdoblada con el saber. La narración en primera persona se presenta como una confesión que revela la verdad sobre los acontecimientos que conectan a los varios personajes del film —se propone dar al espectador informaciones sobre cómo pasaron las cosas. Pero en el desarrollo de la historia, una divergencia emerge entre el saber que el discurso narrado en primera persona nos ofrece y lo que se desarrolla en el nivel de lo visible. Al final, es el discurso visual el que garantiza la verdad para el espectador. Como dice Christian Metz (1979) a propósito del *voyeurismo* en el cine, el espectador no puede sino identificarse con la cámara. En el discurso fílmico, la relación entre el espectador y la realidad —la película— es de pura especularidad, en la que la mirada queda denegada e impotente, y el espectador se encuentra encerrado en una forma particular de identidad (a través de lo que unos teóricos de cine,

Stephen Heath entre otros, han llamado, utilizando un término lacaniano, la *sutura*). El cine clásico hollywoodense es siempre en tercera persona, es decir, objetivo, en el sentido de que los acontecimientos de la historia en el nivel de lo visible son los que nos dan el saber sobre cómo las cosas son de verdad y constituyen la instancia dominante de la narración.

En *Perdición* el proceso de articulación entre los discursos narrativos está basado en el aspecto novelesco del género mismo, que establece una interacción compleja de convergencia/divergencia, un conflicto en el nivel de los saberes que la película ofrece al espectador, poniendo en marcha su propio enigma. Conforme progresa la acción, el narrador pierde el control de la narración hasta el punto de ser puesto él mismo bajo investigación. Keyes, el investigador de recursos de la compañía, el «tú» de la narración en primera persona de Neff, empieza a interesarse por el caso, y Neff llega así a convertirse en un testigo, es decir, en objeto de la investigación de Keyes. Es la articulación del «yo» y del «tú» de la narración en primera persona, es decir, la relación entre los dos hombres, con el desarrollo de los acontecimientos en el campo de lo visible (el proceso objetivo en tercera persona de narrativización) lo que establece para el espectador una relación desdoblada con el saber y, con esto, el enigma. En el centro de éste se encuentra la trayectoria edípica del héroe, es decir, el problema del saber acerca de la diferencia sexual en el orden patriarcal.

La secuencia inicial sitúa la película bajo el marco de la castración: la silueta de una figura de hombre con sombrero y abrigo se arrastra hacia la cámara con muletas. En la secuencia siguiente vemos al protagonista, Walter Neff, herido y sangrante, entrar en un despacho de la compañía de seguros para la que trabaja y empezar su «confesión» a Keyes al dictáfono. «Yo maté a Dietrichson; yo, Walter Neff, vendedor de seguros, soltero, de 39 años, sin señas personales, hasta hace poco, es decir ... Lo maté por dinero y por una mujer, y ni conseguí el dinero, ni la mujer ... Todo empezó el pasado mes de mayo.»

Es a Keyes a quien se dirige el discurso de Walter Neff, el «yo» de la voz narradora; un «tú» que está dividido entre lo simbólico y lo imaginario, un desdoblamiento que insiste en el intento de hacer coincidir la función del padre simbólico con la del padre idealizado. La «confesion» inicial de Neff establece a Keyes como representante de la Ley: el padre simbólico. Como tal, el acceso infalible de Keyes a la verdad, es decir, al saber, reside en su atributo fálico, su «enanito» (su *little man)* que le «hace nudos en el estómago» y le permite descubrir inmediatamente cualquier reclamación falsa de indemnización. Su conocimiento de las leyes de la probabilidad matemática, ejemplificado en su propio nombre, Keyes —en inglés *llaves* o *claves*—, lo hace capaz de trazar los excesos sociales del mundo y de asegurar la estabilidad de las relaciones de propiedad en el nombre del mundo del seguro.

En la primera secuencia en su despacho, lo vemos interrogar a un hombre con una reclamación falsa y convertirlo, como él dice, en un «hombre honrado» otra vez. Él mismo describe su función en la institución como la de un «médico», un «perro de caza», un «policía» y la de un «padre confesor».

En tanto significante del orden patriarcal, Keyes representa para Neff lo que le permite decir, «soy quien soy», ser uno que sabe; él es trascendente. Para resolver el Edipo positivo y acceder a lo Simbólico, el niño tiene que acceptar la amenaza de castración por parte de su padre. Como ha indicado Lacan «la Ley y el deseo reprimido son la misma cosa» El complejo de Edipo permite acceder al deseo sólo a través de la represión: es a través de una falta como se instituye el deseo. Neff confía en Keyes de manera absoluta: «tenías razon», le dice. Al mismo tiempo la Ley existe para ser transgredida: se ofrece al deseo de «engañar al sistema», como dice Neff, de construir un plan tan perfecto que pueda desafiar la funcion fálica del padre, su saber, y así duplicar la perfección del sistema otra vez.

Pero el padre simbólico puede ser encarnado por el padre real sólo de manera imperfecta. En tanto padre simbólico de Neff, Keyes está marcado por una falta, un lugar ciego. En la voz off de la primera secuencia en el despacho, Neff dice, refiriéndose al pasado, que él «sabía que Keyes tenía un corazón tan grande como una casa» y que es por esta razón por lo que había decidido que el culpable fuese «un falso culpable» *(the wrong man)*. Es el lado maternal reprimido de Keyes lo que constituye el lugar ciego del orden patriarcal, y es este lugar ciego el que pone en marcha en Neff su deseo de transgresión, aquella transgresión que el hijo puede siempre intentar contra su padre: tomar su lugar.

Keyes representa también el padre idealizado para Neff: el *ego* ideal constituido sobre la base de una identificación narcisista constitutiva del dominio del Imaginario. Como indicara Freud, las identificaciones en la fase pre-edípica están asociadas primariamente con el semejante en el nivel sexual. El deseo homosexual de Neff por su padre idealizado está basado en una identificación narcisista, «Pensar con tu cerebro, Keyes» dice Neff, poseer *su* saber. En el mundo hecho sólo de hombres de la compañía de seguros, las mujeres son consideradas como algo de lo que uno no se puede fiar: como Keyes comenta, «deberían ser investigadas» antes de tener cualquiera relación con ellas. Las mujeres representan la posibilidad de aquel exceso social que los negocios de la compañía de seguros intenta limitar. El deseo homosexual reprimido entre los dos hombres, el Edipo negativo, está simbolizado por la repetición de un gesto, usado como un estribillo visual en todo el film, el gesto de Neff encendiendo el cigarro de Keyes mientras éste busca o intenta inútilmente encender una cerilla sin conseguirlo. Este significante está en la base de la primera secuencia en el despacho, cuando Neff dice «Yo también te quiero», frase que se repite en la secuencia final. La identificación pre-edípica, narcisista de Neff con Keyes implica un desconocimiento, no una acceptación de la castración. Es así como el film traza la precariedad del orden patriarcal y sus contradicciones internas precisamente en la división entre lo Simbólico y lo Imaginario, simbolizado en el lugar y función de Keyes en la ficción, y en la inscripción de la castración para los hombres en aquel orden. Neff tendrá que asumir la castración en su transgresión de la Ley para poder tomar el lugar del padre simbólico, desconociendo —mientras que al mismo tiempo desconoce la castración en su identificación narcisista con la figura paterna — al padre idealizado.

En tanto ejemplo de *film noir, Perdicion* propone una realidad social construida sobre la base de una división, un doble rostro, o si se quiere, la cara y cruz que existe entre lo Simbolico y lo Imaginario de un orden social particular — el del universo masculino de una compañía de seguros—, un orden que activa/reactiva el problema de la castración para el macho en el sistema patriarcal. Es en la relación con las mujeres en el film, con Phyllis Dietrichson y su hijastra Lola, donde se manifiestan las contradicciones del orden patriarcal (la trayectoria edípica del deseo masculino centrada sobre Neff). La mujer es por ello producida en tanto significante de la falta, de heterogeneidad —la falta propia del patriarcado en tanto orden.

Como ha escrito Laura Mulvey (1975) es la contemplación de la forma femenina lo que evoca ansiedad de castración en el macho: el trauma original consiste en el hecho de que la madre no es fálica, sino castrada. En tanto lugar de falta/castración, en tanto sitio en el cual la diferencia radical entre lo femenino y lo masculino queda marcado negativamente, la «mujer» es el gozne en torno al cual se manifiesta en el texto la circulación del deseo masculino, y es el proceso de la circulación del deseo lo que fija la representación de las mujeres. Phyllis Dietrichson/Barbara

Stanwyck, famosa estrella y *femme fatale*, representa el intento de Neff de desconocer su castración en y desde su homosexualidad reprimida y de poner en cuestión a la Ley, mientras que Lola tiene la función de ser el término en relación al cual se inscribe la aceptacion de la castración y el orden simbólico. Con el desarrollo de la narración, Phyllis Dietrichson cede el paso a Lola que reinstaura la mujer en tanto presencia positiva en las relaciones familiares. El enigma del problema del saber en torno a la diferencia sexual queda así resuelto por la Ley en el interés y según los cánones del orden patriarcal.

En la secuencia que sigue a la «confesión» de Neff, tanto Phyllis como Lola entran en la narración, cuando Neff va a casa de los Dietrichson para renovar el seguro del coche. Su voz off fija a las dos mujeres como recuerdo, en tanto algo que ya se conoce, en el discurso hecho por el «yo» y el «tú» de los dos hombres. En una habitación oscura, Phyllis Dietrichson, cubierta por una toalla, está de pie, encima de una escalera, ofrecida y mantenida a la mirada del espectador por la mirada de Neff. Éste, bromeando, dice que quizá ella no está «totalmente cubierta por el seguro que tienen», introduciendo así la ambigüedad sexual junto al exceso social. Al mismo tiempo la voz off dirige nuestra atención a la fotografía del señor Dietrichson y de su hija Lola sobre el piano. Visualmente las dos mujeres se parecen mucho y no parece haber entre las dos una diferencia de edad muy grande. Pero, desde el principio, madre e hija ocupan dos espacios diferentes en la diégesis, una, Phyllis Dietrichson, congelada en tanto objeto-fetiche en la mirada de Neff, ya fuera del espacio de las relaciones familiares, la otra, Lola, congelada en una foto de familia de la cual Phyllis está excluida.

Los planos iniciales del encuentro de Neff con Phyllis están marcados por una fascinación fetichista: al mismo tiempo lugar peligroso de castración y presencia que da placer —objeto de la mirada—, Phyllis es fuente de un placer que da confianza en uno mismo frente a la ansiedad de castración. El «yo» de la voz off habla de esta fascinación, convergiendo en esto con el «yo» de la mirada: el espectador es colocado así ante una división fetichista entre lo que se cree y lo que se sabe. Mientras que ella baja la escalera de la casa, vemos un primer plano de sus piernas y su pulsera de oro. La cámara sigue a Neff y nos muestra la imagen de él en el espejo mirando a Phyllis, que termina de abrocharse el vestido y que se pone el carmín en los labios. Ella se vuelve, dejándole a él todavía fijado en su propia mirada, y se mueve hacia el otro lado de la habitación.

La mirada privilegiada de él, dirigida hacia el exhibicionismo de ella en la secuencia del espejo, un momento de pura especularidad, marca una separación entre la mirada de él y la del espectador: aprisionado en su identificación narcisista, la identidad de Neff y del espectador es simultáneamente desdoblada, dividida y recompuesta, su mirada es ahora nerviosa. Él tiene que investigar más a la mujer y tratar de descubrir su culpable secreto en su propio deseo de poner en cuestión la Ley. La posibilidad de exceso social que ella representa, su incongruencia en tanto ama de una casa de la periferia, la proponen como vehículo para la transgresión edípica de protagonista masculino.

La secuencia siguiente, que muestra la visita de Neff a la casa de Phyllis, al día siguiente, está dominada por planos de él mirándole a ella en un intento de descubrir su secreto. Vemos a Phyllis bajando la escalera para abrir la puerta y la voz off nos trae a la memoria su pulsera en el tobillo: el poder de la mirada de él es re-presentado en tanto imagen-recuerdo.

Como ya anotara Laura Mulvey (1975), el desconocimiento de la castración por parte del macho en su fascinación y deseo de conocer el secreto culpable de ella es un impulso fundamentalmente sádico —es decir, tiene que conducir a un castigo. En este film, la protagonista femenina, encerrada en la domesticidad de su casa, representa la posibilidad de una satisfacción libidinal que no puede ser contenida en el orden Simbólico y en la estructura de las relaciones familiares. Para el orden patriarcal fundado sobre la castración, ella es un problema del cual se puede hablar, pero que, sin embargo, no debería llevar a ninguna actuación. En cuanto tal, ella encapsula las preocupaciones del cine negro, donde, como dice Neff «el crimen a veces puede oler a flores». En su misma imposibilidad, ella se ofrece como vehículo para que Neff pueda cuestionar la Ley, pero los impulsos eróticos que ella encarna, al final, en el cine negro, tienen que someterse a la Ley: Phyllis tiene que ser juzgada, encontrada culpable y castigada. Estos impulsos pueden ser sólo destructores y llevar a la muerte, porque ella representa aquella heterogeneidad que constituye el lado exterior del orden Simbólico, lo que queda excluido y lo que, en cuanto tal, permite a aquel orden existir como «orden».

La escena de amor necesita la confesión de su secreto, aquel secreto que constituye un peligro para el orden. Phyllis llega y se queda de pie a la puerta del piso en tinieblas de Neff. Luego se abrazan en el sofá y él le hace confesar su secreto —que le gustaría que su marido estuviera muerto. Cuando se abrazan, la escena de amor entre los dos está elidida porque la cámara sale del piso, y en la secuencia siguiente nos muestra el despacho de Neff diciendo a Keyes al dictáfono que había querido siempre «engañar al sistema». El plano siguiente nos muestra a los dos amantes en el sofa otra vez, o todavía. Es decir, el encuentro sexual con la mujer y la trayectoria edípica de Neff frente a Keyes en su intento de cuestionar la Ley están situados diegéticamente para el espectador en la relación verbal con Keyes. Mientras que Phyllis se va, Neff consiente en ayudarla a hacer firmar a su marido los papeles del seguro de vida. La voz off de Neff dice: «la maquinaria se había puesto en marcha, tenía que pensar con tu cerebro, Keyes».

Es en este momento de contradicción entre el orden (patriarcal/simbólico) y la identificación narcisista con el padre, por un lado, y el impulso sexual identificado en la mujer fatal, por otro, cuando aparece Lola en tanto representante de otra tipología de mujer. Ella, a la que sólo habíamos visto por primera vez en la fijación de un retrato en la foto con su padre, está jugando a las damas chinas con Phyllis. Por su posición central en la familia, por su papel de hija, sujeta a la Ley del Padre, ella está de parte de Keyes. En tanto testigo, su función es la de ser signo del Orden Simbólico que Neff quiere transgredir. Lola es, como se dice en el film, «una buena chica». Precisamente por el hecho de ser una buena chica es en relación con ella donde Neff empieza a repetir, confirmándolo, el orden que Phyllis le está ayudando a cuestionar. Cuando se encuentra con Lola en su coche la lleva a ver a su novio y asume respecto a ella una actitud paternal; cuando la deja la voz off dice «me sentía muy mal al pensar que su padre era ya un hombre muerto».

Después del crimen, es decir, de lo que se podría definir, de acuerdo con la terminología de Freud, el asesinato sacrificial-ritual del padre mítico, Lola es una figura presente cada vez más en la narración. Dice conocer la verdad, sabe cosas sobre el pasado de Phyllis y quiere hablar con la policía, descubriendo así el juego de Neff. Neff decide por ello cuidar de ella para que no «hable», y los vemos juntos comiendo y en imágenes idílicas en un paisaje pastoril. Neff dirá finalmente que «era sólo junto a ella como yo podía descansar un poco». Por ello, mientras a nivel visual Lola sustituye a Phyllis en la narración, y el «enanito» de Keyes lo convence de que es Phyllis la culpable de la muerte de su marido, el narrador pierde el control de la narración, la voz off aparece cada vez más insegura. La investigación de Keyes, inaugurando un contradiscurso respecto al discurso narrativo del «yo» de Neff, estructurado en torno al enigma de «el otro hombre», lleva a cabo el proceso de narrativización para el espectador. Esta recolocación del «yo» y del «tú» del discurso narrativo es evidente en la secuencia en la que Neff, creyendo que Keyes lo está engañando y sospecha de él, va a su despacho y escucha al dictáfono el informe confidencial de Keyes acerca de la investigación sobre él mismo; descubre que Keyes «responde totalmente de él»: su confianza es absoluta.

Desde este momento, tomada la posición de padre en relación a Lola, convencido de que Phyllis lo ha engañado también a él y que el orden establecido no tardará en reasegurar su fuerza, Neff piensa que ha llegado el momento para que él se «baje del tranvía». Tiene que liberarse de Phylis. La «mujer», en tanto *locus* de castración, de ansiedad, la causa del desorden, tiene que ser castigada.

El estribillo visual de las piernas de Phyllis bajando la escalera, esta vez no bajo el control de la mirada de el, introduce el último *flashback* en la casa de ella. Phyllis esconde una pistola en una bufanda de seda, Neff llega. Le confiesa que nunca le amó y le dispara, pero luego, al descubrir que no puede disparar un segundo tiro para rematarle, se da cuenta de que quizá sí le quiere. Mientras se abrazan Neff dispara sobre ella. La erotización de la muerte en la escena final del *flashback* confirma un universo en el que el acceso al deseo es posible sólo a través de la represión: la de la imposibilidad de una heterogeneidad radical representada por lo femenino.

Castigada y eliminada la mujer peligrosa, en tanto elemento sexual, *locus* de castración y de ansiedad, origen del mal, Neff deja la casa, herido de muerte. Habla con Nino, el novio de Lola, y le da una «moneda de venticinco» centavos para que la llame, restaurando así, simbólicamente, el *statu quo*.

El *flashback* termina y vemos a Neff que acaba su mensaje a Keyes pidiéndole que cuide de Lola y de Nino. El padre reinstaura a la hija en el orden simbólico y en las relaciones familiares. La mujer buena es situada de nuevo para la generación siguiente y para que todo siga como tiene que ser. El orden patriarcal se afirma de nuevo, y con él las contradicciones interiores del universo masculino de la compañía de seguros.

El film termina con la llegada de Keyes al despacho, dando cuerpo a la presencia de aquella mirada, de aquel «tú» interlocutor del «yo» de la narración. Neff pide que Keyes le deje ir hasta la frontera. Keyes le contesta que, en sus condiciones, no podrá llegar ni al ascensor.

La división entre lo Simbólico y lo Imaginario que estructura el film insiste en la doble función de Keyes, como padre simbólico y como padre idealizado, llevando el relato a su conclusión. En tanto padre simbólico, Keyes tiene que representar la Ley y llevar a Neff a la policía; en tanto padre idealizado, permanece ahí todavía el problema de la identificación narcisista, y, con ella, la homosexualidad reprimida —la «frontera».

La cámara mantiene a los dos hombres en el mismo encuadre hasta que Neff se levanta para volver a caer de nuevo. Dice «no podías resolver este caso porque el hombre que buscabas estaba demasiado cerca, frente a tu mesa». Keyes le responde: «Más cerca aún». Neff apostilla: «Yo también te quiero.» Mientras Neff intenta encender un cigarrillo, el estribillo visual entre los dos hombres completa la confesión ritual: Keyes hace el gesto ritual que antes era característico de Neff y le enciende el cigarrillo. Habiendo transferido a la policía su función de padre simbólico, Keyes puede ahora reconocer e intercambiar el cariño de Neff con lo que había sido el significante del deseo reprimido. Eliminado el desafío al orden patriarcal, y limitadas las contradicciones internas de aquel orden, una homosexualidad sublimada entre los hombres puede ahora ser significada. Pero no puede haber más palabras —sólo FIN.

3.2. *Segundo comentario:*
El falso happy ending *como subversión del Modo de Representación Institucional en* Dance, girl, dance

En este segundo ejemplo veremos una tipología diferente. No se trata de la re-lectura de un espacio textual, subvirtiendo sus explícitos —e inconsistentes— límites de pertinencia, sino de la lectura de un film al que el modo institucionalizado de aproximación ha condenado al silencio por su misma incapacidad para ver de otra manera lo que no se corresponde a sus esquemas de interpretación. En este caso se trata de un film que juega con las convenciones del género melodrama, pero que, habiendo sido leído sin tener en cuenta dicho componente subversivo, ha quedado relegado en la historia del cine a un lugar secundario, cuando no invisible: *Dance, girl, dance* (Dorothy Arzner, 1940).

En un reciente film de Maurizio Nichetti, *Ladri di saponette (Ladrones de anuncios,* 1989), una madre de familia, embarazada, deambula sin orden ni concierto por el comedor de la casa, frente al televisor. El marido apenas si hace otra cosa que alzar sus ojos del periódico en actitud sufridora ante las preguntas aparentemente obvias de la mujer en la lógica familiar representada. El hijo pequeño construye un Kremlin desmontable sin hacer caso de sus protestas para que se vaya a la cama. De vez en cuando la mujer telefonea a su madre para comentar cuestiones nimias, referidas a lo que ve en la pantalla, o para comunicarle los movimientos del hijo que lleva dentro de sí. El carácter explícitamente sarcástico de dicha secuencia no deja, sin embargo, de remitir a un problema de mayor alcance: el de la imagen de la mujer, que los medios audiovisuales más que ofrecer, construyen, en su aparente función especular. Se ha hablado mucho de la utilización del cuerpo femenino en la publicidad, del uso y abuso de su imagen con una función apelativa inconsciente, así como de los mecanismos subliminales mediante los cuales un discurso, mostrado como transparente, en realidad no hace sino «naturalizar» una imagen sobre la base de no problematizar el punto de vista desde donde parece que no hay sino una mera recepción. En una palabra, «describe» un objeto de mirada sin problematizar el dispositivo que lo construye en cuanto tal: el lugar espectatorial. Un lugar que parecería resultado del proceso de idiotización producido por la televisión.

La televisión, deglutiendo y neutralizando la función de cada uno de los discursos que la integran, no es, sin embargo, una suerte de culpable universal, toda vez que, en último término, no hace sino sistematizar y normalizar un procedimiento elaborado ya en el llamado por Noël Burch M.R.I., o Modo de Representación Institucional: aquel que reduce la recepción a un punto de llegada en vez de enfrentarlo como uno de los vértices del movimiento dialéctico que constituye la producción de sentido audiovisual. Ese lugar de llegada, falsamente neutro y natural, es, por lo demás, un lugar sexualmente marcado, y como tal, deconstruible y analizable, o, lo que es lo mismo, transformable.

Las páginas que siguen quieren ser el análisis de un caso concreto en que dicha deconstrucción fue llevada a cabo, en la época en que el modelo institucional ya estaba perfectamente constituido, y en el interior de un discurso y un universo referencial que puede ser considerado como referente originario del que hoy es propio de la televisión: el cine narrativo americano de la década de los años treinta.

Laura Mulvey, en su trabajo citado en el comentario anterior, establece una conexión entre el modelo hegemónico de representación —con lo que ella entiende el «sistema monolítico» que vivió sus momentos álgidos en la estructura capitalista de los estudios de Hollywood en la década de los años treinta y cuarenta— y la función de la mirada en la sociedad patriarcal. Haciendo un panorama de las teorías psicoanalíticas de Freud a Lacan con la intención —y ella lo afirma explícitamente— de utilizar el psicoanálisis como un «arma política», Mulvey intenta demostrar que este tipo de cine, que es en sí mismo un producto de la ideología patriarcal, ha institucionalizado un tipo de mirada masculina y sexista, una mirada que ha hecho de la relación masculina con la representación la relación normativa y supuestamente universal con el mundo y el poder. En su definición de la situación de fruición de la película en tanto escoptofilia, *voyeurismo* y narcisismo, Mulvey analiza la conexión entre la mirada cinemática y el proceso de formación de la identidad. Según ella, el sujeto masculino, al establecer a la mujer en tanto imagen de su «otro» visible, objeto fantasmático de deseo y denegación, encuentra en la imagen cinematográfica la legitimización de su posición de dominio y control en la sociedad, confirmación e incentivo para su sueños de unidad y supremacía.

Al ser la sexualidad masculina reconocida como la única forma activa de sexualidad, y al ser considerado el órgano sexual masculino como el único agente del poder, la cámara, el equivalente cinematográfico del pene, hace espectáculo de la mujer, un espejo sobre cuya superficie plana se constituye y se confirma a sí mismo el «yo» masculino, con el desarrollo de una narrativa de tipo edípico. Es así como el espectador, a través de la identificación con «el protagonista masculino principal» que «la magia del estilo de Hollywood» le permite, encuentra su propio placer en las imágenes sobre la pantalla, que se le ofrecen como un terreno de dominio y afirmación de sí.

El artículo de Laura Mulvey, piedra angular para la teoría fílmica feminista, plantea preguntas cruciales para cualquier persona interesada en una crítica cultural, porque, al historizar, esto es, anclar históricamente el modelo hegemónico de representación y analizarlo en el interior de la red compleja de las relaciones de producción-consumo (es decir, en tanto aparato), constituye una crítica radical de la ideología dominante desde el punto de vista de sus «objetos». Su crítica muestra cómo las mujeres, el objeto *par excellence* de la sociedad patriarcal, están hoy en día poniendo en cuestión su exclusión de la elaboración de los objetos culturales, su condición de objetos-fetiches en el discurso hegemónico, y elaborando la crítica subversiva de un discurso que, basado en su subordinación y silencio, busca perpetuar un paradigma de explotación y cosificación.

Laura Mulvey plantea en su artículo dos nociones muy problemáticas: la del placer de la mujer y la de la sujetividad de la espectadora. Según Mulvey, en efecto, una crítica que se preocupe del interés de las mujeres debe tender a destruir todo placer estético, porque éste ha estado basado en la cosificación del cuerpo femenino, es decir, en la humillación continua de las mujeres. Dice Mulvey: «Suele decirse que analizar el placer, o la belleza, lo destruye. Ésta es la intención de este artículo.» Esta postura teórica ha sido criticada por Teresa de Lauretis (1984) cuando subraya que Mulvey, en su intento radical de deconstruir el placer, acaba por negarlo completamente. En esta negación, De Lauretis problematiza el hecho de que las mujeres, que van todavía al cine, lo hacen porque la experiencia de ver una película les da un tipo cualquiera de placer.

Esto exactamente es lo que la teórica inglesa Claire Johnston (1973) reconoce cuando propone la noción de cine de mujeres como *contra-cine*. Su presupuesto es que en la iconografía sexista de Hollywood, la imagen de la mujer (presentada exclusivamente en lo que ella «representa para el hombre») señala «la exclusión o la represión de la Mujer». En este sentido, ella propone la noción de contra-cine en tanto cine de intervención, es decir, como un cine que intenta mostrar el funcionamiento de la ideología en los textos. Entendido en tanto estrategia con vistas a deconstruir toda representación establecida de la realidad para mostrarla en su estatuto de *constructo*, el contra-cine es entendido, así, como una práctica que, al cuestionar el lenguaje y la realidad con la intención de desplazarlos, combina la política con el placer («la noción de cine como instrumento político y como entretenimiento»).

Al poner en cuestión un paradigma basado en la opresión de las mujeres, este tipo de cinema debería, por un lado, según Claire Johnston, cuestionar la ideología sexista del cinema hegemónico, y, por otro, recuperar la capacidad de apelar a los deseos y al placer del público, es decir, la habilidad para entretener que caracterizaba los films hollywoodenses. La finalidad de la crítica a la cultura realizada por las mujeres consiste, de hecho, en mostrar cómo el arte, al desafiar y analizar sus propios presupuestos socio-culturales (por lo que atañe a un análisis feminista, «la ideología burguesa y sexista del capitalismo, dominado por los hombres»), puede al mismo tiempo proponer alternativas positivas al discurso hegemónico, formas de representación que, «estando elaboradas a partir del deseo de las mujeres», permitan la puesta en libertad de las «fantasías colectivas de las mujeres» y exploren rutas nuevas, hasta ahora casi desconocidas de sujetividad y placer femenino.

Claire Johnston señala la obra de las directoras de Hollywood como ejemplos de un cine que deconstruye de manera positiva, que no rechaza los modelos, sino que los utiliza para cambiarlos desde el interior. Según ella, este tipo de cine nos presenta una posibilidad históricamente dada y concreta de trabajar en el sistema y, al mismo tiempo, en contra de él, desde el interior del canon, pero apropiándoselo para una historia que es «otra» y que, al establecerse a sí misma en tanto tal, al dar voz a su diversidad, perturba el discurso que la produjo, mostrando sus contradicciones y rupturas.

La obra de una directora como Dorothy Arzner apoya la visión de Claire Johnston acerca de la producción de Hollywood, no en tanto unidad compacta y monolítica (y en esto también ella parece distanciarse de la posición teórica de Laura Mulvey), sino en tanto sistema que conlleva los marcos y los trazos de un proceso a través del cual se produce sentido, y cuyos efectos van más allá de los de la intencionalidad. La obra de Arzner es, por ello, un ejemplo de lo que Johnston llama «contra-cine».

Dance, girl, dance —citado por Johnston como un film que demuestra cómo la obra de una mujer puede poner en cuestión el sistema socio-cultural que lo ha producido— fue rodado en 1940, cuando la directora no estaba lejos de acabar su prolífica carrera. Fue considerada como una película de secunda clase durante décadas. Solamente en los años setenta, al profundizarse y difundirse la crítica surgida con el feminismo y en el ámbito de los debates teóricos desarrollados en revistas especializadas como *The Velvet Light Trap* y *Screen*, salió de los archivos polvorientos donde se había quedado en medio del olvido general, y su potencial crítico y subversivo ascendió a primer plano.

El film está centrado en las figuras de dos mujeres, Judy, interpretada por una «inocente» Maureen O'Hara, y Bubbles, interpretada por una «sensual» Lucille Ball. Ambas estudiantes en la escuela de ballet clásico de Madame Basilova, y ambas en busca de trabajo, difieren muchísimo en el modo de comportamiento y en lo que buscan. La primera es tímida y altruista, y nutre a solas su pasión para el baile; la segunda es descrita como una mujer segura de sí misma, egoísta y ambiciosa, consciente de la sensualidad calculada que emana de todos sus gestos y movimientos. Ella sabe cómo atraer la atención de los hombres, cómo utilizar para sus propios fines personales (ser acompañada en coche de vuelta para Nueva York, una estola de piel, etc.) el interés que ellos muestran, y es con el uso hábil y erótico de su cuerpo como logra lo que a las otras chica les gustaría lograr, una cita por ejemplo, o el trabajo como bailarina de hula-hop, baile hawaiano al que aspiraba la más dotada Judy.

Habiendo podido emanciparse de la tutela de Madame Basilova gracias a su sensualidad consciente, Bubbles ofrecerá más tarde a Judy la posibilidad de trabajar con ella en un papel complementario del espectáculo que protagoniza como reina grotesca de los Hermanos Baily. Al basarse en la puesta en escena, es decir, al presentar claramente, en tanto espectáculo, el fuerte contraste entre los dos tipos de mujer que Judy y Bubbles representan (contraste que Claire Johnston define como típico y ejemplar de la «descripción iconográfica primitiva de las mujeres» en Hollywood), el espectáculo hace evidente la complementariedad de las dos figuras: por una parte la reina sexy y por otra, como burla, su ayudante escénica: vemos así la bailarina clásica danzar con gracia con su falda de tafetán en sustitución de la excitante Tiger Lily White (éste es ahora, muy significativamente, el nuevo nombre de Bubbles), lo que provoca la reacción ruidosa del público. Mientras que las vestimientas sexies de Tiger vuelan por el aire detrás de la espalda de Judy, los abucheos y las risas del público piden que Judy se vaya y que vuelva Tiger. Queda así claro que el espectáculo de las dos mujeres en el escenario no es sino una estrategia para un destinatario específico y un fin también específico: su actuación complementaria está dirigida al placer del público masculino que ríe, grita y aplaude, y cuya excitacion y satisfacción es, al final, el elemento fundamental del espectáculo en cuanto tal.

Este presupuesto fundamental (es decir, el hecho de que el hombre y su placer sea el sujeto de la mirada y del espectáculo, y que la mujer no sea sino el objeto de la misma mirada e instrumento de su placer) está explicitado en las palabras que Judy dirige a los espectadores una noche, interrumpiendo su actuación. Su discurso, pronunciado por la bailarina tímida y torpe —que ahora está firmemente de pie en medio del proscenio— y dirigido a aquellos que la habían humillado, vuelve del revés la lógica del espectáculo; el público es interpelado directamente y, en tanto público, su papel es puesto en cuestión y el poder y la lógica de su mirada expuestos también a otra mirada. Los espectadores llegan a ser por ello no el sujeto, sino el objeto de la mirada (de la de Judith en primer lugar, y del espectador de la película en el segundo), en una especie de *mise-en-abîme* en la que los papeles cambian y ninguna posición es segura. Se des-cubre así, en el sentido de hacerla explícita, la dinámica implícita del espectáculo, lo que Mulvey había llamado el *voyeurismo* de la mirada masculina, en tanto base del modelo clásico de la producción de Hollywood, y la consecuente fetichización del cuerpo femenino. Mientras que Judy habla, o mejor, por el hecho de ser ella quien habla, vemos a

los espectadores en tanto espectadores, en su posición voyeurística; los presupuestos, tanto ideológicos como económicos de la
relación entre quien mira y quien es mirado, quedan así des-
cubiertos, y todas las implicaciones en el nivel de juego de poder
explicitadas por la dureza y claridad de sus palabras:

> ¡Sigan, sigan mirando. A mí no me da vergüenza. Sigan
> riendo y sáquenle partido a su dinero! ¡No vamos a hacerles
> daño! Sé que les gustaría que me quitara la ropa para sacarle
> partido al precio de su entrada. ¡Cincuenta céntimos por tener
> el privilegio de mirar a una muchacha de una manera que sus
> esposas no les permitirían! ¿Qué creen que nosotras pensamos
> de ustedes desde aquí arriba con esas expresiones tan estúpi-
> das que hasta sus madres se avergonzarían? Ahora está de
> moda venir bien vestido y reírse de nosotras. Nosotras nos rei-
> ríamos también, lo único que pasa es que nos pagan para
> hacer que se sienten, para sacarles los ojos de sus órbitas y
> para que puedan hacer sus comentarios tan ruidosamente
> inteligentes. ¿Qué sentido tiene eso? Que puedan volver a casa
> a mirar por encima del hombro a sus esposas y amadas...
> ¿interpretando el papel del sexo fuerte durante unos minutos?
> Estoy segura de que ellas os radiografían como yo lo hago
> ahora.

El ojo de la cámara, moviéndose rápidamente en torno al patio
de butacas, muestra la sorpresa y la confusión de los espectadores, que se han visto de pronto convertidos ellos mismos en
espectáculo; se miran los unos a los otros, y subrayan con su
silencio la eficacia de las palabras llenas de rencor que Judith pronuncia.

Ésta es la parte del film que ha sido tomada particularmente en
consideración por la críticas textuales feministas (Pam Cook,
1979), al constituir una «ruptura» en el texto fílmico. Se trata, en
efecto, de un momento en el que la narración queda suspendida y
la distancia crítica aparece como parte constitutiva del texto. La
ideología es puesta al descubierto, se nos muestra el funcionamiento del código y el espectáculo queda «des-naturalizado»
(Annette Kuhn, 1982), ofrecido como construcción, especialmente
por lo que atañe a la noción de la «mujer en tanto espectáculo». Al
indicar la dinámica y las implicaciones sexuales y económicas de
la actuación («¡Sigan sigan mirando... Sigan riendo y sáquenle par-
tido a su dinero! ... ¡Cincuenta céntimos por tener el privilegio de
mirar a una muchacha de una manera que sus esposas no les permitirían!»), las palabras de Judy no sólo cuestionan la lógica de

aquella actuación, sino también, en primer lugar, la del espectáculo que nosotros, espectadores, estamos contemplando desde la tranquilidad de la sala cinematográfica; en segundo lugar, nuestra posición en tanto gozadores del film, y, por último, el funcionamento del aparato cinemático en la gratificación escópica, voyeurística y narcisista que permite la lógica patriarcal de prevaricación («Para que puedan volver a casa a mirar por encima del hombro a sus esposas y amadas... ¿interpretando el papel del sexo fuerte durante unos minutos?») tal y como es analizada por Laura Mulvey. Esto confiere a este film una dimensión meta-discursiva que hace de él un producto único y excepcional en la producción hollywoodense a lo largo de su historia.

La obra de Arzner, por la radicalidad de su crítica a la función de la mirada en el aparato cinemático, puede ser leída también como una revisión profunda y compleja de la representación en cuanto tal. Es un análisis lúcido que, al mostrar el modo de funcionamiento de los paradigmas y modelos hegemónicos de mujer y acerca de la mujer, describe los efectos de manipulación narrativa y discursiva en el pensamiento hegemónico occidental, en particular por lo que se refiere a la noción de mujer, en tanto *locus*, hasta ahora imposible, para la sujetividad y el deseo femenino.

La preocupación de Arzner parece ser la necesidad de anclar una praxis eficaz en el sistema dominante de representación, para cuestionarlo radicalmente. Inscribe su película en el discurso patriarcal, bajo la forma de una aceptación consciente de sus referencias culturales, como es evidente desde el comienzo mismo del film. La estructura narrativa inicial está construida por elementos típicos de aquel género cinematográfico que llegó a ser el modelo dominante de producción discursiva en la década de los años cuarenta y cincuenta, el cine negro. De éste, Arzner utiliza la disposición y la estructura de las secuencias narrativas (la *voz over*, una trama complicada, *flashbacks)*, la atmósfera, siempre muy oscura y aludiendo al crimen y a actividades ilícitas, la figura central y misteriosa de un héroe moviéndose en entornos amenazantes, un personaje femenino, importante pero siempre secundario, es decir, una mujer tan guapa como traicionera y con una carga erótica muy fuerte. Como vimos en el comentario anterior, el sexismo del género es evidente en dos elementos: el hecho de que el personaje principal, que posee el control de la narración, al margen de lo negativo que pueda estar diseñado, sea siempre un hombre, con la exclusión de unas pocas excepciones; o el hecho de que los personajes femeninos, las llamadas *femmes fatales*, primeras en ser representadas en Hollywood como independientes, inteligentes, astutas, y con control sobre su cuerpo, sean siempre, y sin ninguna excepción, malas para sí mismas y para los hombres que han conseguido involucrar en sus planes retorcidos de afirmación personal.

En el comentario de su desarrollo, intentaremos mostrar cómo el film inscribe su narración y los personajes principales de la historia en este tipo de marco referencial patriarcal y misógino, pero sólo para subvertirlo, para mostrar cómo el sistema masculino de representación, ejemplificado por el punto de vista del héroe, aunque dominante, puede no ser ni único ni inevitable. Su narración se desarrolla centrándose en dos figuras femeninas, yuxtapuestas la una a la otra, ninguna de las cuales nos ofrecerá un modelo positivo, una respuesta o una alternativa, inmediatamente practicable, de sujetividad femenina. Por lo contrario, mostrando el proceso según el cual las mujeres han tenido que identificarse con imágenes que ellas no habían elegido ni hecho, imágenes que son funcionales para una economía masculina de deseo, estas figuras femeninas problematizan la noción misma de «sujeto».

A través de una trayectoria edípica que el personaje femenino tiene que atravesar en la narración, *Dance, girl, dance* mostrará con la contradicción que representa, en el interior del discurso hegemónico, hablar *como* mujer, precisamente por el exceso que constituye en el modo de representación institucional. Siendo la feminidad una «mascarada», un proceso de construcción/constricción cultural, una estrategia para sobrevivir en un discurso, que obliga a seguir modelos de significación pre-establecidos, la noción de «mujer» nos viene mostrada como constructo histórico-cultural, una concha vacía en el escenario de la representación. Si llegamos a ser conscientes de esto, tal y como el film nos empuja a hacer, se abre ante nosotros un horizonte más amplio para teorizar e intervenir concretamente, una manera nueva para organizar nuestro saber y el mundo en el que vivimos.

El film comienza con una panorámica, que se desplaza lentamente desde el extremo superior derecho de la pantalla hasta el extremo izquierdo inferior. Inmediatamente aparece, junto con la imagen de un mercado, una luz de neón en medio sobre un cielo negro, que nos indica que estamos en la ciudad de «Akron-Home of Harris Tires, the Royalty of the Road» y en el «Palais... Royale», el *night-club* en el que, mediante fundido encadenado, aparecerá ante nosotros una escena de baile. Tras una cortina de humo de cigarrillos y de gente sentada mirando al escenario, dos filas de bailarinas, vestidas con trajes cortos de lentejuelas, bailan y cantan alegremente. La cámara, deteniéndose sobre las bailarinas, avanza lentamente hacia la izquierda. Corta a plano medio del trompetista y el pianista negros. Corta de nuevo a plano general de las bailarinas, se desplaza lentamente hacia la derecha y se detiene en plano medio sobre una de las bailarinas, que ocupa el centro de la pantalla. Por corte directo aparece un hombre sentado en una mesa, con el rostro entre una lámpara y una botella vacía; no mira el espectáculo, y parece estar absorto en oscuros y preocupantes pensamientos. La cámara vuelve por corte directo a las bailarinas en plano medio, moviéndose lentamente de derecha a izquierda; se detiene sobre una de las chicas que ocupa el centro de la pantalla. Una serie de planos-contraplanos muestra la peculiar interacción entre esta segunda chica y el hombre de la mesa:

Plano 1. Corte a hombre en plano medio; una luz directa da intermitentemente sobre su rostro. La cámara se acerca a él. El hombre trata de proteger sus ojos; mira hacia el objetivo.

Plano 2. Corte de nuevo a plano medio de la chica; ve al hombre molesto por la luz que refleja la parte superior de su sombrero de copa mientras baila. Sonríe y le guiña un ojo provocativamente.

Plano 3. Corte a primer plano del hombre. Aún está mirando al objetivo, con la luz espejeando sobre él. Evidentemente de malhumor, protege sus ojos, poniendo la lámpara entre su rostro y la fuente de luz.

Plano 4. Corte a plano medio de la chica. Muestra una expresión de desilusión y se le ve dar un paso atrás mientras baila.

Plano 5. Corte a plano general de policías entrando en el club. Bajan por las escaleras desde la parte superior izquierda a la parte inferior derecha de la pantalla.

Plano 6. Corte a plano general de hombre mirándoles.

Plano 7. Corte a tres bailarinas. La segunda citada antes está en el centro: ve a los policías.

Plano 8. Corte a plano general de la sala, mostrando a los clientes, a las bailarinas sobre la escena y a los policías.

Plano 9. Corte a plano medio del saxofonista.

Plano 10. Corte a otro plano general de la sala con los clientes abandonando las mesas, las bailarinas deteniéndose y la policía subiendo por las escaleras.

Plano 11. Corte a plano general de policías irrumpiendo en la sala de juego. Gritos.

De esa manera, los planos iniciales del film presentan de inmediato la puesta en escena del espectáculo, es decir, la representación de una representación y, al mismo tiempo, elaboran una interesante metáfora del tema de la mirada, cargada de connotaciones sexuales. Todo ello inserta el film en el paradigma hegemónico del cine de la época.

La cámara se ha introducido en el especio cerrado del club y ha creado un espacio narrativo. Las mujeres, dentro de ese espacio, son presentadas a través de su función como valor de uso, en cuanto constituyen el espectáculo, el objeto de la mirada y el goce de la clientela del club. Sin embargo, hay un punto en el que presenciamos un desdoblamiento, una ruptura en el relato y un desplazamiento de las posiciones. Ese punto se sitúa en la escena de la luz sobre el rostro, el momento en que Bubbles, la segunda bailarina sobre la que se detuvo la cámara, se muestra llena del mismo tipo de erotismo que caracteriza a las mujeres perversas de muchos de los films de la época. Mostrada inicialmente, al igual que todas las demás, como objeto de la mirada (de la clientela del club y de los espectadores del film), Bubbles más tarde invierte esta dinámica, y será mostrada como poseedora de una mirada que la transforma en mujer «fálica», con capacidad de ver en un escenario donde la economía de las miradas y el deseo está, sin embargo, articulada desde una perspectiva claramente masculina. En consecuencia, esta capacidad de ver crea un discurso narrativo y un punto de vista. La mirada de ella es, en primer lugar, el efecto especular que, como extensión de su cuerpo, la hace proyectarse a sí misma más allá de los límites del espectáculo puesto en escena; con este insustancial y rudimentario dedo/foco de luz, Bubbles «toca» la cara del hombre, individualizándolo en medio de la clientela. En este punto, el ojo de la cámara se convierte en su ojo y, simultáneamente, nuestro punto de vista se convierte en su punto de vista; en la serie de planos-contraplanos, la cámara gira 180 grados y muestra la fuente de la mirada; muestra la mirada y su objeto, siendo ahora el ojo indudablemente femenino; el hombre es visto desde el escenario, desde el punto de vista de (lo que antes era) objeto de la mirada. El hombre mira directamente al objetivo (y con él, a nosotros, espectadores), cegado por ese haz de luz, incapaz de ver a causa de esa mirada que ha trastornado las posiciones pre-establecidas de poder, y sólo el uso de un objeto opaco (significativamente, la lámpara apagada sobre su mesa), puede evitarla.

Este intercambio también puede ser considerado como ejemplificación del ojo cinematográfico, donde se constituye el poder de la mirada como generadora de discurso. De hecho, la cámara con sus movimientos de un lado a otro de la pantalla, ha «seleccionado» tres personas de entre la multitud en el *night-club* y, uniéndolas precisamente por medio de ese movimiento, ha construido una narración que sitúa al personaje masculino entre dos mujeres, creando un triángulo cuya estabilidad intentará romper la historia que sigue. Cuando Bubbles mira, construye un punto de vista, al crear un objeto para su mirada, que, más tarde, el ojo de la cámara asumirá como objeto de su propia narración discursiva; sin embargo, su mirada no «ocurre» sin más, sino que es mostrada como construcción, dirigida por el reflejo de su sombrero, que constituyó la condición para la visibilidad del hombre. Presenciamos el proceso, mediante el cual son construidos el objeto de la mirada y el punto de vista, esta vez femenino, con el que somos impelidos a identificarnos,

Los planos iniciales, por ello, plantean el tema de la mirada en términos de una relación de poder que lleva la marca de género sexual, y cuyas características serán ampliamente elaboradas en las secuencias siguientes.

De hecho, tras la irrupción de la policía, las chicas rehúsan irse, a menos que se les pague lo que se les adeuda. Reclaman su puesto en el mercado, no aceptando ser, como dice claramente la primera bailarina, Judy, meramente «accesorios» en él. Es la intervención del hombre, con el dinero que pone en el sombrero de la chica como formas de inicio de una colecta, lo que permite que el deseo de aquéllas se haga realidad. Tanto Bubbles como Judy, llegadas a este punto, parecen estar bastante interesadas en el hombre, pero, pese al entusiasmo inicial de éste por Judy, un punto débil en ella apaga su deseo: la debilidad de ella reside en sus ojos. «¡No me gustan las chicas con los ojos azules!», dice Jim. Así es como Bubbles «asume el control»; ella posee una mirada «adecuada» (fue también la primera en ver llegar a la policía), unos ojos que se ajustan al deseo de él; tiene un poder, y este poder obtiene resultados: el deseo de ella se cumple, y se va con el hombre al que había codiciado.

De aquí en adelante, el film caracterizará y diferenciará cada vez más a los personajes principales de la historia, fundamentalmente a las dos bailarinas que la cámara ha traído a primer plano en las secuencias iniciales.

Bubbles corrresponderá cada vez más a la mujer fálica, astuta, muy competitiva y bastante integrada en un mundo de hombres. Sabe lo que los hombres quieren, cómo funciona su deseo, y que el deseo de ellos mueve lo que ella quiere: dinero. Está dispuesta a usar todo su propio poder, todas las armas y atributos que el mundo masculino le otorga para conseguirlo, posiblemente bajo la forma de un marido que pueda garantizarle bienes materiales y todos los signos de la vida confortable que desea. Ésta es la razón por la que podemos definirla como «fálica»: como personaje, siempre está, y lucha por estar, como en la escena precedente, dentro de una economía fálica de deseo, que nunca cuestiona.

Judy, por otra parte, parece ser lo contrario de Bubbles; la mujer humilde, honesta, sincera, tímida, responsable, inocente, incluso ingenua, que vive en un mundo hecho de sueños y buenos sentimientos. Es la más «artista» de las chicas que acuden a la escuela de ballet de Madame Basilova en Nueva York, y su alumna favorita.

Será precisamente la directora de dicha escuela, Madame Basilova, quien impulse el destino de las dos chicas, y determine, aunque indirectamente, el desarrollo posterior de la historia. Aunque ninguno de los análisis del film de Azner se ha ocupado de su papel, creemos que su figura, pese a su ausencia en la mayor parte de la película, es el pivote sobre el que gira la historia, y la portadora, sobre la base de esa misma ausencia, de una significación ideológica fundamental.

Madame Basilova es una señora ya anciana, con un pasado glorioso (fue bailarina de ballet en la Rusia imperial), cuyas huellas perduran en su fuerte acento extranjero. Su aspecto externo es el de un andrógino: los rasgos de su cara son muy pronunciados, lleva corbata, su cabello está muy estirado y recogido en la parte de atrás de su cabeza, y una amplia blusa borra todo signo de feminidad de su figura delgada. Esto parece subrayar la androginia de sus funciones: informada, autoritaria e independiente, es la maestra de las chicas, posiblemente la que les ha enseñado todo lo que saben de danza, y su afectuosa *manager*. Conoce a sus chicas muy bien, y está preocupada por el porvenir de sus carreras, haciendo más evidente aún para nosotros las insalvables diferencias entre Bubbles y Judy, (diferencias que ella teoriza con la palabra «oompf»: «Bubbles tiene *oompf*», le dice a Judy, «tú no lo tienes; no es algo que se aprende, se nace con *oompf*»). Su relación con Judy es particularmente cercana y va más allá de un interés meramente profesional; considerando el tierno afecto que caracteriza su relación, ésta puede de hecho ser definida en términos de relación madre-hija («No se preocupe, madame, algún día será famosa de nuevo, y yo seré su descubrimiento», le dice Judy antes de enseñarle con entusiasmo sus nuevos pasos. Más tarde, será contemplada tiernamente y en secreto por Basilova, mientras baila a solas en una atmósfera de ensueño).

Es a causa de Judy por lo que Basilova-madre-y-*manager* decide salir de su reino, el pequeño mundo que controla, para llevar a Judy a una audición con Steve Adams, el director del American

Ballet. Por la mañana, después de haberse comprado un nuevo sombrero, exquisitamente femenino, Basilova y Judy, todavía desconocedora de lo que sucede, van de camino en un autobús hacia las oficinas de Adams. Se bajan del autobús. Basilova dice: «Unos pocos pasos más allá el destino te espera, Judy. *Ahí* es donde está tu fortuna». Mira a su derecha. La cámara sigue la dirección de su mirada hacia donde señala con el dedo y, en panorámica vertical hasta un contrapicado extremo, muestra un elevado edificio desde la planta ancha hasta la estrecha cúpula. Mientras está mirando hacia arriba, Basilova sigue hablando: «Nunca podrá decirse que la gran Basilova no hizo el último sacrificio por su...», da unos pocos pasos hacia el frente para cruzar la calle, Judy grita: «¡Cuidado!», Basilova gira la cabeza para mirar a Judy, y un coche que viene por su izquierda la atropella. Un grupo de gente corre hasta el cuerpo caído, Judy se inclina sobre ella; mientras, Basilova dice sus últimas palabras: «Judy, no lo olvides, ...Adams, ...Steve Adams, ... baila... baila... baila...».

Lo único que hace la muerte de Basilova es retrasar la visita de Judy a la academia de Adams. Ella, pensando que no es suficientemente buena para integrarse como bailarina de su ballet, y privada del apoyo moral de la mujer muerta, no se atreve a encontrarse con el director. Lo vemos a él, en un ligero contrapicado que subraya su sólido y amplio poderío, mientras Judy mira a través de la puerta sin verlo. Una serie fortuita de circunstancias los reunirá de nuevo, y más tarde los volverá a separar. El resto del film, en efecto, desde la muerte de Basilova en adelante, puede ser considerado como un retardamiento del encuentro final entre los dos. Este encuentro, largamente esperado, aporta un reconocimiento y un relajamiento de la tensión narrativa que permite, al menos a primera vista, hacernos pensar en un final feliz.

Sin embargo, si analizamos más detenidamente el recorrido de Judy, el personaje femenino no fálico del relato, podremos ver cómo el final feliz no lo es en absoluto, sino el punto final de una trayectoria que podemos definir en términos de edípica.

El punto crucial de la historia es, en efecto, doble: el intento de atravesar una calle y una muerte. Es este «atravesar» lo que Basilova no puede llevar a cabo porque muere. Es también el momento que sirve para titular el film: «Judy, no lo olvides, baila, baila, baila...». El título, pues, remite a las palabras que una mujer dice antes de hacer «el último sacrificio», las palabras de una madre moribunda, cuyo sacrificio es, sin embargo, aceptado de forma consciente. Al salir fuera de su casa-escuela de ballet, Basilova ya ha abdicado de parte de su poder, ha aceptado el hecho de que las posibilidades encerradas en su mundo materno no eran ya suficientes, que «el mundo real» se sitúa más allá del sueño infantil de una madre fálica, nodriza y poderosa al mismo tiempo. Este mito primordial debe ser destruido; el mundo de Adam está esperando, con esa torre fálica que representa la ley del padre todopoderoso de las sociedades patriarcales. Éste es el mundo de Adam(s), la ley del Padre-originario *(the Ur-Father)* como origen y *telos*. Exige un tributo de sangre y muerte como rito de tránsito de la adolescente, como forma de acceder al nuevo mundo de la significación, a un nuevo orden simbólico y un nuevo estadio de representación. Este tributo es la pérdida de la madre por parte de la hija, y por ello Basilova-la-madre debe sacrificarse, reconocer la ley paterna del falo y desaparecer de la escena, en una palabra, tiene que morir. Sin embargo, no lo hará sin dejarle antes algo en herencia, (No lo olvides... baile... baila... baila) que, por una parte, se inscribirá en la acción y el destino de Judy, aunque sin dejar una huella consciente, y, por otra, dará nombre al objeto de nuestra mirada, constituyendo su código predeterminado, como legado para tender a una acción positiva, a un poder y a las oportunidades de significar. Huérfana del principio materno de referencia, Judy se echa a andar. Empieza la trayectoria edípica, que el discurso psicoanalítico ha teorizado tan claramente para la mujer bajo la forma de un tránsito necesario de la «inmadurez» a la «madurez» sexual, del pre-Edipo al Edipo.

En efecto, eso es lo que Judy intentará hacer en el resto el film. Desde el momento en que muere su madre, más simbólica que físicamente, Judy intentará entrar en una economía de discurso no doméstica, no materna. Al hacer esto descubrirá que lo que domina es la economía fálica del deseo; ello no le llenará ni le dará un sentido de identidad, sino que la forzará a asumir la máscara de la feminidad. El sueño romántico de la «estrella del alba» *(morning star)*, la danza que interpreta antes de Bubbles en el espectáculo de Bailey Brothers, no es otra cosa que la contrapartida de la parte erótica que interpreta Tiger Lily en el mismo escenario para encender a una multitud de espectadores masculinos que han pagado su entrada. Esta parte de Tiger Lily se llama, y el hecho parece significativo, *Mother, What Do I Do Now?* (Mamá, ¿qué hago ahora?).

Dentro de la economía masculina de la representación, Judy no puede ser sino un *stooge* (una actriz de reparto), es decir, alguien secundario respecto a la mujer fálica, y de ese modo, funcional para esta última y para la representación que aquélla no ha decidido, sino que se ha visto forzada a hacer; una representación que no puede controlar y que la humilla, explotando su ingenuidad y falta de perspectivas y alternativas. Tanto la mujer fálica que *pick[s] [her] spot* (elige su lugar) en un mundo de hombres, como la que inicia su viaje hacia el Edipo son sólo dos variantes en el escenario de una misma ideología, que las mira como personajes de una representación, cuyo horizonte es la satisfacción del deseo de él, un viaje cuyo punto de llegada es descubrir que poder de él es el único mecanismo factible y operativo.

Así, al no otorgar ninguna posición narrativa fija al personaje femenino de su propio relato, al definirlo como un sujeto-en-proceso y a su feminidad como un espacio ficcional —Mulvey lo llamaría *to be-looked-at-ness* [ser-mirar-idad]—, construido por una mirada que sirve a las representaciones hegemónicas masculinas, el film de Dorothy Arzner nos presenta un lúcido análisis de las (im)posibilidades de la mujer en la sociedad patriarcal. Es decir, la mujer es presentada en él como el *locus* de lo imposible para el *theorein* clásico, de sus límites y de sus excesos. En una economía de discurso en la que el sujeto es definido por la mirada, y sus atributos conforman la metáfora privilegiada mediante la cual nuestras sociedades articulan su relación con el mundo, su paradigma de apropiación y cosificación, la mujer es sólo lo-que-aún-está-por-venir, en cuanto no escuchada. Si somos conscientes de ello, y transformamos nuestro desconocimiento en una práctica significante, podemos establecer una diferencia y determinar un cambio, crear una manera diferente de mirar y de pensarnos, dejando atrás la ceguera del viejo Edipo. Esta nueva mirada puede ser definida como musical o táctil, una mirada que emana del sujeto que yace cerca de su objeto y está hecho por las miradas que emanan de ellos, en un continuo desplazamiento de posiciones y percepciones.

En la medida en que «la mujer» es mostrada como una construcción histórico-cultural, como una concha vacía en la escena de la representación, que queremos llenar, o que pensamos que queremos llenar, el tipo de discurso puesto en juego en este film abre un debate en torno a toda una serie de nuevas cuestiones que el viejo modelo hegemónico había condenado a la invisibilidad. Una cosa es cierta: la Historia puede que no sea muy diferente, pero ya no volverá a ser la misma.

Ilustraciones

2

1

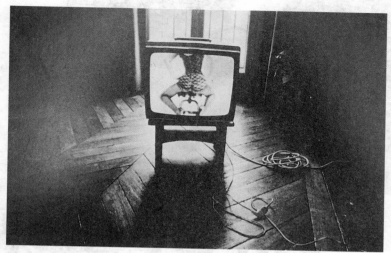

3

4

5

6

7

8

9

10

11

12

13

14

15

16

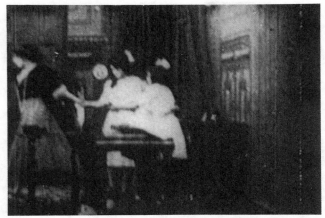

17

18

19

20

21

22

23

24

25

26

27

28

29

30

31

32

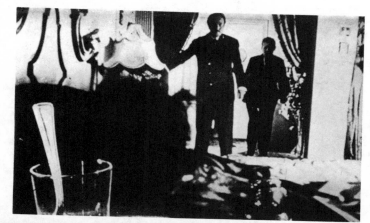

33

34

35

36

37

38

39

40

41

SECUENCIAS DE «FALSO CULPABLE»

Plano 1
Posición A

Plano 7
Posición C

Plano 2
Posición B

Plano 8
Posición D

Plano 3
Posición C

Plano 9
Posición C

Plano 4
Posición B

Plano 10
Posición D

Plano 5
Posición C

Plano 11
Posición C

Plano 6
Posición D

Plano 12
Posición D

Plano 13
Posición C

Plano 14
Posición D

Plano 15
Posición C

Plano 16
Posición E

Plano 17
Posición F

Plano 18
Posición G

Plano 19
Posición H

Plano 20
Posición F

Plano 21
Posición G

Plano 22
Posición F

Plano 23
Posición I

23 I

23 II

23 III

Plano 24
Posición J

Plano 25
Posición K

I

25 II

Plano 26
Posición J

Plano 27
Posición K

Plano 28
Posición L
28 I

28 II

28 III

28 IV

Plano 29
Posición M
29 I

29 II

29 III

Plano 30
Posición N

30 I

30 II

30 III

42

43

44

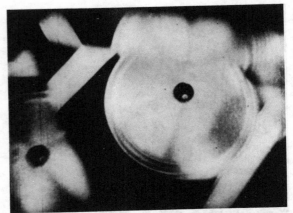

45

46

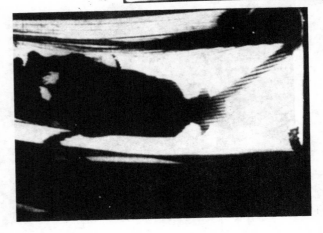

47

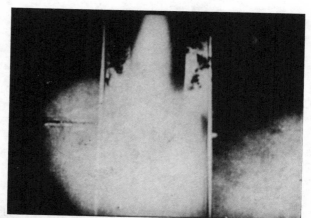

48

49

50

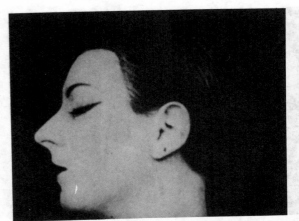

51

52

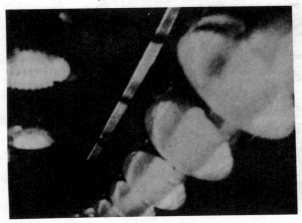

53

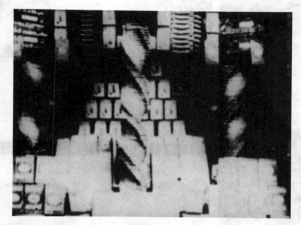

54

55

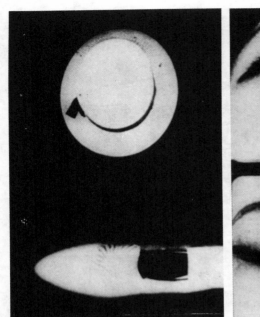

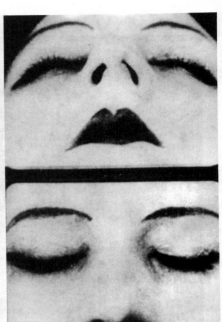

56

57

58

59

60

61

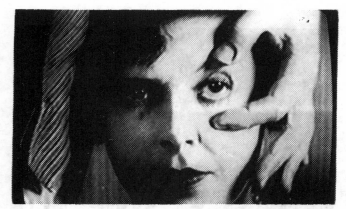

62

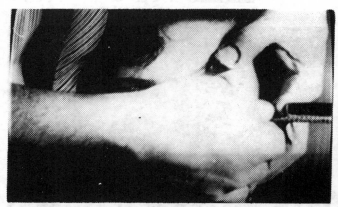

63

64

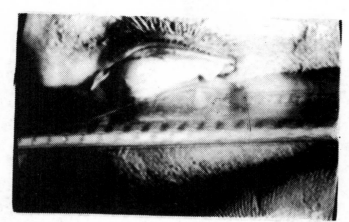

65

66

67

68

69

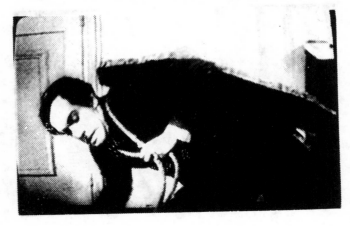

70

71

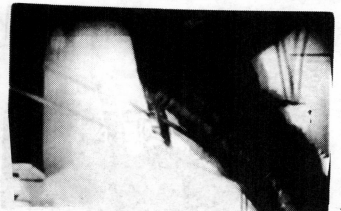

72

73

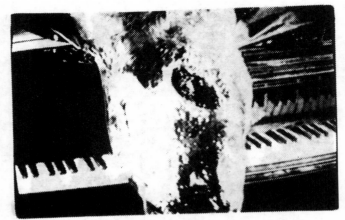

74

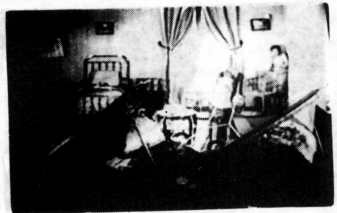

75

76

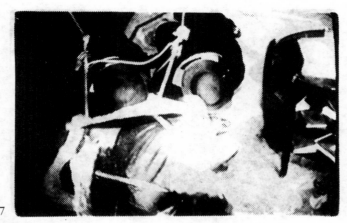

77

78

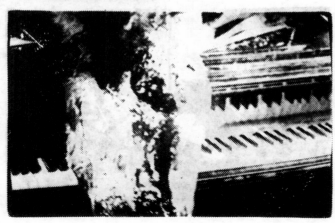

79

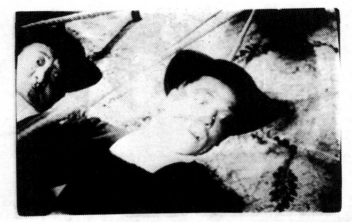

80

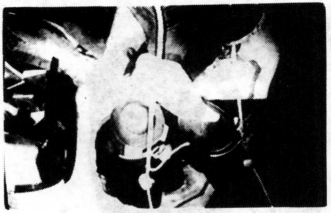

81

82

Bibliografía

AUMONT, J.; MARIE, M., (1988), *L'analyse des films*, París, Fernand Nathan.

AUMONT, Jacques (1979), *Montage Eisenstein*, París, Éditions Albatros.

BARNOW, Eric (1974), *Documentary. A History of the Non-Fiction Film*, Nueva York, Oxford University Press.

BARTHES, Roland (1977), «From Work to Text», en *Image-Music-Text*, Nueva York, Hill and Wang.

BAUDRY, Jean-Louis (1970), «Cinéma: effets idéologiques produits par l'appareil de base», en *Cinéthique*, 7/8, 1-8.

BAUDRY, Jean-Louis (1975), «Le dispositif: approches métapsychologiques de l'impression de realité», en *Communications*, 23, 56-72.

BAZIN, André (1966), *¿Qué es el cine?*, Madrid, Rialp.

BAZIN, André (1973), *Orson Welles*, Valencia, Fernando Torres.

BELLOUR, R. (1979), *L'analyse du film*, París, Éditions Albatros.

BENJAMIN, Walter (1975), «La obra de arte en la época de su reproductibilidad técnica», en *Discursos interrumpidos I*, Madrid, Taurus, 15-57.

BONITZER, Pascal (1977), «Voici», en *Cahiers du Cinéma*, 273, 5-18.

BONITZER, Pascal (1978), «Décadrages», en *Cahiers du Cinéma*, 284, 8-15.

BONITZER, Pascal (1985), *Décadrages. Peinture et cinéma*, París, Éditions de L'Étoile.

BORDWELL, D.; THOMPSON, K. (1986), *Film Art*, Nueva York, Alfred A. Knopf.

BUCKER, Noël; DORE, Mary; PASKIN, David; SILLS, Sam, «History. Memory. Documentary: A Critique of *The Good Fight*» [Cinéaste, XVBII, 2, páginas 18-21].

BURCH, Noël (1970), *Praxis del cine*, Madrid, Fundamentos.

BURCH, Noël (1980), «Porter ou l'ambivalence», en R. Bellour (ed.), *Le cinéma américain I*, París, Flammarion, 31-49. (trad. castellana en Burch 1985).

BURCH, Noël (1985), *Itinerarios*, Bilbao, Certamen Internacional de Cine Documental/Caja de Ahorros Vizcaína.

319

BURCH, Noël (1987), *El tragaluz del infinito*, Madrid, Cátedra.

BUSCEMA, Massimo (1979), «L'enunciazione visiva», en *Filmcritica,* 300, 431-440.

CALABRESE, Omar (1980), «From the semiotics of painting to the semiotics of pictorial text», en *Versus,* 25, 3-27.

CASETTI, F.; DE CHIO, F. (1990), *L'analisi del film,* Milán, Bompiani.

CASETTI, Francesco (1980), *Introducción a la semiótica,* Barcelona, Fontanella.

CASETTI, Francesco (1987), *El film y su espectador,* Madrid, Cátedra.

CHION, Michel (1982), *La voix au cinéma,* París, Éditions de L'Étoile.

CHION, Michel (1985), *Le son au cinéma,* París, Éditions de L'Étoile.

COLAIZZI, Giulia (1988), *Womanizing Film,* Minneapolis/Valencia, Working Papers.

COMOLLY, Jean-Louis (1971-1972), «Technique et idéologie», *Cahiers du cinéma,* núms. 229, 230, 231, 233, 234/35, 236.

COMPANY, J. M. (1986), *La realidad como sospecha,* Madrid, Hiperión.

COMPANY, J. M. (1987), *El trazo de la letra en la imagen,* Madrid, Cátedra.

COMPANY, J. M.; SÁNCHEZ-BIOSCA, V. (1985), «La imposible mirada», en *Contracampo,* 38, 46-54.

COMPANY, J. M.; TALENS, J. (1984), «The Textual Space. On the Notion of Text», en *M/MLA,* 17, 2.

COOK, Pam (1979), «Approaching the Work of Dorothy Arzner», en Patricia Evens, (ed.), *Sexual Stratagems: The World of Women in Film,* Nueva York, Horizon Press.

DANEY, Serge (1977), «L'orgue et L'aspirateur», en *Cahiers du Cinéma,* 279/280, 19-27.

DAYAN, Daniel (1974), «The tutor code of classical cinema», en *Film Quarterly,* 28/1, 22-31.

DE LAURETIS, Teresa (1984), *Alice Doesn't,* Bloomington, Indiana University Press.

DELEUZE, Gilles (1983), *L'image-mouvement (Cinéma I),* París, Minuit.

ECO, Umberto (1975), *Tratado de semiótica general,* Barcelona, Lumen (=1975).

ECO, Umberto (1985), *Semiotics and the Philosophy of Language,* Bloomington, Indiana University Press.

ECO, Umberto (1990), *The Limits of Interpretation,* Bloomington, Indiana University Press.

EHRENZWEIG, A. (1976), *Psicoanálisis de la percepción artística,* Barcelona, Gustavo Gili.

EISENSTEIN, S. M. (1970), *Reflexiones de un cineasta,* Barcelona, Lumen.

GAUDREAULT, André (1984), «Histoire et discours au cinéma», en *Les dossiers de la Cinémathèque,* 12, 43-46.

GAUDREAULT, André (1988), *Du littéraire au filmique. Système du récit.* París, Méridiens Klincksieck.

GENETTE, Gérard (1969), *Figures II,* París, Seuil.

GENETTE, Gérard (1972), *Figures III,* París, Seuil. Existe edición castellana: *Figuras III.* Barcelona. Lumen, 1989. Traducción de Carlos Manzano.

GENETTE, Gérard (1982), *Palimpsestes*, París, Seuil.

GENETTE, Gérard (1983), *Nouveau discours du récit*, París, Seuil.

GIBSON, James J. (1966), *The senses considered as perceptual systems*, Boston, Hougton Mifflin.

GIBSON, James J. (1974), *La percepción del mundo visual*, Buenos Aires, Infinito. (Edición original en Boston, Houghton Mifflin, 1950.)

GIBSON, James J. (1979), *The ecological aproach to visual perception*, Boston, Houghton Mifflin

GOMBRICH, E. H. (1979), *Arte e ilusión*, Barcelona, Gustavo Gili.

GOMBRICH, E. H. (1987), *La imagen y el ojo*, Madrid, Alianza Editorial.

GONZÁLEZ REQUENA, J. (1986), *La metáfora del espejo. El cine de Douglas Sirk*. Madrid, Hiperión.

GREIMAS, A. J. ; COURTÉS, J. (1982), *Semiótica. Diccionario razonado de la teoría del lenguaje*, Madrid, Gredos.

GUBERN, Román (1987), *El simio informatizado*, Madrid, Fundesco.

HEATH, Stephen (1977/1978), «Notes on suture», en *Screen*, 18/4, 48-76.

HENRY, Michel (1983), «La formación óptica de las imágenes», en *Mundo científico*, 27, 706-717.

HERSKOVITS, M. J. (1959), «Art and value», en AA.VV.: *Aspects of Primitive Art*, Nueva York, The Museum of primitive art, 42-97.

HUDSON, W. (1960), «Pictorial depth perception in sub-cultural groups in Africa», en *The Journal of Social Psychology*, 22, 183-208.

IMBERT, Michel (1983), «La neurobiología de la imagen», en *Mundo científico*, 27, 718-731.

JACOBS, Lea (1990), «Response», en *Camera obscura*, número especial 20-21, dedicado a *La espectadora*, Janet Bergstrom y Mary Ann Donne (eds.), 186-189.

JOHNSTON, Claire (1973), «Women's Cinema as Counter-Cinema» en *Notes on Women's Cinema*, Claire Johnston (ed.), Londres, SEFT.

JOHNSTON, Claire (1980), «Doble Indemnity», en KAPLAN (1980).

JOST, François (1983), «Narration(s): en deçà et au-déla», en *Communications*, 31, 192-212.

JOST, François (1984 a), «Le regard romanesque. Ocularisation et focalisation», en *Hors-Cadre*, 2, 67-86.

JOST, François (1984 b), «Focalisations cinématographiques: De la théorie à l'analyse textuelle», en *Fabula*, 4, 9-31.

JOST, François (1985), «L'oreille interne. Propositions pour une analyse du point de vue sonore», en *Iris*, 3/1, 21-34.

JOST, François (1987), *L'oeil caméra. Entre film et roman*. Presses Universitaires de Lyon.

KANIZSA, Gaetano (1980), *Grammatica del vedere. Saggi su percepzione e Gestalt*, Bolonia, Il Mulino. (La edición española de 1986 [*Gramática de la visión. Percepción y pensamiento* , Barcelona, Paidós] se compone de cinco capítulos tomados de la edición italiana de 1980 (caps. 6-10) y de otros cinco extraídos del libro de Kanizsa, Legrenzi y Sonino, *Percezione, Linguaggio, Pensiero*.)

KAPLAN, E. Ann, (ed.) (1980), *Women in Film Noir*, Londres, British Film Institute.

KUHN, Annette (1982), *Women's Pictures*, Routledge & Kegan Paul, Londres.

KUNTZEL, Thierry (1975), «Le Travail du Film, 2» en *Communications, 23.*

LACAN, Jacques (1984), *Escritos I* (10ª edición revisada y aumentada), México, Siglo XXI.

LOTMAN, J. M. (1978), *La estructura del texto artístico,* Madrid, Istmo (=1970).

MARINIELLO, Silvestra (1990), *Lev Kuleshov,* Florencia, La Nova Italia, Colec. Il Castoro Cinema.

MARTÍN-SANTOS, Luis (1962), *Tiempo de silencio,* Barcelona, Seix-Barral, (decimosexta edición definitiva, 1980).

McLUHAN, Marshall (1968), *La comprensión de los medios,* México, Diana.

METZ, Christian (1973), *Lenguaje y cine.* Barcelona, Planeta.

METZ, Christian (1979), *Psicoanálisis y cine,* Barcelona, Gustavo Gili.

MITRY, Jean (1976), «Sobre un lenguaje sin signos», en J. Urrutia (ed.), *Contribuciones al análisis semiológico del film,* Valencia, Fernando Torres, 263-290.

MITRY, Jean (1978), *Estética y psicología del cine* (dos vols.), Madrid, Siglo XXI.

MOLES, Abraham (1981), *L'image. Communication fonctionelle,* París, Casterman.

MORRIS, Charles (1985), *Fundamentos de la teoría de los signos,* Barcelona, Paidós.

ODIN, Roger (1977), «Dix années d'analyses textuelles de films. Bibliographie analytique», en *Linguistique et sémiologie, 3.*

ODIN, Roger (1983), «Pour une sémiopragmatique du cinéma», en *Iris,* 1.

OUDART, Jean-Pierre (1969), «La suture», en *Cahiers du Cinéma,* 211/212, 36-39 y 50-55.

OUDART, Jean-Pierre (1971), «L'effet de réel», en *Cahiers du Cinéma,* 228, 19-26.

PANOFSKY, Erwin (1973), *La perspectiva como forma simbólica,* Barcelona, Tusquets Editores.

PEIRCE, Charles S. (1931/1935), *Collected papers,* 8 vols., Cambridge (Mass.), Harvard University Press.

PICARD, Anne-Marie (1990), «Travestissement et paternité: la masculinitee remade in the USA», en *Cinémas,* vol. 1, núm. 2, 115-131.

RIVERS, W H.R. (1901), *Reports of the Cambridge anthropological expedition to Torres Straits,* A. C. Haddon (ed.), vol. II, Cambridge, The University Press.

ROCK, Irvin (1985), *La percepción,* Madrid, Labor.

ROTHMAN, William (1975), «Against the system of suture», en *Film Quarterly,* 29/1, 45-50.

SARTRE, Jean-Paul (1964), *Lo imaginario,* Buenos Aires, Losada.

SAUSSURE, Ferdinand de (1945), *Curso de lingüística general,* Buenos Aires, Losada.

SEGALL, CAMPBELL y HERSKOVITS (1966), *The influence of culture on visual perception,* Indianápolis/Nueva York, The Bobs-Merrill Co. Inc.

SHAPIRO, Meyer (1973), *Words and Pictures*, La Haya, Mouton.

SÁNCHEZ-BIOSCA, Vicente (1985), *Del otro lado, la metáfora. Modelos de representación en el cine de Weima*. Valencia-Minneapolis, Hiperión.

SILVERMAN, Kaja (1983), *The Subject of Semiotics*, Nueva York, Oxford University Press.

SILVERMAN, Kaja (1988), *The Acoustic Mirror*, Bloomington, Indiana University Press.

TACCA, Oscar (1978), *Las voces de la novela*, Madrid (segunda edición, corregida y aumentada), Madrid, Gredos.

TALENS, Jenaro (1986), *El ojo tachado*, Madrid, Cátedra.

TALENS, Jenaro (1987), «The Referential Effect», M/MLA, *miméo*.

VIQUEIRA, Carmen (1977), *Percepción y cultura: un enfoque ecológico*, México D. F., Ediciones de la Casa Chata.

ZEMS, Abraham (1974), *Dessins des indiens tchikao, yanomami et piaroa*. Documents de Travail et Pre-publications, núm. 35, Urbino, Centro Internazionale di Semiotica e di Linguistica.

ZUNZUNEGUI, Santos (1984), «Imagen. Documental, ficción», en *Revista de Ciencias de la Información*, 2, 53-62.

ZUNZUNEGUI, Santos (1985), «Microcircuitos del sentido», en *Contracampo*, 38, 33-45

ZUNZUNEGUI, Santos (1989), *Pensar la imagen*, Madrid, Cátedra.

Índice